MANUAL DEL CONDUCTOR COMERCIAL

Contenido

D1217730

SECCIÓN   Página

TODO LOS CONDUCTORES COMERCIALES TIENEN QUE SABER LOS REQUISITOS EN LA SECCIÓN 1.

SECCIÓN 1
INTRODUCCIÓN

Contenido de la sección

- **Vehículos automotores comerciales (VAC)**
- **Clases, certificaciones y restricciones para la LCC y el permiso de aprendiz comercial (LPC)**
- **Requisitos para la LCC y el permiso de aprendiz comercial (LPC)**
- **Pruebas para la LCC**
- **Requisitos adicionales para conductores de autobuses**
- **Descalificaciones del conductor**
- **Otras normas sobre privilegios comerciales**
- **Plan Internacional de Registro y Acuerdo Internacional del Impuesto sobre el Combustible**

1.1 - Vehículos automotores comerciales (VAC)

Usted debe tener una licencia de conductor comercial (LCC) o el permiso de aprendiz comercial (LPC) para conducir cualquiera de los siguientes vehículos automotores comerciales (VAC):

- Vehículos sencillos con un peso bruto estimado (GVWR) de 26,001 libras (11,793 kilos) o más.
- Remolques con un GVWR de más de 10,000 libras (4,535 kilos), si el peso bruto combinado estimado (GCWR) es de 26,001 libras (11,793 kilos). El GCWR es el GVWR de la unidad de potencia más el GVWR de cada vehículo en combinación.
- Vehículos diseñados para transportar 15 pasajeros o más (excluyendo el conductor) o vehículos definidos como autobuses por el Artículo 19-A, Sección 509-a de la Ley de Vehículos y Tráfico del estado de Nueva York.
- Vehículos de cualquier tamaño que requieran rótulos de materiales peligrosos o que transporten materiales que figuren como agentes selectos o toxinas en la Sección 73 del Título 42 del Código de Regulaciones Federales (CFR). Los reglamentos federales por medio del Departamento de Seguridad exigen una inspección de antecedentes y huellas digitales para la certificación para transportar materiales peligrosos.

EXENCIONES

- Los conductores de los vehículos con características de VAC que se enumeran a continuación están exentos del requisito de una LCC:
- Vehículos de productores agrícolas controlados por éstos, con un GVWR de más de 26,000 libras (11,793 kilos) utilizados para transportar productos agrícolas, maquinaria de rancho (granja) o productos de granja, que circulen a una distancia de hasta 150 millas (241 kilómetros) del rancho.
- Vehículos principalmente diseñados para otros usos que no sea el transporte de personas o bienes (conocidos comúnmente como vehículos comerciales para usos especiales) con un GVWR de hasta 26,000 libras (11,793 kilos), o, si el GVWR es mayor, vehículos que no circulen a velocidad normal de carretera.
- Vehículos de bomberos o de policía utilizados en operaciones de emergencia en el estado de Nueva York.
- Vehículos militares o combinaciones de vehículos operados por miembros de las fuerzas armadas.
- Vehículos personales, entre ellos vehículos de alquiler de hasta 26,000 libras (11,793 kilos) de GVWR, cuando sean utilizados estricta y exclusivamente para transportar familiares o bienes personales para fines no comerciales.

1.2 - Clases, certificaciones y restricciones para la LCC y el permiso de aprendiz comercial (LPC)

Las clases, las certificaciones y las restricciones de las licencias de conductor comercial y del permiso de aprendiz comercial dependen del tipo de VAC que se conduce, el cual está determinado por el peso bruto estimado del vehículo o GVWR (para vehículos sencillos) o por el peso bruto combinado estimado o GCWR (para vehículos de combinación), la estructura y el uso del vehículo. (Según la Ley de Vehículos y Tráfico del estado de Nueva York, la clasificación del peso de los VAC se basa en el

mayor de los siguientes pesos: GVWR o GCWR determinados por el fabricante, peso registrado o peso real de los vehículos y su carga.) Por lo tanto, las clases, las certificaciones y las restricciones de la LCC y LPC, corresponden al peso, la estructura o el uso del vehículo según se muestra en las figuras 1.1, 1.2 y 1.3 de la página 1-2.

Clase de licencia / (Edad mínima)	Tipo de vehículo Ejemplos	Descripción de los vehículos	Códigos de certificación
A (21)	**Combinación:** Tractor con remolque o camioneta con casilla rodante.	GCWR de más de 26,000 libras (11,793 kilos), siempre y cuando el GVWR o el GCWR de los vehículos remolcados sea superior a 10,000 libras (4,536 kilos).	H, M, N, P, S, T, W, X Permiso de aprendiz comercial (LPC) limitado a: M, N, P, S, W
B (21) (18 – No es válida para comercio interestatal. No se pueden transportar materiales peligrosos ni conducir autobuses escolares)	**Sencillo:** Camión pesado compacto	GVWR de más de 26,000 libras (11,793 kilos] o remolcar vehículos de más de 10,000 lbs. siempre y cuando el GCWR no exceda las 26,000 libras.)	H, M, N, P, S, W, X Permiso de aprendiz comercial (LPC) limitado a: M, N, P, S, W
C (21) (18 – No es válida para comercio interestatal. No se pueden transportar materiales peligrosos ni conducir autobuses escolares)	**Sencillo:** Autobús o camión compacto	GVWR máximo de 26,000 libras (11,793 kilos) que cumpla con uno de estos requisitos: - transporte un mínimo de 15 pasajeros;** O - transporte pasajeros conforme lo estipula el artículo 19-A de la Ley de Vehículos y Tráfico;** O - transporte materiales peligrosos.*** (Los vehículos de Clase C pueden remolcar vehículos con un GCWR de un máximo de 10,000 libras (4,535 kilos) o de más de 10,000 libras (4,535 kilos), siempre que el GCWR no supere las 26,000 libras (11,793 kilos)).	H, M, N, P, S, W, X

NOTA: todas las clases de licencia pueden estar etiquetadas o están disponibles como "Mejorada", lo que no cambia los privilegios de conducción de una persona (consulte MV-44.1EDL).

Figura 1.2 CERTIFICACIONES DEL ESTADO DE NUEVA YORK			
F	Vehículos agrícolas clase A	R	Vehículos para recreación GVWR de más de 26,000 lbs
G	Vehículos agrícolas clase B	S	Autobuses escolares
H	Materiales peligrosos	T	Dobles/Triples
M	Rollos metálicos	W	Grúas
N	Tanques	X	Tanques y materiales peligrosos
P	Pasajeros	Z	Agrícolas y materiales peligrosos

Figura 1.3 RESTRICCIONES DEL ESTADO DE NUEVA YORK

Las restricciones de licencia explican sus limitaciones para conducir. Lo códigos de restricción de licencia están impresos en la parte frontal de su licencia debajo de los campos de certificación "Fecha de vencimiento" y "E", después de la letra "R". La descripción de cualquier restricción que tenga está impresa en la parte posterior de su documento de licencia con fotografía.

A...Acelerador a la izquierda del freno	L ... No válida para frenos de aire CMV**
A1...Visitante temporal	M... No válida para vehículos clase A**
A2...Conductor reincidente*	N... No válida para vehículos clase A ni B**
A3... Exento de certificado médico**	N1...Ningún vehículo para más de 15 personas adultas**
A4...Se requiere dispositivo de interbloqueo de encendido *****	N2...Ningún vehículo diseñado para más de 8 personas adultas**
B...Lentes correctivos	O... Ningún camión/tráiler VAC**
C...Asistencia mecánica	O1...Ningún camión/tráiler VAC/Camión de no más de 26,000 GVWR**
D...Prótesis	P...Bus VAC sin pasajeros ***
E... VAC no equipado con transmisión manual***	P1...Frenos asistidos
E1...Transmisión automática	Q...Dirección asistida
F...Retrovisores exteriores	R...Asiento/Pedal/Zapato construido
F1...Asistencia auditiva o retrovisores de vista completa	U...Freno manual
G...Conducción únicamente de día	V...Varianza médica**
H...Limitado al empleo	V1...Freno manual operado con el pie
I...Limitado a uso de vehículo máximo de 40 MPH	X...Tanques VAC sin carga***
I1...Limitado a uso MCY máximo de 40 MPH****	X1...Control manual completo
I2...Limitado a uso MCY máximo de 30 MPH****	Y...Uso con arnés para hombros
I3...Limitado a uso MCY máximo de 20 MPH****	Z...VAC no equipada con frenos de aire completos**
I4...MCY de tres ruedas****	Z1...Timón para hacer girar las ruedas
K...LCC solo dentro del estado	4...Lente telescópico 4
(No válida para comercio fuera del estado de NY)	5...Carreteras sin acceso limitado

* Solo clase D
** Solo licencia de clase comercial
*** Solo permiso de aprendiz comercial
**** Solo clase motocicletas
***** El dispositivo de interbloqueo de encendido no se requiere en un vehículo propiedad del empleador del titular de la licencia si el vehículo se usa para el curso del empleo del titular de la licencia. El empleador debe autorizar el uso del vehículo sin este dispositivo.

1.3. - Requisitos para la licencia de conductor comercial y el permiso de aprendiz comercial

Por requisito federal cada estado debe establecer normas mínimas para otorgar licencias de conductor comerciales (LCC) y permisos de aprendiz comercial (LPC). Para obtener una LCC o LPC del estado de Nueva York usted debe cumplir con las siguientes normas y requisitos:

1.3.1 – Requisito de presencia legal

Los ciudadanos y residentes permanentes legales deben proporcionar prueba de ciudadanía o residencia permanente legal en la oficina de Departamento de Vehículos Motorizados (DVM). Una vez que haya cumplido con los requisitos en una oficina del DVM no se le exigirá comprobar de nuevo su estado legal. Los solicitantes de una jurisdicción extranjera deben presentar evidencia de su presencia legal en una oficina del DVM para cada transacción. Consulte el formulario ID-44CDL para obtener una lista de todos los documentos que puede presentar como evidencia de la ciudadanía estadounidense, residencia permanente legal o presencia legal temporal.

1.3.2 - Requisito de residencia

Para obtener una LCC o un LPC del estado de Nueva York, usted debe residir en dicho estado. Para solicitar, trasladar, renovar y enmendar su LCC o LPC, es necesaria una evidencia de residencia. Consulte el formulario ID-44CDL para obtener una lista de todos los documentos que puede presentar como evidencia de la residencia en el estado de Nueva York.

Un conductor que posea una LCC emitida en otra jurisdicción y que se mude a Nueva York debe solicitar una LCC del estado de Nueva York dentro de los 30 días de haber establecido su residencia. El nuevo residente debe solicitar el cambio de la LCC emitida en otra jurisdicción por una equivalente del estado de Nueva York (reciprocidad). *No obstante, para mantener la certificación de materiales peligrosos, debe pagar la cuota de la prueba, aprobar la prueba escrita de conocimientos de materiales peligrosos (se aprueba con puntaje del 80%), someterse a una investigación de antecedentes y pagar por dicha investigación. (Ver sección 9, Materiales Peligrosos).*

1.3.3 - Requisitos de edad

<u>Clase A:</u> Usted debe tener **21** años de edad como mínimo.

<u>Clases B y C</u>: Usted debe tener **18** años de edad como mínimo, *pero si es menor de 21 años, puede manejar un VAC solamente para comercio **intra**estatal en el estado de Nueva York y no puede transportar alumnos en autobuses escolares ni materiales peligrosos.*

1.3.4 - Requisito de idioma

Usted debe estar suficientemente capacitado para leer y escribir en inglés a fin de:
- conversar con otras personas;
- comprender los carteles y señales de tránsito de la carretera escritos en idioma inglés;
- responder las preguntas que le formulen las autoridades;
- realizar anotaciones en informes y registros; y
- tomar pruebas de habilidad como se exige para obtener su LCC

1.3.5 - Requisito de autocertificación

Los reglamentos de la Administración Federal de Seguridad de Autotransporte (FMCSA) exigen que todos los titulares de una LCC o un LPC del estado de Nueva York certifiquen ante el Departamento de Vehículos Automotores (DMV) el tipo de operación comercial que realizan o esperan realizar. Todos los titulares de LCC o LPC deben certificar en una de las cuatro categorías indicadas en la Figura 1-4, Auto certificación de tipos de conducción, antes de la emisión, modificación o renovación de una LCC o un LPC. Asimismo, en función del tipo de conducción que usted certifique, es posible que se apliquen algunos requisitos médicos a su caso. En la sección 1.3.6 encontrará una explicación de los requisitos médicos.

NO EXCEPTUADO PARA COMERCIO INTERESTATAL (NI)	EXCEPTUADO* PARA COMERCIO INTERESTATAL (EI)
• Debe ser mayor de 21 años de edad • No debe tener una restricción K o A3 • Los titulares de LCC con una Salvedad médica deben tener la restricción V • Los titulares de LCC con una certificación H o X pueden seleccionar este tipo de conducción • Se requiere Certificado del examinador médico del USDOT actualizado	• Debe ser mayor de 18 años de edad • Solo debe participar en "Conducción exceptuada" • Debe tener una restricción A3 • No debe tener una restricción K o V • No debe tener una certificación H o X • No se requiere Certificado del examinador médico * Consulte en la sección 1.3.6 los tipos de conducción exceptuados
NO EXCEPTUADO PARA COMERCIO INTRAESTATAL (NA)	EXCEPTUADO* PARA COMERCIO INTRAESTATAL (EA)
• Debe ser mayor de 18 años de edad • Debe tener una restricción K • No debe tener una restricción A3 • Los titulares de LCC con una Salvedad médica deben tener la restricción V • Los titulares de LCC **mayores de 21 años** con una certificación H o X pueden seleccionar este tipo de conducción • Se requiere Certificado del examinador médico del USDOT actualizado	• Debe ser mayor de 18 años de edad • Solo debe participar en "Conducción exceptuada" • Debe tener las restricciones K y A3 • No debe tener una restricción V • No debe tener una certificación H o X • No se requiere Certificado del examinador médico * Consulte en la sección 1.3.6 los tipos de conducción exceptuados

Figura 1.4 Autocertificación de tipos de conducción

El comercio "interestatal" es cuando usted conduce un vehículo automotor comercial (VAC):
- Desde un estado a otro o al extranjero;
- Entre dos lugares dentro del estado de Nueva York pero, durante una parte del viaje, el VAC cruza a otro estado o a otro país;
- Entre dos lugares dentro del estado de Nueva York pero la carga forma parte de un viaje que comenzó o terminará en otro estado u otro país.

El comercio "intraestatal" es cuando usted conduce un **VAC** solo dentro del estado de Nueva York y no cumple con ninguna de las descripciones anteriormente señaladas para el comercio interestatal.

1.3.6 - Requisito de examen médico

Si certifica un tipo de conducción No exceptuado (NA o NI), el gobierno federal exige que se someta a un examen médico para detectar trastornos físicos o mentales que puedan afectar su capacidad para conducir el vehículo de manera segura. En la sección 391 del título 49 del Código de Regulaciones Federales (CFR) del Reglamento de la Administración Federal de Seguridad de Autotransporte del Departamento de Transporte de los Estados Unidos (USDOT) encontrará los requisitos para el examen. El examen médico del USDOT cubre 13 áreas que están directamente relacionadas con la capacidad para manejar en forma segura. **A fin de recibir el Certificado del examinador médico del USDOT, usted debe pasar el examen médico del USDOT. Cuando completa una solicitud MV-44 para solicitar, modificar o renovar una LCC o un LPC del estado de Nueva York, y usted certifica que tiene un Certificado vigente y válido de examinador médico, debe presentar una copia de su certificado al DMV para probar que cumple con esta norma.**

Si el Certificado del examinador médico indica que debe ir acompañado de una exención o un Certificado de evaluación de desempeño de destrezas (SPE), el DMV debe contar en su expediente con una salvedad de la FMCSA del mismo tipo indicado en su certificado médico. El DMV no aceptará copias de documentos de salvedad médica para conductores comerciales.

No se procederá a la emisión, renovación o modificación de su LCC o LPC si usted no presenta, o tiene en su expediente, documentación médica válida.

Nota: el examen físico realizado únicamente para los conductores de autobuses sujetos al Artículo 19-A de la Ley de Vehículos y Tráfico del estado de Nueva York no cumple con los requisitos de la sección 391 del Reglamento Federal de Seguridad de Autotransporte, a menos que haya utilizado los estándares médicos, procedimientos y formularios federales y usted haya recibido un "Certificado de examinador médico".

- ¿QUÉ ES UN CERTIFICADO DE EXAMINADOR MÉDICO? El certificado de examinador médico del USDOT está adjunto al Informe del examen médico que completó un examinador médico certificado del Registro nacional de la Administración Federal de Seguridad de Autotransporte (FMCSA) de Examinadores Médicos Certificados. **Todos los certificados emitidos por examinadores médicos el o después del 21 de mayo de 2014 deben ser emitidos por un Examinador médico certificado y deben incluir el número de registro nacional del examinador médico.** Si usted pasa el examen, el examinador médico debe completar el certificado y entregárselo como prueba de que usted aprobó dicho examen. Debe presentar una copia de su certificado al DMV, donde se guardará en su expediente hasta que caduque. Antes de la fecha de vencimiento de su certificado en archivo, debe presentar un Certificado de examinador médico actualizado ante el DMV. Su DMV local solo acepta Certificados de examinador médico cuando presente una solicitud para obtener, modificar o renovar una LCC del estado de Nueva York. Si no realizará una de dichas transacciones, debe enviar por correo su certificado a la Unidad de Certificación Médica del DMV.

  NYS Department of Motor Vehicles
  Medical Certification Unit
  PO Box 2601
  Albany, NY 12220-0601
  Teléfono: (518) 474-3603
  Fax: (518) 486-4421 o bien, 486-3260
  Correo electrónico: dms.sm.CDLMedCertUnit@dmv.ny.gov

- ¿CUÁNTO TIEMPO DE VALIDEZ TIENE EL CERTIFICADO DE EXAMINADOR MÉDICO? Generalmente, el examen médico exigido por el USDOT tiene una validez de 24 meses. No obstante, es posible que su examinador médico le otorgue un certificado con una validez de menos de 24 meses a fin de controlar algún trastorno que considere necesario examinar con mayor frecuencia que cada dos años, por ejemplo, la hipertensión arterial.

- ¿QUIÉNES PUEDEN REALIZAR EL EXAMEN MÉDICO? A partir del 21 de mayo de 2014, solo los médicos que figuran en el Registro Nacional de FMCSA de Examinadores médicos certificados pueden realizar el examen médico del USDOT. Todos los certificados médicos del USDOT emitidos el o después del 21 de mayo de 2014, deben ser emitidos por un Examinador médico certifica y deben incluir el número de registro nacional del examinador médico.

- ¿CÓMO PUEDO BUSCAR UN EXAMINADOR MÉDICO ACREDITADO? Para buscar un médico certificado en su área, visite el sitio web federal en http://nationalregristry.fmcsa.dot.gov/NRPublicUI/home.seam.

  *Recordatorio importante: el titular de la LCC es responsable de presentar las copias actualizadas de cualquier documentación médica exigida (Certificado de examinador médico y cualquier Salvedad médica pertinente) al DMV antes de la fecha de vencimiento de la documentación médica que consta en su expediente. **Si no mantiene documentación médica actualizada en el DMV, perderá su privilegio de conducción comercial.**

1.3.7 - Excepción de examen médico

No se exige un examen médico o un Certificado de examinador médico del USDOT si usted certifica que se encuentra dentro de un tipo de conducción **Exceptuada** (EA o EI). Un tipo de conducción **Exceptuada** (EA o EI) se aplica a los siguientes tipos de conducción comercial:

- Para transportar escolares y/o personal escolar entre la casa y la escuela:
- Como empleado del gobierno federal, estatal o local;
- Para transportar cadáveres o personas enfermas o lesionadas;
- Camión de bombero o vehículos de rescate durante emergencias y otras actividades asociadas;
- Principalmente para el transporte de combustible de propano para calefacción en el invierno al responder ante una situación de emergencia que requiere de respuesta inmediata, como daño en un sistema de gas propano tras una tormenta o inundación;
- En respuesta a una situación de emergencia en una tubería que requiere de respuesta inmediata, como fuga o ruptura de una tubería;
- En labores de cosecha habituales en una granja o para transportar maquinaria e insumos agrícolas en la operación de cosecha habitual hacia y desde una granja, o para transportar productos de la cosecha a un depósito o mercado;
- Apicultor en el transporte estacional de abejas;
- Controlado y conducido por un agricultor, pero que no es un vehículo combinado (unidad de potencia y unidad remolcada), y se utiliza para transportar productos agrícolas, maquinaria agrícola o insumos agrícolas (no materiales peligrosos de señalización obligatoria) hacia y desde una granja y dentro de 150 millas aéreas de la granja;
- Como vehículo privado de pasajeros para fines no comerciales;
- Para transportar trabajadores inmigrantes, debe ser mayor de 21 años de edad;
- Los conductores que obtuvieron su LCC del estado de Nueva York antes del 9/9/1999 pueden realizar una operación comercial "no exceptuada" (salvo al transportar materiales peligrosos) únicamente en el estado de Nueva York. Estos conductores deben certificarse en la categoría EA.

1.3.8 - Requisitos para la solicitud y la prueba escrita

Para obtener por primera vez una LCC Clase A, B o C, obtener una licencia de una clase superior a la que ya tiene o agregar una certificación "P" o "S" a una LCC, usted debe obtener primero un permiso de aprendiz comercial (LCP) para la clase correspondiente y para el tipo de vehículo que desea conducir. A fin de obtener una licencia de aprendiz, debe tener una licencia de conductor del estado de Nueva York que no esté suspendida, revocada ni cancelada; presentar su solicitud personalmente en una Oficina de Vehículos Automotores del estado de Nueva York*. Las citas no son necesarias, sin embargo, usted debe comunicarse con la oficina si tiene necesidades especiales. Permítase tres horas para completar todo el procedimiento, y tomar el examen. Trate de llegar a más tardar tres horas antes de la hora programada para el cierre de la oficina. En le Oficina de Vehículos Automotores, usted hará lo siguiente:

- Completar un formulario de solicitud (MV-44) donde deberá:
  - ➢ proporcionar evidencia de su presencia legal en EE. UU. (consulte el formulario ID-44CDL);
  - ➢ proporcionar evidencia de su residencia en NYS (consulte el formulario ID-44CDL);
  - ➢ hacer una lista de todos los estados (incluido el Distrito de Columbia) donde haya obtenido licencias de conductor en los últimos 10 años;
  - ➢ certificar el tipo de operación comercial que realiza o espera realizar;
  - ➢ presentar una copia del certificado expedido por el examinador médico, si reúne los requisitos federales.
- Presentar su licencia de conductor del estado de Nueva York (para acreditar su identidad y fecha de nacimiento).
- Presentar su tarjeta de Seguro Social si el Departamento de Vehículos Automotores (DMV) del estado de Nueva York no posee registros de su número de Seguro Social y se le solicita que presente la tarjeta.
- Pagar las cuotas correspondientes a la solicitud y foto para el documento y las cuotas de las pruebas.

- Aprobar la prueba de conocimientos generales y todas las demás pruebas necesarias contestando correctamente por lo menos el 80% de las preguntas (ver la sección 1.4 más adelante). No puede traer nada al área o a la sala del examen con la excepción de un lápiz y debe presentar su licencia de conducir otra vez antes de poder tomar los exámenes. Aviso: los teléfonos celulares están prohibidos en todas las áreas de exámenes en todo momento.
- **Restricciones federales exigidas en LPC:**
  - ➤ Las LPC emitidas con certificación para pasajeros (P) o buses escolares (S) obtendrán automáticamente una nueva orden de restricción federal de "ningún pasajero en bus VAC (P)".
  - ➤ Las LPC emitidas con certificación para tanques (N) obtendrán automáticamente una orden de restricción federal "sin cargo en tanque VAC" (X).
  - ➤ Las restricciones P y X son emitidas solo para LPC. Las LPC emitidas después de que se hayan aprobado todas las pruebas no tendrán restricciones P ni X.

*Las ubicaciones y los horarios de las oficinas de vehículos automotores del estado de Nueva York aparecen en el directorio telefónico local o en la página de Internet del Departamento de Vehículos Automotores del estado de Nueva York en www.dmv.ny.gov/offices.htm o llamando durante los días de semana (con la excepción de los días feriados estatales) entre las 8:00 am y las 4:00 pm (Hora del Este) al:

  - ➤ 1-212-645-5550 ó 1-718-966-6155, si llama desde el área metropolitana de la Ciudad de Nueva York, desde los códigos de área 212, 347, 646, 718, 917 ó, 929
  - ➤ 1-718-477-4820 si llama desde los códigos de área 516, 631, 845 ó 914
  - ➤ 1-518-486-9786 si llama desde cualquiera de los demás códigos de área en el estado de Nueva York
  - ➤ 1-518-473-5595 si llama desde fuera del estado de Nueva York

1.3.9 - Conducir con permiso de aprendiz comercial

Su licencia de aprendiz le permite conducir un vehículo de la clase y el tipo correspondientes a la clase y las certificaciones indicadas en la licencia, siempre y cuando:

- su LPC esté acompañada de una licencia subyacente del estado de NY;
- un conductor que posea una LCC de la misma clase o superior con las certificaciones correspondientes lo acompañe *en todo momento*;
- su permiso y la LCC del conductor que lo supervise <u>no</u> tenga ninguna restricción que le prohíba conducir el vehículo para práctica; y
- usted <u>no</u> transporte ningún material que requiera rótulos de materiales peligrosos ni ninguna cantidad de los materiales enumerados como agentes selectos o toxinas en la Sección 73 del Título 42 del Código de Regulaciones Federales, aun cuando el conductor que lo supervise posea una LCC con certificación para materiales peligrosos o usted mismo posea una LCC de clase menor con una certificación para materiales peligrosos.

1.3.10 - Requisitos para la prueba de destreza

Para obtener la LCC, usted debe aprobar una prueba de destreza en un vehículo que sea de igual clase, tipo y uso al que figurará en la licencia que usted necesita. Estudie las secciones 11, 12 y 13 de este manual donde encontrará los detalles de la prueba de destreza para obtener la LCC y practique conduciendo con su licencia de aprendiz, tanto como sea posible hasta que se sienta seguro de que podrá pasar la prueba. Puede concertar la fecha para realizar la prueba de destreza por **Internet** en el sitio www.dmv.ny.gov o por **teléfono** llamando al 1-518-402-2100. Debe esperar un mínimo de 14 días a partir de la fecha en que obtuvo su LCC antes de tomar las pruebas de destrezas. Como generalmente transcurren varias semanas desde la fecha en que se fija la cita y la fecha de la prueba, prográmela con anticipación. También puede cancelar una prueba de destreza programada por Internet o por teléfono, pero debe cancelar su cita *por lo menos 3 días hábiles antes de la fecha y hora programadas para la prueba.* Si cancela con menos tiempo, perderá la cuota de la prueba de destrezas y debe pagar de nuevo dicha cuota antes de programarla de nuevo. Si desea obtener información adicional para fijar una fecha para la prueba de destreza, ingrese al sitio Web del DMV.

Para aprobar la prueba de destreza, usted debe demostrar que puede inspeccionar y operar el vehículo representativo competentemente y con seguridad, con una deducción de menos de 50 puntos. Si aprueba el examen, se le pedirá que espere un día antes de ir a una oficina del DMV para recibir su LCC permanente.

Durante la prueba, si usted tiene o causa un accidente, comete una infracción de tránsito u acción peligrosa o pierde más de 50 puntos, reprobará la prueba de destreza. Si reprueba una prueba de destreza, podrá programar una cita para la próxima fecha de la prueba, según de la disponibilidad de las citas. No hay un periodo mínimo de espera antes de volver a tomar la prueba de destreza (la única excepción es que sólo puede tomar una prueba al día), pero la próxima fecha de la prueba puede ser varias semanas a partir de la fecha en que la haya programado. Debe pagar de nuevo la cuota de la prueba de destreza antes de poder programar su próxima cita.

1.3.11 - Exención militar para la prueba de destrezas

El Reglamento del Comisionado de Automotores permite que las personas que solicitan una LCC con experiencia militar que conducen vehículos comerciales soliciten una exención de la prueba de destrezas para obtener la LCC.

Para cumplir los requisitos para esta exención, el solicitante debe:
- Tener una licencia de conducir válida del estado de Nueva York o una licencia de conducir válida de otro estado para cambiarla por una licencia de conducir del estado de Nueva York
- Cumplir todos los demás requisitos para ser elegible para una LCC del estado de Nueva York
- Tener actualmente un trabajo regular (o haberlo tenido dentro de los últimos 12 meses) en un cargo militar (servicio activo o Guardia Nacional de Nueva York) que exige la conducción de un VAC
- Haber conducido un VAC del tipo que conduce (o espera conducir) el conductor como mínimo los dos años inmediatamente anteriores a:
    - La fecha de solicitud, si está en servicio activo o
    - La fecha de baja de las fuerzas armadas

En una oficina del DMV, el solicitante debe presentar:

- Una Certificación de exención militar de la prueba de destrezas (formulario CDL-02) para obtener la LCC, disponible en www.dmv.ny-gov/forms/CDL102.pdf o en cualquier oficina del DMV.
- Una licencia de conducir válida del estado de Nueva York o de otro estado
- Constancia de servicio militar como se indica en el formulario CDL-102

Debe aprobar todas las pruebas escritas y pagar la tarifa correspondiente a la prueba escrita, el permiso y la licencia. No se cobra por la prueba de destrezas.

Si se cumplen todos los requisitos, la oficina del DMV emitirá su LCC. La clase, las certificaciones y las restricciones en su LCC dependerán del tipo de VAC que condujo en las fuerzas armadas. Para obtener más información, consulte Explicación de clases de licencia, certificaciones y restricciones (formulario MV-500C).

1.3.12 - Requisitos para las pruebas de detección de alcohol y drogas

Según lo estipulado en las leyes del estado de Nueva York, se entiende que toda persona que conduzca un vehículo automotor en Nueva York ha prestado su consentimiento para que se le haga un análisis químico de aliento, sangre, orina o saliva a fin de determinar el contenido de alcohol o droga en la sangre.

1.4 - Pruebas para la LCC

Para obtener una LCC usted debe pasar pruebas de conocimiento y de destreza. **El solo propósito de este manual es ayudarlo a aprobar dichas pruebas.** Este manual no sustituye las clases o programas de capacitación para conducción comercial. La capacitación formal es la manera más confiable de aprender las distintas habilidades especiales necesarias para la conducción segura de un vehículo comercial grande y convertirse en un conductor comercial profesional. A continuación, la sección 1.4.1 muestra las secciones de este manual que usted debe estudiar para obtener cada clase particular de licencia y cada certificación.

1.4.1 - Pruebas de conocimiento

Usted deberá realizar una o más pruebas de conocimiento según la clase de licencia y las certificaciones que necesite. Todas las preguntas de la prueba son de selección múltiple. Usted escoge la respuesta correcta de tres opciones. El porcentaje para aprobar cada prueba de conocimiento para conductor comercial es del **80%**. Si reprueba una prueba de conocimiento, no hay ningún límite para el número de veces que puede volver a tomar dicha prueba; sin embargo, esto estará sujeto al criterio del Directo del Distrito, del Administrador de oficina, del Secretario del Condado o del Supervisor de oficina.

- **Prueba de conocimiento general (básico):** la realizarán <u>todos los solicitantes de la LCC</u>. *Para esta prueba, estudiar las secciones 1, 2, 3, 11, 12 y 13 de este manual.*

Al tomar cualquier otra prueba de conocimiento de LCC, todos los postulantes deben estudiar las secciones 1, 2, 3, 11, 12 y 13, además de las secciones enumeradas a continuación. Las otras pruebas de conocimiento para obtener la LCC y las secciones **adicionales** de este manual que usted debe estudiar para aprobar cada una de ellas son las siguientes:

- **Prueba para vehículos de combinación**, obligatoria para manejar vehículos de combinación (LCC Clase A); *estudiar las secciones 5 y 6*
- **Prueba de dobles/triples**, obligatoria para conducir remolques dobles o triples; *estudiar las secciones 5, 6 y 7*
- **Prueba de materiales peligrosos**, obligatoria para transportar materiales o desechos peligrosos en cantidades que requieran la colocación de rótulos de sustancias peligrosas, o cualquier cantidad de los materiales enumerados como agentes selectos o toxinas en la Sección 73 del Título 42 del Código de Regulaciones Federales; Para recibir esta certificación, también se le exige aprobar las inspecciones de antecedentes del Estado de Nueva York y de la Administración de Seguridad en el Transporte (TSA); *estudiar la sección 9*
- **Prueba de transporte de pasajeros**, que realizarán todos los <u>conductores de autobuses que soliciten</u> este tipo de licencia; *estudiar la sección 4*
- **Prueba de autobuses escolares**, obligatoria para manejar autobuses escolares con un GVWR superior a 26,000 libras (11,793 kilos) o que estén diseñados para transportar más de 15 pasajeros adultos sentados (sin incluir al conductor); *estudiar la sección 10*
- **Prueba de vehículos tanque**, obligatoria para transportar líquidos o gases líquidos en un tanque de carga acoplado de manera permanente con una capacidad de 119 galones (450 litros) o más, o un tanque portátil con una capacidad de 1,000 galones (3,785 litros) o más; *estudiar las secciones 6, 8 y 9*
- **Prueba de frenos de aire**, que usted debe realizar si su vehículo tiene frenos de aire, entre ellos, frenos hidroneumáticos; *estudiar la sección 5*

1.4.2 - Pruebas de destreza

Si usted pasa las pruebas de conocimiento requeridas, puede realizar la prueba de destreza para la LCC. Debe esperar un mínimo de 14 días a partir de la fecha en que obtuvo su LPC antes de tomar las pruebas de destreza. En la prueba se evalúan tres tipos de habilidades básicas: inspección del vehículo antes del viaje, control básico del vehículo y conducción en carretera. Usted debe realizar la prueba de destreza en un vehículo de la clase y el tipo correspondientes a la licencia que solicita.

Todo vehículo que tenga componentes marcados o etiquetados no puede utilizarse para la prueba de inspección del vehículo antes del viaje

Inspección del vehículo antes del viaje. Se evaluará si usted sabe si su vehículo es seguro para circular. Para ello, se le pedirá que realice una inspección de su vehículo antes del viaje y que explique al examinador qué es lo que usted inspeccionaría y por qué. *Ver la sección 11 para obtener información detallada.*

Control básico del vehículo. Se evaluará su habilidad para examinar el vehículo. Se le pedirá que mueva el vehículo hacia delante, hacia atrás y que vire en un área determinada. Esas áreas pueden o no estar demarcadas con carriles, conos, barreras o elementos similares. El examinador le dirá cómo debe realizar cada prueba. *Ver la sección 12 para obtener información detallada.*

Prueba de conducir en carretera. Se evaluará su habilidad para manejar el vehículo de manera segura en una variedad de situaciones de tránsito, que pueden incluir giros a la izquierda y a la derecha, intersecciones, cruces de vías de ferrocarril, curvas, subidas y bajadas, carreteras de uno o varios carriles, calles o carreteras. El examinador le dirá dónde debe manejar. *Ver la sección 13 para obtener información detallada.*

1.5 – Requisitos adicionales para conductores de autobuses

En el estado de Nueva York, todos los conductores de autobuses deben poseer LCC, y los patrones deben exigir que los conductores que contraten estén habilitados para conducir autobuses. Además, el artículo 19-A (Requisitos especiales para conductores de autobuses) de la Ley de Vehículos y Tráfico del estado de Nueva York establece normas para los conductores de autobuses. Según lo estipulado en esta ley, los patrones de conductores de autobuses tienen las siguientes obligaciones:

- Realizar una investigación de los antecedentes laborales del nuevo conductor de los últimos tres años.

- Obtener registros de conducción de todas las jurisdicciones donde el conductor haya trabajado, vivido u obtenido una licencia de conductor o de aprendiz en los últimos 3 años.

- Informar a los conductores sobre las disposiciones del artículo 19-A.

- Exigir que los conductores se sometan a un examen físico inicial y luego a exámenes de seguimiento cada dos años.

- Revisar anualmente el registro de conducción de cada conductor para determinar si cumple con los requisitos mínimos para conducir autobuses.

- Observar anualmente el desempeño del conductor en la conducción defensiva mientras opera un autobús que transporta pasajeros.

- Tomar un examen escrito u oral a cada conductor cada dos años para evaluar su conocimiento sobre las normas para transitar en carreteras, las prácticas de conducción defensiva y las leyes que regulan la conducción de autobuses en el estado de Nueva York.

- Tomar a cada conductor una prueba al volante del vehículo cada dos años.

- Aplicar una suspensión de cinco días hábiles al conductor que no cumpla con la obligación de notificar condenas y accidentes, o, si la condena es por delitos comunes o graves, una suspensión equivalente al número de días hábiles durante los que el conductor no cumplió con el requisito de informar los delitos, o una suspensión de cinco días hábiles, la que sea mayor.

Requisitos adicionales para conductores de *autobuses escolares*. El artículo 19-A establece que los patrones de conductores de autobuses escolares deben exigir un informe de antecedentes penales del conductor en base a sus huellas dactilares. Las disposiciones del Departamento de Educación del estado de Nueva York (NYSED) exigen, además, que los conductores de autobuses escolares cumplan con los siguientes requisitos:

- Tener 21 años de edad como mínimo.

- Realizarse y aprobar un examen físico anual de seguimiento.

Si el conductor de autobús no cumple con alguno de los requisitos legales o normativos, el patrón no debe permitirle operar un autobús hasta tanto cumpla con ellos. El Departamento de Vehículos Automotores también descalifica a los conductores por sus antecedentes penales y de conducción.

1.6 – Descalificaciones del conductor

1.6.1 - General

Usted no puede conducir vehículos automotores comerciales si está descalificado por alguna razón.

1.6.2 - Alcohol, abandono de la escena de un accidente y perpetración de delito grave

Es ilegal manejar un VAC con una concentración de alcohol en la sangre de 0.04% o superior. Si usted maneja un VAC, se entiende que ha dado su consentimiento para que se le efectúen análisis de alcohol en la sangre.

Si se le detecta una cantidad de alcohol en la sangre por debajo de 0.04% se prohibirá su circulación por 24 horas.

Usted perderá su LCC o LPC **por un mínimo de un año** al incurrir en la primera violación por:
- conducir un VAC con una concentración de alcohol en la sangre de 0,04% o superior;
- conducir cualquier vehículo bajo los efectos del alcohol;
- conducir cualquier vehículo mientras se encuentra bajo los efectos de una sustancia controlada;
- negarse a que se le efectúe un análisis de alcohol en la sangre;
- abandonar la escena de un accidente sin informarlo;
- cometer un delito grave en el que esté involucrado el uso de un vehículo;
- conducir un VAC si su LCC o LPC se encuentra revocada, suspendida o cancelada por una violación previa; si usted se encuentra descalificado para operar un VAC; o si es condenado por causar una muerte por operación negligente de un VAC, como, por ejemplo, por homicidio simple u homicidio culposo causado por el conductor del vehículo.

Usted perderá su LCC o LPC por un **mínimo de tres años** si la violación ocurre mientras usted conduce un VAC identificado con rótulos de transporte de materiales peligrosos.

Usted perderá su LCC o LPC **por toda la vida** si resulta condenado por segunda vez por cualquiera de las violaciones antes mencionadas.

Usted perderá su LCC o LPC **por toda la vida** si usa un VAC para cometer un delito grave en el que estén involucradas sustancias controladas.

1.6.3 – Violaciones de tránsito graves

Violaciones de tránsito graves:
- Velocidad excesiva (15 millas -24 kilómetros- por hora o más por encima del límite permitido señalizado)
- Conducción imprudente
- Cambios de carril indebidos o erráticos
- Seguir un vehículo a una distancia demasiado corta
- Violaciones de tránsito cometidas con un VAC relacionadas con accidentes de tránsito fatales
- Conducir un VAC sin haber obtenido previamente la LCC o LPC
- Conducir un VAC sin que el conductor tenga la LCC o LPC en su poder
- Conducir un VAC sin la LCC o LPC de la clase correspondiente o sin tener la certificación para el tipo específico de vehículo que se opera o para los pasajeros o tipo de carga que se transportan

- Conducir un VAC mientras usa un teléfono celular y/o dispositivo de mensaje de textos.

Usted perderá su LCC o LPC:

- por un mínimo de 60 días, si en un período de tres años ha cometido dos violaciones de tránsito graves con un VAC;
- por un período mínimo de 120 días si en un período de tres años ha cometido tres violaciones de tránsito graves con un VAC.

1.6.4 - Violación de órdenes de prohibición de circulación

Si durante una inspección un inspector federal o estatal determina que usted o su vehículo comercial no es seguro, se le ordenará que se retire usted o retire de servicio su vehículo.

Usted perderá su LCC o LPC si se le acusa de conducir un vehículo que viole la orden de retirarlo de servicio:

- por un mínimo de 90 días si ha violado por primera vez una orden de prohibición de circulación;
- por un mínimo de un año si ha violado dos veces una orden de prohibición de circulación en un período de diez años;
- por un mínimo de tres años si ha violado tres o más veces una orden de prohibición de circulación en un período de diez años.

1.6.5 - Violaciones en cruces de vías de ferrocarril

Estas violaciones, mientras conduce un vehículo comercial, incluyen violaciones de las leyes locales, estatales o federales, o de la normativa correspondiente a una de las siguientes seis violaciones cometidas en un cruce de vías de ferrocarril:

- Para conductores a los que no se les exige que siempre se detengan: no cumplir con la obligación de detenerse antes de llegar al cruce si las vías no están libres.
- Para conductores a los que no se les exige que siempre se detengan: no cumplir con la obligación de reducir la velocidad y verificar que las vías estén libres.
- Para conductores a los que se les exige que siempre deban detenerse: no cumplir con la obligación de detenerse antes de cruzar las vías de ferrocarril.
- Para todos los conductores: no cumplir con la obligación de dejar suficiente distancia como para cruzar completamente las vías del ferrocarril sin detenerse.
- Para todos los conductores: no cumplir con la obligación de obedecer a un dispositivo de control de tráfico o las instrucciones de personal policial.
- Para todos los conductores: quedar atascados en un cruce porque la altura del espacio que queda debajo del vehículo es insuficiente para atravesarlo.

Usted perderá su LCC o LPC:

- Por al menos 60 días por su primera infracción.
- Por al menos 120 días por su segunda infracción en un período de tres años.
- Por al menos un año por su tercera infracción en un período de tres años.

1.6.6 - Inspección de antecedentes y descalificaciones para certificaciones de materiales peligrosos

Si usted solicita una certificación para materiales peligrosos se le exigirá que provea sus huellas digitales y se le practicará una inspección de antecedentes.

Se le negará la certificación de materiales peligrosos o la perderá en caso de que:

- no sea un residente legal permanente de los Estados Unidos;
- renuncie a la ciudadanía de los Estados Unidos;
- tenga orden de captura o esté acusado por delitos graves;
- esté condenado por delitos graves en tribunales militares o civiles;
- haya sido declarado discapacitado mental o internado en un hospital psiquiátrico;
- sea considerado una amenaza de seguridad por resolución de la Administración de Seguridad del Transporte.

Para obtener más información visite: www.dmv.ny.gov/cdl.htm

1.6.7- Infracciones de tráfico en su vehículo personal

La ley federal y estatal exige que quede descalificado para conducir vehículos automotores comerciales un conductor que posea una LCC o LPC si ha sido condenado por ciertos tipos de infracciones en su vehículo personal. Esto incluye: abandonar la escena de un accidente, infracciones implicadas con alcohol y drogas, y delitos que involucren un vehículo motorizado.

Si su privilegio para operar su vehículo personal es revocado, cancelado o suspendido debido a infracciones de leyes de control de tránsito (que no sean infracciones de estacionamiento), también perderá sus privilegios de la LCC para conducir.

Si su privilegio para operar su vehículo personal es revocado, cancelado o suspendido debido a infracciones por consumo de alcohol, sustancias controladas o delitos graves, perderá su LCC o LPC por **un año**. Si lo condenan por una segunda dicha infracción en su vehículo personal, perderá su LCC o LPC de **por vida**.

Si su licencia para la operación de su vehículo personal ha sido revocada, cancelada o suspendida, tampoco podrá obtener una licencia "por dificultades" para operar un VAC.

1.7 – Otras normas de privilegios comerciales

Hay otras normas federales y estatales que afectan a los conductores de VAC en todos los estados. Entre ellas se encuentran las siguientes:

1.7.1 - Normas sobre licencias

- Nadie puede conducir un VAC sin una LCC o LPC. Un tribunal puede aplicarle multas de $ 75 hasta $ 300 o encarcelarlo por violación de esta norma.
- Usted no puede tener más de una licencia. Si usted viola esta norma, un tribunal puede aplicarle multas de $ 75 hasta $ 300 o encarcelarlo y retener la licencia del estado donde reside y devolver cualquier otra.
- En el plazo de 30 días usted debe notificar al Departamento de Vehículos Automotores del estado de Nueva York si es condenado por cualquier violación de normas de tráfico (excepto de estacionamiento) en cualquier otra jurisdicción. Esto se aplica independientemente del tipo de vehículo que conduzca.
- Si tiene una certificación de materiales peligrosos, dentro de las 24 horas debe notificar al estado emisor de su LCC y entregarle la certificación de materiales peligrosos en caso de que:
  - ➤ sea condenado, acusado o declarado inocente por causa de demencia por haber cometido alguno de los delitos descalificadores enumerados en la Sección 1572.103 del Título 49 del Código de Regulaciones Federales, en cualquier jurisdicción civil o militar;
  - ➤ sea declarado discapacitado mental o internado en un hospital psiquiátrico según lo establecido en la Sección 1572.109 del Título 49 del Código de Regulaciones Federales;
  - ➤ renuncie a la ciudadanía de los Estados Unidos.
- Todos los estados están conectados a un sistema computarizado para compartir información sobre conductores con LCC o LPC. Los estados examinarán los registros de conducción para verificar que los conductores no tengan más de una LCC o LPC.

- Usted debe estar debidamente protegido por un cinturón de seguridad en todo momento mientras opera un vehículo automotor comercial. El diseño del cinturón de seguridad mantiene al conductor firmemente detrás del volante durante un choque, ayudándolo a controlar el vehículo, y reduce la probabilidad de lesiones graves o muerte. Si no usa cinturón de seguridad, tiene cuatro veces más probabilidades de sufrir lesiones fatales en caso de salir despedido fuera del vehículo.

1.7.2 - Normas sobre el trabajo

- Usted debe proporcionar a su patrón información sobre todos los trabajos como conductor que haya tenido en los últimos 10 años. Deberá hacerlo cuando solicite un trabajo para manejar vehículos comerciales.
- Usted debe notificar a su patrón en el plazo de 30 días en caso de haber sido condenado por una violación de normas de tráfico (excepto de estacionamiento). Esto se aplica independientemente del tipo de vehículo que maneje.
- Usted debe notificar a su patrón si su licencia es suspendida, revocada o cancelada o si está descalificado para conducir.
- Su patrón no debe autorizarlo a manejar un VAC si usted tiene más de una licencia o si su LCC o LPC está suspendida o revocada. Un tribunal puede aplicarle multas de hasta $ 5,000 al patrón o encarcelarlo por violación de esta norma.

1.8 – Plan Internacional de Registro y Acuerdo Internacional del Impuesto sobre el Combustible

Si usted opera un VAC que requiere una LCC en comercio interestatal, el vehículo, con algunas pocas excepciones, necesita estar registrado bajo el Plan Internacional de Registro (IRP, por sus siglas en inglés) y el Acuerdo Internacional del Impuesto sobre el Combustible (IFTA, por sus siglas en inglés). Estos programas proporcionan la recaudación y distribución de las cuotas de licencia de vehículos y los impuestos sobre el uso de combustibles para viajes interestatales.

1.8.1 - Plan Internacional de Registro (IRP) administrado por el Departamento de Departamento de Vehículos Automotores (DMV)

Según el IRP, las jurisdicciones deben registrar los vehículos y auditar los registros de millaje.

Los titulares del registro deben solicitar el registro en el IRP, proporcionar la documentación correspondiente, pagar las cuotas de inscripción correspondientes, mostrar las credenciales, mantener registros de millaje precisos y conformes, y poner los registros a disposición para auditorías.

1.8.2 - Acuerdo Internacional del Impuesto sobre el Combustible (IFTA) administrado por el Departamento de Impuestos y Finanzas (DFT)

El IFTA permite a los autotransportistas informar el de consumo de combustible y el pago de impuestos sobre el uso de combustibles.

Según el IFTA, un licenciatario recibe un conjunto de credenciales que autorizará las operaciones en todas las jurisdicciones miembro del IFTA. Los impuestos recaudados sobre el uso de combustible, según el IFTA, se calculan de acuerdo con la cantidad de millas (kilómetros) recorridas y la cantidad de galones (litros) consumidos en las jurisdicciones miembro. La jurisdicción base recaudará y distribuirá los impuestos sobre el uso de combustibles a otras jurisdicciones miembro del IFTA y llevará a cabo auditorías para los impuestos sobre el uso de combustible.

Los licenciatarios deben remitir los impuestos recaudados trimestrales del IFTA a la jurisdicción base para informar los viajes y el consumo de combustible a todas las jurisdicciones de la IFTA.

Los licenciatarios deben conservar registros para respaldar la información comunicada sobre la declaración de impuestos trimestrales del IFTA.

1.8.3 – Información adicional y requisitos de mantenimiento de registros

Se puede obtener información adicional y los requisitos de mantenimiento de registros para el IRP en el Manual de Instrucciones del IRP (IRP-8) del DMV, disponible bajo el título "Business Use Forms" (Formularios de uso empresarial) en www.dmv.ny.gov. IRP, Inc. es el depositario oficial del IRP, y se puede encontrar información adicional en su página web www.irponline.org. Se puede observar un video de capacitación disponible en inglés, español y francés en su página web.

Para obtener más información sobre el IFTA, visite el sitio web del Departamento de Impuestos y Finanzas en http://www.tax.ny.gov. También encontrará información útil sobre el Acuerdo en el depositario oficial del IFTA en http://www.iftach.org/index.php

1.8.4 - Conservación de registros para el IRP y el IFTA

Para el IRP, los registros de millaje que respaldan los registros del IRP se deben conservar por un periodo de seis (6) años.

Para el IFTA, los registros de millaje y combustible que respaldan la recaudación de impuestos sobre el uso de combustible del IFTA se debe conservar por un periodo de cuatro (4) años.

SECCIÓN 2
CONDUCCIÓN SEGURA

Contenido de la sección

- **Inspección del vehículo**
- **Control básico de su vehículo**
- **Cambio de marchas**
- **Visibilidad**
- **Comunicación**
- **Control de la velocidad**
- **Manejo del espacio**
- **Percepción de riesgos**
- **Distracción al manejar**
- **Conductores agresivos y violencia en la carretera**
- **Conducción nocturna**
- **Conducción con niebla**
- **Conducción en invierno**
- **Conducción en temperaturas muy altas**

- **Cruces de vías de ferrocarril**
- **Conducción en la montaña**
- **Emergencias durante la conducción**
- **Sistema antibloqueo de frenos (ABS)**
- **Control y recuperación al patinar**
- **Procedimientos en caso de colisión**
- **Incendios**
- **Conducción bajo los efectos del alcohol y otras drogas**
- **Mantenerse alerta y en buen estado para manejar**
- **Reglas sobre materiales peligrosos para todos los conductores comerciales**

Esta sección contiene conocimientos e información que todos los conductores comerciales deben saber a fin de manejar de forma segura. Para obtener una licencia de conductor comercial (LCC), usted debe pasar una prueba sobre esta información. Esta sección no contiene información específica sobre frenos de aire, vehículos de combinación, dobles ni transporte de pasajeros. Para prepararse para la prueba de inspección antes del viaje, además de la información de esta sección, debe estudiar el material de la sección 11. La sección 2 sí contiene información sobre materiales peligrosos que todos los conductores deben saber. Si usted necesita una certificación de materiales peligrosos, debe estudiar la sección 9.

2.1 - Inspección del vehículo

2.1.1 - Por qué se debe realizar la inspección

La razón más importante por la que debe inspeccionar su vehículo es la seguridad, tanto para usted mismo como para otras personas que circulen por la carretera.

Si encuentra un defecto del vehículo durante la inspección, se ahorrará problemas posteriores. Un defecto puede ocasionarle una avería en la carretera, la cual le puede costar tiempo y dinero, o lo que es peor, un choque.

Las leyes federales y estatales exigen que los conductores inspeccionen sus vehículos. Los inspectores federales y estatales también están autorizados a inspeccionarlos. Si consideran que el vehículo no es seguro, lo pondrán "fuera de servicio" hasta que esté reparado.

2.1.2 - Tipos de inspección del vehículo

Inspección antes del viaje. Una inspección antes del viaje le ayudará a encontrar problemas que pueden causar un choque o una avería.

Durante el viaje. Por seguridad debe realizar lo siguiente:

- Observar los indicadores para detectar signos de problemas.
- Usar sus sentidos para detectar problemas (mire, escuche, huela, toque).
- Inspeccionar los elementos fundamentales cuando haga paradas:

  ➢ Llantas, ruedas y aros
  ➢ Frenos
  ➢ Luces y reflectores
  ➢ Freno y conexiones eléctricas al remolque
  ➢ Dispositivos de acoplamiento del remolque
  ➢ Dispositivos de sujeción (amarre) de la carga

Inspección e informe posteriores al viaje. Al final del viaje, del día o de su turno de trabajo, debe inspeccionar todos los vehículos que haya manejado. Esto puede implicar llenar un informe sobre el estado del vehículo, en el que se detallen los problemas que pueda haber encontrado. El informe de inspección ayuda al transportista a saber si el vehículo necesita reparaciones.

2.1.3 – A qué se debe estar atento

Problemas en las llantas

- Presión de aire excesiva o insuficiente
- Desgaste desparejo: las llantas delanteras deben tener una profundidad de dibujo de al menos 4/32 de pulgada en cada surco principal y las demás, 2/32 de pulgada. No debe verse nada del material a través del dibujo ni en los lados de la llanta.
- Cortes u otras averías
- Desprendimiento del dibujo
- Llantas dobles que entran en contacto entre sí o con otras piezas del vehículo
- Medidas desiguales
- Uso combinado de llantas radiales y de capas al sesgo
- Vástago de la válvula cortado o agrietado
- Llantas renovadas, recauchutadas y vulcanizadas en las ruedas delanteras de un autobús (están prohibidas)

Problemas en las ruedas y los aros

- Aros de llanta dañados.
- El óxido alrededor de las tuercas de la rueda puede indicar que están flojas. Verifique que estén ajustadas. Después de cambiar una llanta, reinicie la marcha durante un trecho y luego deténgase y vuelva a verificar que las tuercas estén ajustadas.
- La falta de abrazaderas, separadores, pernos o tacos puede ser peligrosa.
- Los anillos obturadores desiguales, doblados o agrietados son peligrosos.
- Las ruedas o los aros que han sido reparados con soldaduras no son seguros.

Tambores o zapatas de frenos en mal estado

- Tambores agrietados
- Zapatas o pastillas de freno con aceite, grasa o líquido de frenos en su superficie
- Zapatas demasiado desgastadas, faltantes o rotas

Defectos del sistema de dirección

SISTEMA DE DIRECCIÓN

Volante de la dirección
Barra de acoplamiento de las ruedas
Árbol del volante
Cilindro de la dirección asistida
Palanca de mando de la dirección
Depósito de fluido hidráulico
Caja de cambios
Barra de tracción
Brazo de mando
Mangueta
Articulación de la dirección

Figura 2.1

- Tuercas, pernos, chavetas u otras piezas faltantes.
- Piezas curvadas, sueltas o rotas, como el árbol de la dirección, la caja del mecanismo de la dirección o las barras de acoplamiento de las ruedas.
- Si el vehículo está equipado con dirección asistida, inspeccione las mangueras, las bombas y el nivel de líquido, y verifique si hay fugas.
- Si el volante tiene un juego de más de 10 grados, aproximadamente 2 pulgadas (5 cm) en un volante con aro de 20 pulgadas (50 cm), la dirección puede ser dificultosa.

La Figura 2.1 muestra un sistema de dirección común.

Defectos del sistema de suspensión. El sistema de suspensión sostiene al vehículo y a su carga. También mantiene los ejes en su lugar. En consecuencia, puede ser extremadamente peligroso que haya piezas rotas. Esté atento a lo siguiente:

- Soportes de muelles que dejen que el eje se desplace de la posición correcta. (ver la figura 2.2)
- Soportes de muelles agrietados o rotos.
- Láminas faltantes o rotas en cualquier muelle de ballesta (Ver Figura 2.3). Cualquier defecto puede ser peligroso. Si se presenta cualquiera de estas condiciones, el vehículo quedará "fuera de servicio" y debe ser reparado.
  1) Un cuarto o más de las láminas en cualquier montaje del muelle está roto.
  2) Falta cualquier lámina o porción de la lámina de cualquier montaje del muelle o está separada.
  3) Cualquier lámina principal en un muelle de ballesta está rota.
- Las láminas quebradas en un muelle multilaminar o las láminas que se hayan desplazado de modo que puedan golpear la llanta u otra parte.
- Amortiguadores con fugas.
- Barra o árbol de reacción, pernos en U, soportes de muelles u otras piezas para posicionar el eje, que estén agrietadas, dañadas o faltantes.
- Sistemas de suspensión neumática dañados o con fugas. (Ver la figura 2.4)
- Cualquier otra pieza de la estructura que esté floja, agrietada, rota o faltante.

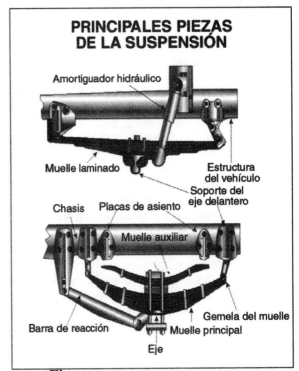

PRINCIPALES PIEZAS DE LA SUSPENSIÓN

Figura

FALLA DE SEGURIDAD: LÁMINA ROTA EN EL MUELLE

Figura 2.3

PIEZAS DE LA SUSPENSIÓN NEUMÁTICA

Figura 2.4

Defectos del sistema de escape. Un sistema de escape roto puede dejar pasar gases tóxicos a la cabina o al compartimiento para dormir. Esté atento a lo siguiente:

- Tubos de escape, silenciadores, cilindros de salida o chimeneas verticales sueltas, rotas o faltantes.
- Soportes de montaje, abrazaderas, pernos o tuercas faltantes, sueltas o rotas.
- Piezas del sistema de escape que estén rozando contra piezas del sistema de combustible, llantas u otras partes móviles del vehículo.
- Piezas del sistema de escape con fugas.

Equipo de emergencia. Los vehículos deben estar equipados con equipos de emergencia. Verifique si tiene:

- extinguidores de incendios;
- fusibles eléctricos de repuesto (a menos que el vehículo esté provisto de interruptores automáticos);
- dispositivos de advertencia para vehículos estacionados (por ejemplo, tres triángulos reflectantes de advertencia).

Carga (camiones). Antes de cada viaje, debe asegurarse de que el camión no esté sobrecargado y de que la carga esté equilibrada y bien sujetada. Si la carga contiene materiales peligrosos, debe revisar si el vehículo cuenta con la documentación y la rotulación apropiada.

2.1.4. - Prueba de inspección vehicular antes del viaje para obtener la LCC

Para obtener una LCC, se le exigirá que pase la prueba de destreza, la cual incluye una inspección del vehículo antes del viaje. Se evaluará si usted sabe si su vehículo es seguro para circular. Se le solicitará que realice una inspección de su vehículo antes del viaje y que explique al examinador qué es lo que usted inspeccionaría y por qué. El siguiente método de inspección de siete pasos puede ser útil.

2.1.5 - Método de inspección de siete pasos

Método de inspección. Realice la inspección siempre de la misma forma para aprender todos los pasos y para que sea menos probable que olvide algo.

Acérquese al vehículo. Observe su estado general. Verifique si hay averías o si el vehículo está inclinado hacia un lado. Corrobore que no haya fugas frescas de aceite, líquido refrigerante, grasa o combustible debajo del vehículo. Examine el área alrededor del vehículo para detectar peligros al moverlo (gente, otros vehículos, objetos, cables colgantes, ramas, etc.).

Guía de inspección vehicular

Paso 1: Panorama general del vehículo

Revise el último informe de inspección del vehículo. Es posible que los conductores tengan que realizar un informe diario por escrito de inspección del vehículo. El dueño del vehículo debe reparar todo elemento que figure en el informe que pueda afectar la seguridad y debe certificar en el mismo informe que las reparaciones se realizaron o bien que eran innecesarias. Usted debe firmar el informe sólo si se anotaron defectos y se certificó que fueron reparados o que no fue necesario realizar reparaciones.

Paso 2: Inspección del compartimiento del motor

Verifique que esté puesto el freno de estacionamiento o que las ruedas bloqueadas. Es posible que deba levantar la cubierta, ladear la cabina (sujete objetos sueltos de modo que no se caigan y rompan algo) o abrir la puerta del compartimiento del motor. Verifique lo siguiente:

- Nivel de aceite del motor

- Nivel del líquido refrigerante del radiador y estado de las mangueras
- Si el vehículo está equipado con dirección asistida, nivel del líquido de la dirección y estado de las mangueras
- Nivel del líquido del lavaparabrisas
- Conexiones, abrazaderas y nivel del líquido de la batería (la batería puede estar ubicada en otra parte)
- Nivel del líquido de la transmisión automática (puede ser necesario encender el motor)
- Tensión y desgaste excesivo de las bandas o correas (del alternador, de la bomba de agua y del compresor de aire). Infórmese sobre cuánto puede "ceder" una banda cuando está correctamente regulada y examine cada una de ellas.
- Fugas en el compartimiento del motor (combustible, líquido refrigerante, aceite, líquido de dirección asistida, fluido hidráulico y líquido de la batería)
- Desgaste y agrietamiento del aislamiento del cableado eléctrico

Baje y asegure la cubierta, la cabina o la puerta del compartimiento del motor.

Paso 3: *Arranque el motor e inspeccione el interior de la cabina*

Suba al vehículo y póngalo en marcha

- Asegúrese de que el freno de estacionamiento esté puesto.
- Ponga la palanca de cambios en punto muerto (*neutral*) o en *park* si es transmisión automática.
- Arranque el motor y escuche para detectar ruidos extraños.
- Si lo tiene, verifique el indicador de luces del sistema antibloqueo de frenos (ABS). La luz en el tablero de instrumentos debe prenderse (por unos segundos) y apagarse. Si se permanece prendida, el sistema ABS no está funcionando correctamente. En cuanto a los remolques, si la luz amarilla en el lado trasero izquierdo permanece prendida, el ABS no está funcionando correctamente.

Observe los medidores

- Presión del aceite: debe llegar al nivel normal en pocos segundos luego de que se pone en marcha el motor. Ver la figura 2.5
- Presión de aire: debe incrementarse de 50 a 90 PSI en tres minutos. Aumente la presión del corte del gobernador (por lo general hasta lograr unos 120 a 140 psi; conozca los requisitos de su vehículo.
- Amperímetro y voltímetro: deben estar dentro del intervalo normal.
- Temperatura del líquido refrigerante: debe comenzar a elevarse gradualmente hasta el intervalo normal de operación.
- Temperatura del aceite del motor: debe comenzar a elevarse gradualmente hasta el intervalo normal de operación.
- Luces y zumbadores de advertencia: de aceite, líquido refrigerante y circuito de carga junto con las luces del sistema antibloqueo de freno deben apagarse inmediatamente.

PRESIÓN DE ACEITE

- En ralentí 5-20 PSI
- Funcionando 35-75 PSI
- Baja, en descenso, fluctuante:

  ¡DETÉNGASE DE INMEDIATO!

  Sin aceite, el motor puede arruinarse rápidamente.

Figura 2.5

Revise el estado de los controles. Verifique los siguientes elementos para detectar si están flojos, pegados, dañados o instalados indebidamente:

- Volante
- Embrague (*clutch*)
- Acelerador (*gas pedal*)
- Controles de los frenos
  - ➢ Pedal de freno
  - ➢ Freno del remolque (si el vehículo tiene remolque)
  - ➢ Freno de estacionamiento
  - ➢ Controles del retardador (si el vehículo los tiene)
- Controles de la transmisión
- Bloqueo del diferencial interaxial (si el vehículo lo tiene)

- Claxon (pito)
- Limpiaparabrisas y lavaparabrisas: goma y líquido

- Luces
  - ➢ Faros delanteros
  - ➢ Interruptor de luz baja
  - ➢ Luces de giro
  - ➢ Luces intermitentes cuádruples
  - ➢ Luces de espacio libre, identificación e interruptor(es) de luz indicadora

Inspección de espejos y parabrisas. Inspeccione los espejos y el parabrisas para detectar rajaduras, suciedad, etiquetas adhesivas ilegales u otros elementos que puedan obstruir la visibilidad. Límpielos y regúlelos según sea necesario.

Examine el equipo de emergencia

- Verifique el equipo de seguridad:

  - ➢ Fusibles eléctricos de repuesto (salvo que esté equipado con cortacircuitos)
  - ➢ Tres triángulos reflectantes rojos
  - ➢ Extinguidor de incendio con la debida carga y presión

- Examine elementos opcionales, tales como los siguientes:

  - ➢ Cadenas (en lugares donde las condiciones invernales las requieran)
  - ➢ Equipo para cambiar las llantas

- Lista de números telefónicos de emergencia
- Equipo (paquete) para reportar accidentes

Examine el cinturón de seguridad

- Verifique que el cinturón de seguridad esté firmemente montado, que ajuste y agarre apropiadamente y que no esté rasgado o desgastado.

Paso 4: Apague el motor y examine las luces

Asegúrese de que el freno de estacionamiento esté puesto, apague el motor y saque la llave. Encienda los faros delanteros (luces bajas) y las luces intermitentes cuádruples de advertencia, y salga del vehículo.

Paso 5: Haga una inspección visual alrededor del vehículo

- Diríjase al frente del vehículo y verifique que las luces bajas estén encendidas y que ambas luces intermitentes cuádruples funcionen.
- Presione el interruptor para luz baja y verifique que las luces altas funcionen.
- Apague los faros delanteros y las luces intermitentes cuádruples de advertencia.
- Encienda las luces de estacionamiento, las de espacio libre, las laterales y las de identificación.
- Encienda la señal de giro a la derecha y comience la inspección visual alrededor del vehículo.

General

- Realice la inspección visual alrededor del vehículo.
- Limpie todas las luces, reflectores y vidrios a medida que realice la inspección.

Lado delantero izquierdo

- El cristal de la puerta del conductor debe estar limpio.
- Los pasadores y las cerraduras de las puertas deben funcionar correctamente.
- Rueda delantera izquierda.

  - ➤ Estado de la rueda y del aro: pasadores, abrazaderas o tacos faltantes, doblados o rotos o signos de mala alineación.
  - ➤ Estado de las llantas: presión del aire, vástago y tapón de la válvula en buenas condiciones, sin cortes, abultamientos ni desgaste importante del dibujo.
  - ➤ Use una llave para comprobar si en los tacos de las tuercas no hay señales de oxidación que indiquen que están flojas.
  - ➤ Nivel correcto de aceite del cubo (plato), sin fugas.

- Suspensión delantera izquierda

  - ➤ Estado de los muelles, soportes, gemelas y pernos en U
  - ➤ Estado del amortiguador

- Freno delantero izquierdo

  - ➤ Estado del tambor o del disco de freno
  - ➤ Estado de las mangueras

Parte delantera

- Estado del eje delantero
- Estado del sistema de la dirección

  - ➤ No debe tener piezas flojas, gastadas, curvadas, dañadas ni faltantes.
  - ➤ Tome el mecanismo de la dirección para comprobar si está flojo.

- Estado del parabrisas
  - ➤ Compruebe que no esté dañado y, si está sucio, límpielo.
  - ➤ Verifique las varillas de los limpiaparabrisas para ver si los resortes tienen la tensión correcta.
  - ➤ Compruebe que las hojas del limpiaparabrisas estén bien aseguradas, no tengan averías y que la goma no esté "endurecida".

- Luces y reflectores

  - ➤ Luces de estacionamiento, de espacio libre y de identificación limpias, en funcionamiento y del color apropiado (ámbar para las delanteras).
  - ➤ Reflectores limpios y del color apropiado (ámbar para las delanteras).
  - ➤ Luz delantera de giro a la derecha limpia, en funcionamiento y del color apropiado (ámbar o blanco si apunta hacia delante).

Lado derecho

- Lado delantero derecho: examine todos los elementos como lo hizo con el lado delantero izquierdo.
- Cerraduras primarias y secundarias de la cabina puestas (si es un diseño de cabina sobre el motor)

- Tanque(s) de combustible del lado derecho

  - ➤ Firmemente montados, sin averías ni fugas
  - ➤ Línea transversal de combustible asegurada
  - ➤ Suficiente combustible en tanque
  - ➤ Tapas colocadas y aseguradas

- Estado de las partes visibles

  - ➤ Parte trasera del motor: sin fugas
  - ➤ Transmisión: sin fugas
  - ➤ Sistema de escape: bien asegurado; sin fugas; sin que toque cables ni ductos de aire o combustible
  - ➤ Estructura y varillas transversales: sin dobladuras ni grietas
  - ➤ Ductos de aire y cableado eléctrico: asegurados para que no rocen, se enganchen ni se desgasten
  - ➤ Soporte o montura para llanta de repuesto (si los tiene) sin averías
  - ➤ Rueda y llanta de repuesto bien aseguradas al soporte
  - ➤ Rueda y llanta de repuesto adecuadas (del tamaño y con la presión de aire correctos)

- Sujeción (amarre) de la carga (en camiones)

  - ➤ Carga debidamente inmovilizada, empacada, amarrada, encadenada, etc.
  - ➤ Tablón adecuado y seguro (si es obligatorio)
  - ➤ Tablones laterales, con estacas resistentes, sin averías y correctamente instaladas (si las tiene)
  - ➤ Lona o tela impermeable (si se requiere) debidamente asegurada para evitar que se rasgue, vaya volando o que obstaculice la visibilidad de los espejos
  - ➤ Si el tamaño de la carga rebasa los límites del vehículo, todas las señales requeridas (banderines, luces y reflectores) deben estar montadas de forma segura y correcta y con todos los permisos en poder del conductor
  - ➤ Puertas del compartimiento de la carga del lado del bordillo en buen estado, bien cerradas, con llave o pasador, y con los sellos de seguridad requeridos en su lugar

Parte trasera derecha

- Estado de las ruedas y aros: sin separadores, pasadores, abrazaderas ni tacos faltantes, doblados ni rotos
- Estado de las llantas: con la presión de aire correcta, vástagos y tapas de válvulas en buenas condiciones, sin cortes, abultamientos ni desgaste importantes del dibujo; sin que las llantas se rocen entre sí y sin elementos encajados entre ellas
- Llantas del mismo tipo; por ejemplo, no mezclar llantas radiales con llantas de capas al sesgo
- Llantas uniformes (del mismo tamaño)
- Cojinetes de las ruedas sin fugas
- Suspensión

  - ➤ Estado de los muelles, soportes, gemelas y pernos en U
  - ➤ Ejes seguros
  - ➤ Ejes o mandos motorizados sin fugas del lubricante (aceite para engranajes)
  - ➤ Estado de los brazos de la barra de reacción y de los cojinetes
  - ➤ Estado de los amortiguadores
  - ➤ Si está equipado con eje retráctil, examinar el estado del mecanismo elevador. Si es activado por aire, verificar que no haya fugas.
  - ➤ Estado de los componentes del sistema de aire

- Frenos

  - ➤ Ajuste de los frenos
  - ➤ Estado de los tambores o discos de freno
  - ➤ Estado de las mangueras: verificar que no haya desgaste por roce

Estado de Nueva York Manual del Conductor Comercial CDL-10S (6/15)

- Luces y reflectores

  > Luces laterales limpias, en funcionamiento y del color apropiado (rojo en la parte trasera y ámbar para el resto)
  > Reflectores laterales: limpios y del color apropiado (rojo en la parte trasera y ámbar para el resto)

Parte trasera

- Luces y reflectores

  > Luces de espacio libre e identificación traseras limpias, en funcionamiento y del color apropiado (rojo para la parte trasera)
  > Reflectores limpios y del color apropiado (rojo para la parte trasera)
  > Calaveras (o luces traseras) limpias, en funcionamiento y del color apropiado (rojo para la parte trasera)
  > Señal trasera de giro a la derecha en funcionamiento y del color apropiado (rojo, amarillo o ámbar para la parte trasera)

- Placas visibles, limpias y bien aseguradas
- Guardabarros sin averías, debidamente sujetados, sin que arrastren sobre el suelo ni rocen las llantas
- Sujeción de la carga (en camiones)
- Carga debidamente inmovilizada, empacada, amarrada, encadenada, etc.

  > Tablones posteriores colocados y debidamente asegurados
  > Puertas traseras libre de daños, bien aseguradas con estacas
  > Lona o tela impermeable (si es obligatoria) correctamente asegurada para evitar que se rasgue, vaya volando o que bloquee los espejos o las luces traseras
  > Si el tamaño de la carga rebasa la longitud o el ancho del vehículo, verificar que todas las señales, banderines y luces adicionales estén montados de manera correcta y segura, y que todos los permisos obligatorios estén en poder del conductor
  > Puertas traseras debidamente cerradas, con llave o pasador

Lado izquierdo

- Examine todos los elementos como lo hizo en la parte trasera derecha y en el lado derecho y además los siguientes elementos:

  > Baterías (si no están montadas en el compartimiento del motor)
  > Cajas de batería firmemente fijadas al vehículo
  > Tapa segura de la caja
  > Baterías bien aseguradas para evitar que se muevan
  > Baterías sin roturas ni fugas
  > Nivel correcto del líquido de la batería (excepto en las que no requieren mantenimiento)
  > Tapas de las celdas colocadas y correctamente ajustadas (excepto para baterías que no requieren mantenimiento)
  > Respiraderos de las tapas de las celdas libres de elementos extraños (excepto para baterías que no requieren mantenimiento)

Paso 6: Examine las luces de señalización.

Suba al vehículo y apague las luces.

- Apague todas las luces.
- Encienda las luces de freno (ponga el freno de mano del remolque o pídale a alguien que presione el pedal de freno).
- Encienda las luces de giro a la izquierda.

Baje del vehículo y examine las luces.

- Luz de giro delantera izquierda limpia, en funcionamiento y del color apropiado (ámbar o blanco si apuntan hacia delante).
- Luz de giro trasera izquierda y ambas luces de freno limpias, en funcionamiento y del color apropiado (rojo, amarillo o ámbar).

Suba al vehículo.

- Apague las luces que no necesita para manejar.
- Verifique todos los documentos obligatorios, manifiestos del viaje, permisos, etc.
- Asegure todos los objetos sueltos que haya en la cabina, ya que pueden interferir con la operación de los controles o golpearlo en un choque.
- Arranque el motor.

Paso 7: Arranque el motor y realice una inspección.

Compruebe que no haya fugas hidráulicas. Si el vehículo tiene frenos hidráulicos, pise el pedal del freno tres veces. Luego presiónelo con fuerza y sosténgalo cinco segundos. El pedal no debe moverse. Si se mueve, puede haber una fuga o algún otro problema. Repárelo antes de manejar. Si el vehículo tiene frenos de aire, realice las inspecciones que se detallan en las secciones 5 y 6 de este manual.

Sistema de frenos

Pruebe los frenos de estacionamiento.

- Abróchese el cinturón de seguridad.
- Aplique el freno de estacionamiento (unidad motriz solamente)
- Suelte el freno de estacionamiento del remolque (si corresponde)
- Ponga el vehículo en marcha baja.
- Adelante un poco contra el freno de estacionamiento para asegurarse de que el freno se sostenga.
- Para el remolque, repita los mismos pasos con el freno de estacionamiento del remolque puesto y el freno de la unidad motriz suelto (si corresponde).
- Si el vehículo no se detiene, está averiado. Hágalo reparar.

Pruebe la capacidad de parada del freno de servicio.

- Avance a una velocidad de aproximadamente 5 millas (8 kilómetros) por hora.
- Pise firmemente el pedal de freno.
- Si el vehículo "tira" hacia uno u otro lado, los frenos pueden tener problemas.
- Cualquier "sensación" inusual al apretar el pedal de freno, o si el vehículo demora en frenar, puede significar que los frenos tengan algún problema.

Si durante la inspección antes del viaje usted encuentra algo que *no es seguro,* hágalo reparar. Las leyes federales y estatales prohíben circular en vehículos que no sean seguros.

2.1.6 - Inspección durante un viaje

Examine regularmente el funcionamiento del vehículo.

Debe examinar los siguientes elementos:

- Instrumentos
- Medidor de presión de aire (si tiene frenos de aire)
- Medidor de temperatura

- Medidores de presión
- Amperímetro y voltímetro
- Espejos
- Llantas
- Carga y sus cubiertas
- Luces

Si usted ve, escucha, huele o toca algo que pueda indicar la presencia de problemas, contrólelo.

Inspección de seguridad. Cuando transportan carga, los conductores de camiones y de tractores de camión deben inspeccionar que la carga esté bien asegurada dentro de las primeras 50 millas (80 kilómetros) del viaje y luego, cada 150 millas (240 kilómetros) o cada tres horas (lo que ocurra primero).

2.1.7 – Inspección e informe posteriores al viaje

Es posible que usted deba redactar un informe diario sobre el estado de los vehículos que manejó. Informe cualquier novedad que afecte la seguridad o que pueda provocar una avería mecánica. El informe de la inspección del vehículo pone en conocimiento del transportista los problemas que pueden necesitar arreglo. Mantenga una copia de su informe en el vehículo por un día. De esa manera, el próximo conductor puede enterarse de cualquier problema que usted haya encontrado.

Apartado 2.1
Ponga a prueba sus conocimientos

1. ¿Cuál es la razón más importante para hacer las inspecciones de los vehículos?
2. ¿Qué elementos debe revisar durante un viaje?
3. Mencione algunas de las piezas clave del sistema de dirección.
4. Mencione algunos defectos del sistema de suspensión.
5. ¿Cuáles son las tres clases de equipos de emergencia que usted debe tener?
6. ¿Cuál es la profundidad mínima del dibujo para las llantas delanteras? ¿Y para las demás llantas?
7. Mencione algunos elementos que debería examinar en el frente de su vehículo durante una inspección visual alrededor del vehículo.
8. ¿Para qué se deben examinar los cojinetes de las ruedas?
9. ¿Cuántos triángulos reflectantes rojos debería llevar?
10. ¿Cómo detecta la presencia de fugas en los frenos hidráulicos?
11. ¿Por qué debe guardarse la llave de contacto en el bolsillo mientras realiza la inspección antes del viaje?

Estas preguntas pueden aparecer en la prueba. Si no puede responderlas a todas, relea el apartado 2.1.

2.2 – Control básico de su vehículo

Para manejar de manera segura, usted debe poder controlar la velocidad y la dirección. Manejar un vehículo comercial de manera segura requiere habilidad para:

- acelerar;

- manejar el volante;
- frenar; y
- retroceder de manera segura.

Póngase el cinturón de seguridad para circular por la carretera. Cuando deje su vehículo, ponga el freno de estacionamiento.

2.2.1 - Acelerar

No deje que el vehículo retroceda al arrancar, ya que puede chocar a alguien detrás de usted. Si tiene un vehículo con transmisión manual, apriete parcialmente el embrague (*clutch*) antes de sacar el pie derecho del freno. Accione el freno de estacionamiento cuando sea necesario para evitar que el vehículo retroceda. Suelte el freno de estacionamiento sólo cuando el motor haya desarrollado suficiente fuerza para evitar el retroceso. En un tractor con remolque equipado con válvula de freno de mano del remolque, se puede accionar la válvula manual para evitar el retroceso.

Aumente gradualmente la velocidad para que el vehículo no se sacuda. La aceleración brusca puede causar fallas mecánicas. Cuando tira un remolque, la aceleración brusca puede dañar el acoplamiento.

Aumente muy gradualmente la velocidad cuando la tracción sea débil, como ocurre en condiciones de lluvia o nieve. Si usa demasiada potencia, las ruedas de tracción pueden patinar, y usted podría perder el control del vehículo. Si las ruedas de tracción comienzan a patinar, quite el pie del acelerador.

2.2.2 – Manejar el volante

Sostenga el volante firmemente con ambas manos. Sus manos deben estar una a cada lado del volante. Al golpear el bordillo o un bache, el volante puede escapársele de las manos si usted no lo sujeta con firmeza.

2.2.3 - Frenar

Presione gradualmente el pedal de freno. La cantidad de presión que necesite para detener el vehículo dependerá de la velocidad del vehículo y de la rapidez con que necesite detenerse. Regule la presión para que el vehículo se detenga de manera suave y segura. Si su vehículo tiene transmisión manual, presione el embrague cuando el motor esté próximo a estar al ralentí.

2.2.4 - Retroceder de manera segura

Retroceder siempre es peligroso porque usted no puede ver todo lo que hay detrás de su vehículo. Evite retroceder siempre que sea posible. Cuando estacione, trate de hacerlo de modo de poder salir hacia delante al dejar el estacionamiento. Éstas son algunas normas de seguridad simples para cuando tenga que retroceder:

- Salga en la posición correcta.
- Observe el trayecto que realizará.
- Use los espejos de ambos lados.
- Retroceda lentamente.
- Siempre que sea posible, retroceda y gire el volante hacia el lado del conductor.
- Siempre que sea posible, busque a alguien que lo ayude.

A continuación se explican estas normas.

Salga en la posición correcta. Ponga el vehículo en la posición que le permita retroceder con más seguridad. Esta posición dependerá del tipo de retroceso que deba hacer.

Observe el trayecto que realizará. Mire su trayecto antes de comenzar. Baje del vehículo y camine alrededor. Vigile el espacio libre vertical y hacia los costados, dentro de la zona del trayecto que realizará el vehículo y a sus alrededores.

Use los espejos de ambos lados. Mire frecuentemente por los espejos de ambos lados. Si todavía no está seguro, salga del vehículo y mire su trayecto.

Retroceda lentamente. Siempre retroceda tan lento como sea posible. Utilice la marcha atrás más baja. De esa manera usted podrá corregir más fácilmente cualquier error de dirección y detenerse rápido si fuera necesario.

Retroceda y gire el volante hacia el lado del conductor. Retroceda hacia el lado del conducto, de modo que pueda ver mejor. Es muy peligroso retroceder hacia la derecha porque no se puede ver tan bien. Si retrocede y gira el volante hacia el lado del conductor, al asomarse por la ventanilla lateral podrá ver la parte trasera de su vehículo. Utilice esta forma de retroceso hacia el lado del conductor aun si eso significa dar una vuelta a la manzana para poner el vehículo en la posición adecuada. La seguridad lo vale.

Busque a alguien que le ayude. Siempre que sea posible, busque a alguien que le ayude. Hay puntos ciegos que están fuera de su campo visual y por eso es importante tener un ayudante. Dicha persona debe pararse cerca de la parte trasera del vehículo donde usted pueda verlo. Antes de comenzar a retroceder, convengan una serie de señas de manos que ambos entiendan. Pónganse de acuerdo sobre una señal que signifique "parar".

2.3 - Cambio de marchas

Es importante cambiar correctamente las marchas. Si usted no logra conducir en la marcha correcta, tendrá menor control sobre el vehículo.

2.3.1 - Transmisiones manuales

Método básico para cambiar a una marcha más alta. La mayoría de los vehículos que tienen transmisión manual necesitan doble golpe del embrague para cambiar las marchas. Éste es el método básico:

1. Suelte el acelerador, presione el embrague y cambie a punto muerto (neutral) al mismo tiempo.
2. Suelte el embrague.
3. Deje que el motor y las marchas disminuyan las rpm hasta las requeridas para la siguiente marcha (esto requiere práctica).
4. Presione el embrague y al mismo tiempo cambie a la marcha más alta.
5. Suelte el embrague y al mismo tiempo presione el acelerador.

Se requiere práctica para cambiar las marchas usando el método de doble golpe del embrague. Si usted permanece demasiado tiempo en punto muerto, puede tener dificultades para poner la marcha siguiente. Si eso ocurre, no trate de forzarla. Vuelva a punto muerto, suelte el embrague, aumente la velocidad del motor hasta alcanzar la velocidad de carretera y vuelva a intentarlo.

Cómo saber cuándo cambiar a una marcha más alta Hay dos formas de saber cuándo cambiar de marcha.

Usar la velocidad del motor (rpm). Estudie el manual del conductor de su vehículo y aprenda el intervalo del funcionamiento de las rpm. Observe el tacómetro y cambie a una marcha más alta cuando el motor llegue al límite del intervalo. (Algunos vehículos más nuevos utilizan cambios "progresivos": las rpm para realizar el cambio aumentan a medida que se usan marchas más altas. Aprenda cuál es el intervalo correcto para el vehículo que usted maneje).

Usar la velocidad de la carretera (mph o km/h). Aprenda qué marcha se debe utilizar para cada velocidad. Luego utilice el velocímetro para saber cuándo debe cambiar a la marcha siguiente.

Con cualquiera de los métodos, puede aprender a utilizar el sonido del motor para darse cuenta cuándo debe cambiar la marcha.

Método básico para cambiar a una marcha más baja

1. Suelte el acelerador, presione el embrague y cambie a punto muerto (neutral) al mismo tiempo.
2. Suelte el embrague.
3. Presione el acelerador, aumente la velocidad del motor y de la marcha hasta llegar a las rpm que requiere la marcha más baja.
4. Presione el embrague y al mismo tiempo cambie a la marcha más baja.
5. Suelte el embrague y al mismo tiempo presione el acelerador.

Es necesario saber cuándo cambiar tanto a una marcha más baja como a una más alta. Utilice el tacómetro o el velocímetro para bajar la marcha a las rpm o a la velocidad de carretera correcta. Las situaciones especiales para cambiar a una marcha más baja son las siguientes:

Antes de comenzar a bajar una cuesta (pendiente). Disminuya la marcha y la velocidad hasta que usted pueda controlar el vehículo sin necesidad de usar mucho el freno. De lo contrario, los frenos pueden recalentarse y perder su capacidad de frenado.

Cambie a una marcha más baja antes de iniciar el descenso de la cuesta. Asegúrese de que utiliza una marcha lo suficientemente baja, generalmente más baja que la que se necesita para subir la cuesta.

Antes de tomar una curva. Disminuya la aceleración hasta una velocidad segura y cambie a una marcha más baja antes de entrar en la curva. Esto le permite utilizar más potencia durante la curva para ayudar a que el vehículo se mantenga más estable. También le permite aumentar la velocidad apenas sale de la curva.

2.3.2 - Ejes traseros de velocidades múltiples y transmisiones auxiliares

En muchos vehículos se utilizan los ejes traseros de velocidades múltiples y las transmisiones auxiliares para agregar más marchas. Usualmente se ajustan por medio de una perilla o interruptor selector que está en la palanca de cambios de la transmisión principal. Hay muchos modelos diferentes de cambios. Aprenda la forma correcta de hacer los cambios de marcha en el vehículo que usted conduce.

2.3.3 - Transmisiones automáticas

Algunos vehículos tienen transmisiones automáticas. Para obtener mayor poder de frenado del motor cuando baja una cuesta, seleccione un intervalo bajo. Los intervalos más bajos evitan que la transmisión cambie a una marcha más alta que la seleccionada (salvo que se exceda el gobernador de rpm). Es muy importante utilizar este efecto de frenado al descender una pendiente.

2.3.4 - Retardadores

Algunos vehículos cuentan con "retardadores" que ayudan a reducir la velocidad del vehículo, con lo que se disminuye la necesidad de utilizar los frenos. Esto reduce el desgaste de los frenos y proporciona una manera alternativa de disminuir la velocidad. Hay cuatro tipos básicos de retardadores (de escape, de motor, hidráulicos y eléctricos). Todos los retardadores pueden ser conectados o desconectados por el conductor. En algunos vehículos se puede ajustar la potencia del retardador. Si están conectados, los retardadores aplican la fuerza de frenado (solamente a las ruedas de tracción) cuando usted quita totalmente el pie del pedal del acelerador.

Asegúrese de conocer en qué lugares se permite el uso de estos dispositivos, ya que pueden ser ruidosos.

Precaución. Cuando las ruedas de tracción ejercen una tracción débil, el retardador puede hacer que patinen, razón por la cual debe desconectar el retardador si la carretera está mojada o cubierta con hielo o nieve.

Apartados 2.2 y 2.3
Ponga a prueba sus conocimientos

1. ¿Por qué debe retroceder hacia el lado del conductor?
2. Si está detenido en una cuesta, ¿cómo puede iniciar la marcha sin que el vehículo retroceda?
3. ¿Por qué es importante buscar a alguien que lo ayude cuando retrocede?
4. ¿Cuál es la seña de manos más importante que debe convenir con su ayudante?
5. ¿Cuáles son las dos situaciones especiales en las que usted debe cambiar a una marcha más baja?
6. ¿Cuándo se debe cambiar a una marcha más baja de transmisiones automáticas?
7. Los retardadores evitan que el vehículo patine cuando la carretera está resbalosa. ¿Verdadero o falso?
8. ¿Cuáles son las dos formas de saber cuándo se debe cambiar de marcha?

Estas preguntas pueden aparecer en la prueba. Si no puede responderlas a todas, relea los apartados 2.2 y 2.3.

2.4 - Visibilidad

Para conducir con seguridad, usted necesita saber qué ocurre alrededor de su vehículo. No ver correctamente es una de las principales causas de accidentes.

2.4.1 - Cómo mirar hacia delante

Todos los conductores miran hacia delante, pero muchos no miran a suficiente distancia.

La importancia de mirar hacia delante a suficiente distancia. Es muy importante saber lo que ocurre con el tráfico alrededor de su vehículo porque para detenerse o cambiar de carril puede ser necesario recorrer mucha distancia. Para asegurarse de que tiene espacio suficiente a fin de hacer estos movimientos con seguridad, necesita mirar lejos.

Qué tan lejos adelante hay que mirar. La mayoría de los buenos conductores miran un mínimo de 12 a 15 segundos hacia delante. Eso significa mirar

CONDUCCIÓN EN LA CIUDAD
12-15 segundos equivalen a aprox. una cuadra

EN CARRETERA ABIERTA
12-15 segundos equivalen a aprox. ¼ de milla (400 m)

Figura 2.6

hacia delante la distancia que usted recorrerá en 12 a 15 segundos. A velocidades bajas, eso equivale a alrededor de una cuadra. A velocidades de carretera, eso equivale aproximadamente a un cuarto de milla (400 metros). Si usted no mira hasta esa distancia, puede necesitar frenar abruptamente o hacer un cambio rápido de carril. Mirar 12 a 15 segundos hacia delante no significa no prestar atención a lo que está más cerca. Los buenos conductores alternan su atención de adelante hacia atrás, cerca y lejos. La figura 2.6 muestra la distancia a que se debe mirar hacia delante.

Observe el tráfico. Esté atento a vehículos que entran a la autopista o a su carril o que están virando. Observe las luces de freno de los vehículos que están disminuyendo la velocidad. Si usted observa todo esto a suficiente distancia, puede cambiar la velocidad o de carril si es necesario para evitar problemas. Preste atención a las cuestas, las curvas, las señales, los avisos y las condiciones del camino. Si una luz ha estado en verde por mucho tiempo, es probable que cambie antes de que usted llegue. Comience a disminuir la velocidad y prepárese para detenerse.

Observe directamente en frente de los vehículos comerciales grandes. Para reducir los puntos ciegos del conductor directamente frente a vehículos comerciales grandes, un camión, tractor, combinación de tractor-remolque o semi remolque registrado en el estado de Nueva York con un GVWR de 26,000 libras o más y una cabina convencional, donde más de la mitad de la longitud del motor está delante del punto más delantero de la base del parabrisas y la maza del volante de dirección está en el cuarto delantero de la longitud del vehículo, debe estar equipado con un espejo convexo en la parte delantera del vehículo cada vez que se conduzca dentro de una ciudad de Nueva York con una población superior a 1 millón de habitantes, en caminos que no son carreteras de acceso controlado. El espejo se debe ajustar de modo que el conductor pueda ver todos los puntos de una línea horizontal tres pies sobre la calzada y un pie delante del vehículo, a todo el ancho de la parte delantera del vehículo.

2.4.2 - Cómo mirar hacia los lados y hacia atrás

Es importante saber lo que ocurre atrás y a los costados de su vehículo. Mire regularmente por los espejos y más a menudo en situaciones especiales.

Orientación de los espejos. Los espejos deben regularse antes de iniciar cualquier viaje. Esto puede hacerse con precisión sólo cuando los remolques están alineados. Verifique y regule cada espejo de modo que muestre determinada parte del vehículo. Esto le dará un punto de referencia para evaluar la posición de las otras imágenes.

Controles regulares. Usted debe mirar regularmente los espejos para poder observar el tráfico y vigilar su vehículo.

Tráfico. Mire por los espejos para observar los vehículos a los costados y detrás suyo. En una emergencia, necesitará saber si puede hacer un rápido cambio de carril. Use los espejos para ver los vehículos que van rebasando (adelantándose). Hay "puntos ciegos" que no se ven en los espejos. Verifique regularmente los espejos para saber dónde se encuentran los vehículos que están cerca del suyo y si se acercan a un punto ciego.

Observe su vehículo. Utilice los espejos para vigilar las llantas. Es una forma de detectar fuego en una de ellas. Si lleva una carga abierta, puede usar los espejos para vigilarla. Verifique si hay correas, cuerdas o cadenas sueltas, o si la lona impermeable se ondula o se infla.

Situaciones especiales. Las situaciones especiales requieren más que mirar regularmente por los espejos. Estas situaciones son: los cambios de carril, los giros, los ingresos a otro camino y las maniobras cerradas.

Cambios de carril. Usted debe mirar por los espejos para asegurarse de que no haya otro vehículo a su lado o tratando de rebasarlo. Mire por los espejos en las siguientes situaciones:
- Antes de cambiar de carril para asegurarse de que tiene suficiente espacio.
- Después de haber puesto la señal, para verificar que otro vehículo no haya entrado en un punto ciego.

CAMPO VISUAL CON ESPEJO CONVEXO

Conductor

Vista En Espejo Convexo | Vista En Espejo Plano | Punto Ciego | Vista En Espejo Plano | Vista En Espejo Convexo

- Inmediatamente después de que inicia el cambio de carril, para verificar nuevamente que esté libre el camino.
- Luego de completar el cambio de carril.

Figura 2.7

Giros. Al doblar, mire por los espejos para asegurarse de que la parte trasera de su vehículo no chocará contra nada.

Ingreso a la carretera. Cuando ingrese a otro camino, use los espejos para asegurarse de que el espacio que queda en medio del tráfico es suficiente para que usted pueda entrar con seguridad.

Maniobras cerradas. Cuando usted esté conduciendo en espacios estrechos, mire a menudo por los espejos para asegurarse de que tiene suficiente espacio libre.

Cómo usar los espejos. Para usar correctamente los espejos debe mirar rápidamente y comprender lo que ve.
- Cuando mire por los espejos mientras conduce en la carretera, hágalo rápidamente. Alterne entre la carreta y los espejos retrovisores. No se detenga a mirar por los espejos durante mucho tiempo. Si lo hace, avanzará un buen trecho sin ver lo que ocurre adelante.
- Muchos vehículos de gran tamaño tienen espejos curvos (convexos, "enfocados", "de ojo de pez", "de ojo saltón") que muestran un área más amplia que los espejos planos. Esto generalmente es útil, pero en un espejo convexo todo aparece de menor tamaño que si lo estuviera mirando directamente. Los objetos también parecen estar más lejos de lo que en realidad están. Es importante tener esto en cuenta. La figura 2.7 muestra el campo de visión cuando se usa un espejo convexo.

2.5 - Comunicación

2.5.1 - Haga conocer sus intenciones por medio de señales

Otros conductores no pueden saber lo que usted va a hacer hasta que usted se lo indique. Usar las señales para informar sus acciones es importante para la seguridad. Aquí se presentan algunas reglas generales para usar las señales:

Giros. Hay tres reglas útiles para usar las señales de giro:
- Encender la señal a tiempo. Encender la señal con suficiente tiempo antes de doblar es la mejor forma de evitar que otros intenten rebasarlo.
- Mantener la señal encendida continuamente. Es necesario que tenga las dos manos sobre el volante para virar de forma segura. No apague la señal hasta que haya completado el giro.
- Apague la señal. No olvide apagar la señal de giro luego de que haya doblado (a menos que tenga señales con apagado automático).

Cambios de carril. Ponga la señal de giro antes de cambiar de carril. Cambie de carril en forma lenta y suave. De esa manera, un conductor que usted no haya visto tendrá la oportunidad de tocar claxon o esquivar el vehículo que usted conduce.

Disminuir la velocidad. Advierta a los conductores que vienen detrás de su vehículo cuando vea que necesita disminuir la velocidad. Unos golpecitos suaves en el pedal del freno (suficiente para que las luces de freno destellen) son una advertencia para los conductores que vienen atrás. Use las luces intermitentes cuádruples cuando esté conduciendo muy lentamente o cuando esté detenido. Advierta a otros conductores en cualquiera de las siguientes situaciones:
- *Problemas más adelante.* Si su vehículo es de gran tamaño, los conductores que vienen atrás pueden tener dificultad para ver los peligros que haya más adelante. Si usted ve un peligro que puede requerir disminuir la velocidad, advierta a los conductores que vienen atrás usando la luz de freno de forma intermitente.
- *Giros cerrados.* La mayoría de los conductores de automóviles no saben hasta qué punto usted debe disminuir la velocidad de su vehículo grande para hacer un giro cerrado. Alerte a los conductores que vienen atrás de su vehículo, frenando con anticipación y disminuyendo gradualmente la velocidad.

- *Detenerse en la carretera*. Los conductores de camiones y autobuses a veces se detienen en la carretera para descargar pasajeros o alguna carga. También lo hacen en un cruce de vías de ferrocarril. Alerte de esto a los conductores que vienen atrás usando la luz de freno de forma intermitente. No se detenga abruptamente.
- *Conducción lenta*. Los conductores a veces no se dan cuenta de que se aproximan rápidamente a un vehículo lento hasta que están muy cerca. Si necesita conducir lentamente, advierta a los conductores que vienen atrás prendiendo las luces intermitentes de emergencia, en caso de que sea legal hacerlo. (Las leyes que regulan el uso de las luces intermitentes de emergencia difieren en cada estado. Infórmese sobre las leyes de los estados por donde circulará.)

No dirija el tráfico. Algunos conductores tratan de ayudar a otros haciendo señales para indicar que pueden rebasarlos (adelantarse) con seguridad. No debe hacerlo, ya que puede causar un accidente por el cual podrían culparlo y que podría costarle muchos miles de dólares.

2.5.2 - Comunicar su presencia

Puede ocurrir que otros conductores no vean su vehículo incluso si está totalmente a la vista. Para prevenir accidentes, hágales saber que usted está allí.

Al rebasar. Cuando usted esté por pasar a otro vehículo, peatón o ciclista, suponga que no lo han visto. Podrían cruzarse súbitamente delante de su vehículo. Cuando sea legal, toque suavemente el claxon o, si es de noche, haga cambios de luces, de baja a alta y de nuevo a baja. Conduzca con suficiente precaución para evitar un choque aunque no lo vean ni escuchen.

Cuando la visibilidad sea dificultosa. Al amanecer o al anochecer, con lluvia o con nieve, usted tiene que lograr que lo vean con más facilidad. Si tiene dificultad para ver otros vehículos, otros conductores tendrán problemas para verlo a usted también. Encienda las luces. Use los faros, no sólo las luces de identificación o de espacio libre. Use las luces bajas porque las altas pueden molestar a los demás tanto de día como de noche.

Cuando esté estacionado a un lado del camino. Cuando usted salga de la carretera y estacione, asegúrese de encender las luces intermitentes cuádruples de emergencia, especialmente a la noche. No se confíe en las calaveras solamente para advertir sobre su presencia. Hay casos de conductores que han chocado de atrás un vehículo estacionado porque pensaron que se estaba moviendo normalmente.

Si necesita detenerse en una carretera o en el arcén de una carretera, debe colocar sus dispositivos de alerta antes de que transcurran diez minutos. Coloque sus dispositivos de alerta en los siguientes lugares:

- Si usted debe detenerse en una carretera de sentido único o dividida, o al costado de ella, ubique los dispositivos de alerta (es decir, llamaradas, reflectores triangulares, conos, etc.) a 10 pies (3 metros), 100 pies (30 metros) y 200 pies (60 metros) en dirección al tráfico que se aproxima a su vehículo. *Ver la figura 2.8*
- Si se detiene en una carretera de dos carriles con tráfico en ambas direcciones, o en una autopista que no esté dividida, coloque los dispositivos de alerta a una distancia de 10 pies (3 metros) de los extremos delanteros y traseros del vehículo para marcar su ubicación, y a 100 pies (30 metros) delante y detrás de su vehículo, en el arcén o en el carril donde se detuvo. *Ver figura 2.9.*
- En cualquier cuesta, curva u otra obstrucción que no permita que otros conductores vean su vehículo, se deben colocar atrás, dentro de los 500 pies (150 metros). Si la línea de visibilidad está obstruida por una cuesta o curva, coloque el triángulo que está más alejado del vehículo en un punto más apartado en la carretera para alertar a otros conductores acerca de su presencia. *Ver la figura 2.10*

Para su seguridad, cuando coloque los triángulos, sosténgalos entre usted y el tráfico que viene de frente (de modo que los otros conductores puedan verlo).

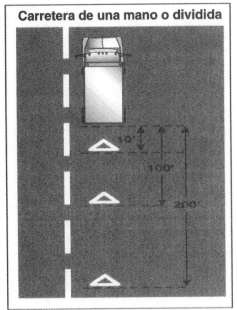

Figura 2.8

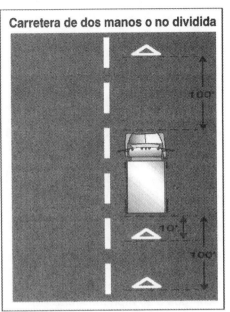

Figura 2.9

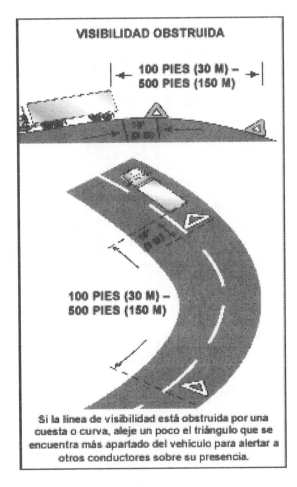

Figura 2.10

Use el claxon cuando sea necesario. Tocar el claxon alerta a terceros acerca de su presencia. Puede ayudar a evitar un choque. Use el claxon cuando sea necesario. No obstante, si se usa innecesariamente puede ser peligrosa y asustar a los demás.

2.6 - Control de la velocidad

Conducir demasiado rápido es una de las causas principales de choques fatales. Adapte la velocidad a las condiciones de manejo. Éstas incluyen tracción, curvas, visibilidad, tráfico y cuestas.

2.6.1- Distancia de parada

Distancia de percepción + distancia de reacción + distancia de frenado = distancia total de parada

Distancia de percepción. Es la distancia que recorre su vehículo, en condiciones ideales, desde el momento en que sus ojos perciben un peligro hasta que su cerebro lo reconoce. Tenga presente que ciertas condiciones mentales y físicas pueden afectar su distancia de percepción. Puede ser afectada en gran medida según la visibilidad y el peligro mismo. El tiempo de percepción medio para un conductor atento es de 1¾ segundos. A 55 mph (89 km/h), usted recorrerá 142 pies (43 metros).

Distancia de reacción. Es la distancia que continuará recorriendo, en condiciones ideales, antes de que usted efectivamente presione el pedal de freno en respuesta a un peligro divisado. El conductor promedio tiene un tiempo de reacción de ¾ de segundo a 1 segundo. Esto representa 61 pies (18 metros) recorridos a 55 mph (89 km/h).

Distancia de frenado. Es la distancia que su vehículo recorrerá, en condiciones ideales, mientras usted está frenando. A 55 mph (89 km/h) en pavimento seco y con buenos frenos, un vehículo puede recorrer alrededor de 216 pies (65 metros) antes de detenerse.

Distancia total de parada. Es la distancia mínima total que su vehículo recorrerá, en condiciones ideales considerando todo, incluso la distancia de percepción, la distancia de reacción y la distancia de frenado, hasta que logra detener su vehículo completamente. A 55 mph (89 km/h), su vehículo recorrerá un mínimo de 419 pies (127 metros). Ver Figura 2.11.

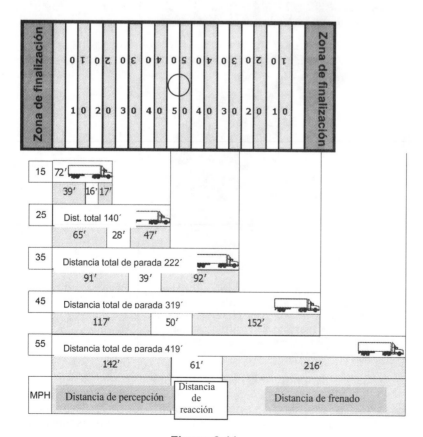

Figura 2.11

El efecto de la velocidad en la distancia de parada. Cuanto más rápido maneje, mayor será el impacto o poder del choque de su vehículo. Al duplicar su velocidad de 20 a 40 mph (de 30 a 60 km/h), el impacto es cuatro veces mayor. La distancia de frenado también es cuatro veces más larga. Si triplica su velocidad de 20 a 60 mph (de 30 a 95 km/h), el impacto y la distancia de frenado serán nueve veces mayores. A 60 mph (95 km/h), su distancia de parada es mayor que la longitud de un estadio de fútbol americano. Si aumenta la velocidad a 80 mph (130 km/h), el impacto y la distancia de frenado serán 16 veces mayores que a 20 mph (30 km/h). Las altas velocidades aumentan enormemente la gravedad de los choques y las distancias de parada. Al disminuir la velocidad, usted reduce la distancia de percepción, la distancia de reacción y la distancia de frenado.

El efecto del peso del vehículo en la distancia de parada. Mientras más pesado sea el vehículo, más deben trabajar los frenos para detenerlo y mayor es el calor que absorben. Los frenos, las llantas, los muelles y los amortiguadores de los vehículos pesados están diseñados para trabajar mejor cuando el vehículo lleva carga completa. Los camiones vacíos necesitan distancias de parada mayores porque un vehículo vacío tiene menos tracción.

2.6.2 - Cómo regular la velocidad según la superficie del camino

Usted no puede controlar la dirección o el frenado de su vehículo si no tiene tracción. La tracción es la fricción entre las llantas y la carretera. Algunas condiciones de la carretera reducen la tracción y requieren velocidades más bajas.

Superficies resbalosas. Cuando la carretera está resbalosa, hace falta más tiempo para detenerse y es más difícil virar sin patinar. Las carreteras mojadas pueden hacer que la distancia para detenerse se duplique. Por lo tanto, conduzca más lentamente para poder detenerse en la misma distancia que en una carretera seca. En una carretera mojada, reduzca la velocidad en aproximadamente un tercio, por ejemplo, de 55 mph (89 km/h) a aproximadamente 35 mph (56 km/h). En una carretera con nieve compacta, reduzca la velocidad por lo menos a la mitad. Si la superficie tiene hielo, reduzca la velocidad lo más posible y deténgase tan pronto como pueda hacerlo en forma segura.

Cómo identificar las superficies resbalosas. A veces es difícil saber si la carretera está resbalosa. A continuación se mencionan algunos signos para identificar cuando la carretera está en estas condiciones:

- *Áreas sombreadas.* Las partes de la carretera con sombra suelen tener hielo y estar resbalosas por mucho tiempo después de que el hielo se ha derretido en áreas despejadas.
- *Puentes.* Cuando la temperatura desciende, el piso de los puentes se congela antes que el de las carreteras. Tenga especial cuidado cuando la temperatura se acerque a 32° Fahrenheit (0° Celsius).
- *Hielo en descongelación.* Cuando el hielo empieza a descongelarse se convierte en agua. Ese hielo mojado es mucho más resbaloso que el hielo que no está mojado.
- *Hielo negro.* El hielo negro es una capa fina de hielo tan transparente que se puede ver el asfalto debajo, y da la impresión de que la carretera estuviera mojada. Cuando la temperatura sea menor que el punto de congelación y la carretera parezca mojada, tenga cuidado con el hielo negro.
- *Vehículo en congelación.* Una manera fácil de detectar el hielo es abrir la ventanilla y tocar el frente del espejo, el soporte del espejo o la antena. Si tienen hielo, es probable que la superficie de la carretera también esté empezando a congelarse.
- *Cuando empieza a llover.* Inmediatamente después de que empieza a llover, el agua se mezcla con el aceite que los vehículos pierden en la carretera. Esto la torna muy resbalosa. Si sigue lloviendo, la lluvia se llevará el aceite de la carretera.
- *Hidroplaneo.* En determinadas condiciones climáticas, se acumula agua o lodo en el camino. Cuando esto ocurre, su vehículo puede hacer un efecto de hidroplano. Es como esquiar en el agua porque las llantas pierden contacto con la superficie de la carretera y tienen muy poca o ninguna tracción. Es posible que usted no pueda controlar la dirección o el frenado. Puede retomar el control si suelta el acelerador y presiona el embrague para disminuir la velocidad

del vehículo y permitir que las ruedas giren libremente. Si el vehículo hidroplanea, no use los frenos para disminuir la velocidad. Si las ruedas de tracción comienzan a patinar, presione el embrague para que giren libremente.

No es necesario que haya mucha agua para que se produzca el hidroplaneo. Si hay mucha agua, el hidroplaneo se puede producir aun a velocidades tan bajas como 30 mph (48 km/h). Es más probable que el hidroplaneo se produzca si la presión de las llantas es baja o si el dibujo está gastado, ya que los surcos de la llanta dispersan el agua, pero si no son profundos, no funcionan bien.

Las superficies donde se puede acumular agua pueden crear condiciones que provocan el hidroplaneo del vehículo. Observe si hay reflejos luminosos, salpicaduras producidas por las llantas o gotas de lluvia en el camino, que indiquen la acumulación de agua.

2.6.3 - La velocidad y las curvas

Los conductores deben adecuar la velocidad a las curvas de la carretera. Si toma una curva a demasiada velocidad, pueden ocurrir dos cosas: las llantas pueden perder tracción y seguir en línea recta, lo que causaría que el vehículo patine y se salga de la carretera, o las llantas pueden mantener la tracción y el vehículo puede volcar. Hay pruebas que muestran que al tomar una curva, los camiones que tienen el centro de gravedad alto pueden volcar aun a la velocidad marcada como límite para esa curva.

Disminuya la velocidad a un punto seguro antes de entrar a una curva. Es peligroso frenar en una curva porque es más fácil que las ruedas se bloqueen y patinen. Disminuya la velocidad tanto como sea necesario. En las curvas, nunca sobrepase el límite de velocidad permitido. Avance en una marcha que le permita acelerar levemente en las curvas. Esto le ayudará a mantener el control.

2.6.4 - La velocidad y la distancia al frente

Siempre debe poder detenerse dentro de la distancia que alcanza a ver frente a usted. En condiciones de niebla y lluvia, entre otras, será necesario que disminuya la velocidad para detenerse dentro de la distancia visible. De noche no se puede ver la misma distancia con luces bajas que con luces altas. Cuando deba usar las luces bajas, disminuya la velocidad.

2.6.5 - La velocidad y el fluir del tráfico

Cuando usted conduce en medio de un tráfico pesado, la velocidad más segura es la de los demás vehículos. Los vehículos que van en la misma dirección y a la misma velocidad tienen menos posibilidades de chocarse entre sí. En muchos estados, los límites de velocidad son más bajos para camiones y autobuses que para automóviles. Pueden variar hasta en 15 mph (24 km/h). Tome precauciones adicionales cuando cambie de carril o se adelante en estas carreteras. Conduzca a la velocidad del tráfico, si puede hacerlo sin ir a una velocidad ilegal o insegura. Mantenga una distancia segura con respecto al vehículo que va adelante.

La razón principal por la cual los conductores sobrepasan el límite de velocidad es para ganar tiempo. No obstante, tenga en cuenta que no podrá ganar mucho tiempo si sobrepasa la velocidad del tráfico. Los riesgos que esto implica no compensan el tiempo ganado. Si usted avanza más rápido que la velocidad del tráfico, tendrá que rebasar a otros vehículos permanentemente. Esto aumenta las probabilidades de chocar y provoca cansancio, lo cual aumenta aún más las probabilidades de tener un accidente. Avanzar con el torrente del tráfico es más seguro y más fácil.

2.6.6 - La velocidad en pendientes

Debido a la gravedad, la velocidad de su vehículo aumentará en las pendientes. Su objetivo más importante es elegir y mantener una velocidad que no sea demasiado rápida para:

- el peso total del vehículo y su carga;
- la extensión de la pendiente;

- la inclinación de la pendiente;
- las condiciones del camino; y
- el clima.

Si hay una indicación de límite de velocidad o un cartel que indique la velocidad máxima de seguridad, nunca sobrepase la velocidad indicada. También esté atento a señales de alerta que indiquen la extensión e inclinación de la pendiente. Utilice el efecto de frenado del motor como forma principal de controlar la velocidad en las pendientes. Tenga en cuenta que este efecto es mayor cuando las revoluciones por minuto reguladas y la transmisión están en las marchas más bajas. Evite usar los frenos a fin de poder utilizarlos para reducir la velocidad o detenerse cuando lo requieran las condiciones de la carretera y el tráfico. Cambie la transmisión a una marcha baja antes de iniciar la bajada y use las técnicas de frenado adecuadas. Lea cuidadosamente la sección referida a la circulación segura en pendientes largas y pronunciadas en "Conducción en la montaña".

2.6.7 - Zonas de obra en construcción en la calzada

El tráfico que circula a alta velocidad es la primera causa de lesiones y muerte en las zonas de obra en construcción en la calzada. Respete siempre los límites de velocidad indicados cuando se aproxime a una zona de obra en construcción o circule por allí. Observe el velocímetro y no aumente la velocidad cuando conduzca por tramos largos de obras en construcción. Reduzca la velocidad en condiciones adversas de la carretera o del clima, y más aún cuando haya trabajadores cerca de la calzada.

Apartados 2.4, 2.5 y 2.6
Ponga a prueba sus conocimientos

1. ¿Hasta qué distancia hacia delante indica el manual que debe poder ver el conductor?
2. ¿Cuáles son los dos elementos principales que deben buscarse al mirar hacia delante?
3. ¿Cuál es el modo más importante que tiene de ver a los lados y hacia la parte posterior de su vehículo?
4. ¿Qué significa "comunicarse" en la conducción segura?
5. ¿Dónde debe colocar los reflectores cuando está estacionado en una carretera dividida?
6. ¿Cuáles son los tres elementos que se suman para lograr la distancia total de parada?
7. ¿Si usted va al doble de velocidad, su distancia de parada se duplica o se cuadriplica?
8. Los camiones vacíos tienen mejor efecto de frenado. ¿Verdadero o falso?
9. ¿Qué es el hidroplaneo?
10. ¿Qué es el "hielo negro"?

Estas preguntas pueden aparecer en la prueba. Si no puede contestarlas a todas, vuelva a leer los apartados 2.4, 2.5 y 2.6.

2.7 - Manejo del espacio

Para conducir de manera segura necesita tener suficiente espacio alrededor de su vehículo, ya que si se presenta un problema, este espacio le da tiempo para pensar y actuar.

Para tener espacio disponible cuando surge algún problema, es necesario que usted maneje ese espacio. Si bien esto es importante para todos los vehículos, es muy importante en el caso de vehículos grandes debido a que ocupan y requieren más espacio para detenerse y virar.

2.7.1 - Espacio hacia delante

De todo el espacio alrededor de su vehículo, el más importante es el área que se encuentra adelante, es decir, el espacio hacia el que usted se dirige.

La necesidad de espacio hacia delante. Necesita tener espacio hacia delante en caso de que necesite detenerse de forma repentina. De acuerdo con los informes sobre accidentes, el vehículo con el que chocan más frecuentemente los camiones y autobuses es el que va delante de ellos. La causa más frecuente es conducir demasiado cerca del vehículo que va adelante. Recuerde que si el vehículo que va adelante es de menor porte que el suyo, es probable que pueda detenerse más rápido que usted. Si usted lo sigue demasiado cerca, puede chocarlo.

¿Cuánto espacio? ¿Cuánto espacio debe mantener delante de su vehículo? Una buena regla dice que necesita como mínimo un segundo por cada 10 pies (3 m) de la longitud de su vehículo a velocidades inferiores a 40 mph (64 km/h). A velocidades mayores, debe agregar un segundo por razones de seguridad. Por ejemplo, si está conduciendo un vehículo de 40 pies (12 m) de largo, debe dejar 4 segundos entre usted y el vehículo que va adelante. En un equipo de 60 pies (18 metros), necesitará 6 segundos. Por encima de 40 mph (64 km/h), necesitaría 5 segundos para un vehículo de 40 pies (12 m) y 7 segundos para un vehículo de 60 pies (18 m). *Ver la figura 2.12*

Para saber cuánto espacio tiene, espere hasta que el vehículo que va adelante pase por una sombra de la carretera, una marca del pavimento o algún otro punto de referencia bien definido. Luego cuente los segundos de esta forma: "un mil y uno, un mil y dos" y así sucesivamente hasta que usted llegue al mismo punto y compare su conteo con la regla de un segundo por cada diez pies (3 metros) de largo.

FÓRMULA PARA VEHÍCULOS PESADOS

Para intervalos de distancia con el vehículo que va adelante expresados en tiempo

- A velocidades inferiores a 40 m/h (64 km/h) se necesita 1 segundo por cada 10 pies (3 m) de longitud del vehículo
- Para velocidades superiores a 40 m/h use la misma fórmula y agregue 1 segundo para la velocidad adicional

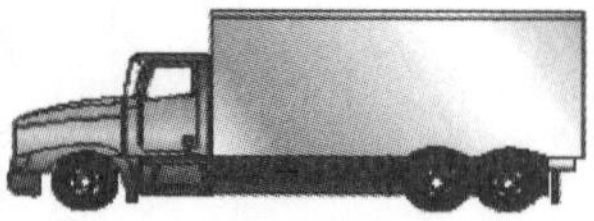

Camión de 40 pies (12 m) por debajo de 40 m/h = 4 segundos

Camión de 50 pies (15 m) por encima de 40 m/h = 6 segundos

Camión de 60 pies (18 m) por debajo de 40 m/h = 6 segundos

Figura 2.12

Si usted está conduciendo un camión de 40 pies (12 m) de largo y sólo contó dos segundos, quiere decir que va demasiado cerca. Reduzca un poco la velocidad y cuente nuevamente hasta que tenga 4 segundos de distancia con el vehículo de adelante (o bien cinco segundos si va a más de 40 mph o 64 km/h). Con un poco de práctica podrá calcular a qué distancia tiene que mantenerse detrás del otro vehículo. Recuerde agregar un segundo para velocidades superiores a 40 mph (64 km/h). También recuerde que cuando el camino está resbaloso se necesita mucho más espacio para parar.

2.7.2 – Espacio hacia atrás

Usted no puede evitar que otros conductores lo sigan demasiado cerca, pero sí puede hacer algo para estar más seguro.

Manténgase a la derecha. Los vehículos pesados generalmente son seguidos de cerca cuando no pueden igualar la velocidad del tráfico. Esto ocurre con frecuencia al subir una cuesta. Cuando una carga pesada le obligue a reducir la velocidad, manténgase en el carril derecho siempre que sea posible. Cuando suba una cuesta no se adelante a otro vehículo lento salvo que pueda hacerlo rápidamente y de manera segura.

Actúe de manera segura cuando otro vehículo lo sigue de cerca. En un vehículo grande, a veces no se puede ver si hay un vehículo cerca atrás del suyo. Es posible que lo estén siguiendo de cerca en las siguientes situaciones:

- Cuando vaya manejando despacio: los conductores que quedan detrás de vehículos lentos generalmente los siguen de cerca.
- En malas condiciones climáticas: muchos automovilistas siguen de cerca a los vehículos grandes cuando hay mal tiempo, especialmente cuando es difícil ver la carretera hacia delante.

A continuación mencionamos lo que usted puede hacer para reducir las probabilidades de chocar cuando otro vehículo lo sigue de cerca.

- Evite cambios repentinos. Si tiene que reducir la marcha o virar, haga señales con anticipación y reduzca muy gradualmente la velocidad.
- Aumente su distancia de seguimiento, es decir, la distancia que mantiene con el vehículo que va adelante, para evitar cambios repentinos de dirección o velocidad. Esto también facilita a los vehículos que lo siguen de cerca en caso que quieran rebasarlo (pasarlo).
- No acelere. Es menos peligroso que lo sigan de cerca a baja velocidad que a alta velocidad.
- Evite los ardides. No encienda las calaveras ni encienda intermitentemente las luces de freno. Siga las sugerencias mencionadas.

2.7.3 – Espacio a los lados

Los vehículos comerciales generalmente son anchos y ocupan la mayor parte del carril. Los conductores seguros harán buen uso del poco espacio que tienen si mantienen el vehículo en el centro de su carril y evitan conducir al lado de otros vehículos.

Mantenerse en el centro del carril. Es necesario que mantenga su vehículo en el centro del carril para conservar un espacio libre seguro a cada lado. Si su vehículo es ancho, no puede desperdiciar espacio alguno.

Viajar en paralelo a otros vehículos. Hay dos peligros si viaja al lado de otros vehículos:
- Otro conductor puede cambiar de carril repentinamente y abalanzarse sobre usted.
- Puede quedar encerrado si necesita cambiar de carril.

Busque un espacio abierto alejado de otros vehículos, lo cual puede ser difícil cuando el tráfico está pesado. Si no tiene más remedio que viajar cerca de otros vehículos, trate de mantener todo el espacio posible entre ellos y usted. También es aconsejable quedarse un poco más atrás o adelantarse un poco para asegurarse de que el otro conductor pueda verlo.

Vientos fuertes. Los vientos fuertes hacen difícil mantenerse en un mismo carril. El problema generalmente es más serio para los vehículos más livianos y puede acentuarse al salir de un túnel. No conduzca al lado de otros vehículos si puede evitarlo.

2.7.4 – Espacio vertical

Golpear objetos que están por encima del vehículo es un peligro al que debe estar atento. Asegúrese de que siempre tenga suficiente espacio vertical libre.

- No dé por seguro que las alturas indicadas en los puentes y cruces son las correctas. La repavimentación o una capa de nieve compacta pueden haber reducido el espacio libe desde de que se colocaron las marcas de altura.
- El peso de un camión de carga modifica su altura. Un camión vacío es más alto que uno cargado. Si usted pasó debajo de un puente cuando el vehículo estaba cargado no significa que podrá hacerlo cuando esté vacío.
- Si tiene dudas con respecto al espacio disponible para pasar debajo de un objeto, avance lentamente. Si no está seguro de lograrlo, tome otra ruta. Generalmente, pero no siempre, hay señales de advertencia en puentes o pasos a desnivel bajos.
- Algunas carreteras pueden hacer que el vehículo se incline, lo cual puede ocasionar problemas para dejar espacio libre entre el vehículo y objetos que están al costado de la carretera, como señales, árboles o soportes de los puentes. Cuando exista este problema, conduzca un poco más hacia el centro de la carretera.
- Antes de retroceder, descienda del vehículo y observe si hay objetos colgantes, tales como ramas de árboles o alambres de la electricidad. Es común que no se los vea al retroceder. (Fíjese también si hay otros peligros).

2.7.5 – Espacio debajo del vehículo

Muchos conductores se olvidan del espacio que queda debajo de su vehículo, el cual puede ser estrecho cuando está muy cargado. Esto generalmente representa un problema en carreteras de tierra y en terrenos sin pavimentar. No corra el riesgo de quedar atascado. Las canaletas de desagüe que atraviesan caminos pueden hacer que los extremos de algunos vehículos toquen el suelo. Cruce esas depresiones con cuidado.

Las vías de ferrocarril también pueden causar problemas, especialmente cuando se tiran remolques que tienen poco espacio inferior libre. No corra el riesgo de quedar atascado a mitad de camino al atravesarlas.

2.7.6 - Espacio de giro

El espacio que queda libre alrededor de un camión o autobús es importante al virar. Hacer giros abiertos y salirse del pavimento puede hacer que los vehículos grandes choquen otros vehículos u objetos.

Giros a la derecha. A continuación se presentan algunas reglas que ayudan a prevenir choques al virar a la derecha.

- Vire lentamente para que usted mismo y los demás tengan más tiempo de evitar problemas.
- Si usted está conduciendo un camión o autobús que no puede hacer un giro a la derecha sin cruzarse al otro carril, vire con toda la amplitud necesaria al completar el giro y mantenga la parte trasera de su vehículo cerca del bordillo. Esto evitará que otros conductores lo rebasen por la derecha.
- No se abra hacia la izquierda al comenzar el giro, ya que si un conductor lo está siguiendo puede pensar que va a doblar a la izquierda e intentar pasarlo por la derecha. Usted puede chocar contra el otro vehículo al completar el giro.

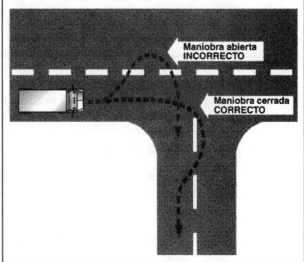

Figura 2.13

- Si para virar debe cruzarse al carril de la dirección contraria, observe si vienen vehículos. Debe darles suficiente espacio para que pasen o se detengan. Sin embargo, no retroceda para que pasen porque puede chocar a alguien detrás de usted. *Ver la figura 2.13.*

Giros a la izquierda. En un giro a la izquierda, asegúrese de llegar al centro de la intersección antes de comenzar a doblar. Si dobla con demasiada anticipación, el lado izquierdo de su vehículo puede salirse del carril y chocar otro vehículo.

Si hay dos carriles para virar a la izquierda, siempre tome el carril izquierdo externo. No comience a doblar en el carril de adentro porque puede tener que realizar un amplio giro para virar completamente; luego tendría que observar cualquier vehículo que venga a su lado en el carril de la derecha, donde su habilidad para ver es limitada. Podrá ver más fácilmente a los conductores que están a su izquierda. *Ver la figura 2.14.*

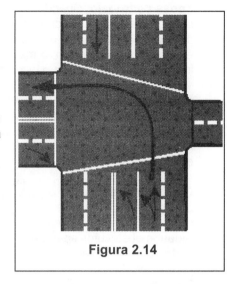

Figura 2.14

2.7.7 - Espacio necesario para cruzar el tráfico o entrar en él

Tenga en cuenta la medida y el peso de su vehículo cuando cruce el tráfico o entre en él. A continuación se mencionan algunos puntos para tener en cuenta:

- A causa de la lenta aceleración de los vehículos grandes y del gran espacio que requieren, es posible que para entrar en el tráfico necesite un espacio más grande que el que necesitaría un automóvil.
- La aceleración varía de acuerdo con la carga. Si su vehículo está muy cargado, deberá dejar más espacio libre.
- Antes de comenzar a cruzar un camino, asegúrese de que pueda atravesarlo completamente antes de que el tráfico lo alcance.

2.8 - Percepción de riesgos

2.8.1 – La importancia de percibir los riesgos

¿Qué es un riesgo? Un riesgo es toda condición de la carretera u otro usuario de la carretera (conductor, ciclista, peatón) que constituye un peligro. Por ejemplo, un auto que va delante de su vehículo en dirección hacia la salida de la autopista pero que enciende las luces de freno y el vehículo comienza a frenar bruscamente. Esto puede significar que el conductor no está seguro de tomar la vía de salida y podría volver repentinamente a la autopista. Este automóvil es un riesgo. Si el conductor del automóvil se cruza delante de su vehículo, ya no es un riesgo, sino una emergencia.

Ver los riesgos le permite estar preparado. Usted tendrá más tiempo para actuar si ve los riesgos antes de que se conviertan en emergencias. En el ejemplo anterior, usted podría cambiarse de carril o disminuir la velocidad para prevenir un choque si el automóvil se cruza delante de su vehículo repentinamente. Ver este riesgo le da tiempo para mirar por los espejos y hacer señales para indicar que va a cambiar de carril. Estar preparado reduce el riesgo. Un conductor que no viera a tiempo ese riesgo se vería obligado a hacer una maniobra brusca cuando el automóvil lento retomara la autopista delante de su vehículo. Frenar bruscamente o cambiar de repente de carril implica una probabilidad mayor de chocar.

Cómo aprender a percibir los riesgos. Generalmente hay indicios que lo ayudarán a percibir los riesgos. Mientras más conduzca, más entrenado estará para hacerlo. Esta sección trata los riesgos que usted debe tener en cuenta.

2.8.2 - Carreteras riesgosas

Reduzca la velocidad y tenga mucho cuidado si ve alguno de estos riesgos en la carretera.

Zonas de trabajo. Cuando hay gente trabajando en la carretera, existe un riesgo. Puede haber carriles más angostos, curvas cerradas o superficies desparejas. A menudo, otros conductores se distraen y conducen de manera insegura. Los obreros y los vehículos de las obras pueden interrumpir el camino. Conduzca en forma lenta y con cuidado cerca de las zonas de trabajo. Utilice las luces intermitentes cuádruples o luces de freno para advertir a otros conductores que vienen detrás suyo.

Desniveles. A veces, el pavimento tiene un desnivel acentuado cerca del borde de la carretera. Si conduce muy cerca del borde, su vehículo se puede inclinar hacia el costado de la carretera y la parte superior puede golpear objetos que están a los lados (señales, ramas de árboles, etc.). También puede ser más difícil controlar la dirección al cruzar el desnivel, salir de la carretera o reingresar en ella.

Objetos extraños. Los objetos caídos en la carretera pueden ser un riesgo, ya que pueden ser peligrosos para las llantas y los aros, y también pueden dañar las conexiones eléctricas o las líneas de los frenos. Si los objetos quedan atrapados entre llantas duales pueden provocar averías serias. Algunos obstáculos aparentemente inofensivos pueden ser muy peligrosos. Por ejemplo, las cajas de cartón pueden estar vacías, pero también pueden contener algún material sólido o pesado que puede causar averías. Lo mismo puede ocurrir con los sacos de tela o papel. Es importante mantenerse alerta a la presencia de todo tipo de objetos, de modo que pueda verlos con suficiente anticipación y esquivarlos sin realizar movimientos repentinos que no sean seguros.

Rampas de salida o de entrada. Las salidas de las autopistas o supercarreteras pueden ser particularmente peligrosas para los vehículos comerciales. Las rampas de salida o de entrada generalmente tienen señales de límite de velocidad permitido. Recuerde que esas velocidades pueden ser seguras para los automóviles pero no para vehículos más grandes o muy cargados. Las salidas en pendiente descendente y en curva al mismo tiempo pueden ser especialmente peligrosas. Las pendientes descendentes dificultan la reducción de la velocidad. Frenar y doblar al mismo tiempo puede ser peligroso. Conduzca con suficiente lentitud antes de tomar la curva de la rampa de salida o de entrada.

2.8.3 - Conductores que constituyen un riesgo

Por su propia protección y la de terceros, debe saber cuándo los otros conductores pueden hacer algo riesgoso. A continuación se tratan algunos indicios de estos tipos de riesgo.

Visibilidad bloqueada. Las personas que no pueden ver a los demás representan un gran riesgo. Esté atento a conductores que tengan la visibilidad bloqueada. Las camionetas cerradas (combis), las furgonetas cargadas y los automóviles que tienen la ventanilla trasera bloqueada son algunos ejemplos. Preste mucha atención a los camiones alquilados porque sus conductores generalmente no están acostumbrados a la limitada visibilidad que tienen hacia los lados y por detrás del vehículo. En invierno, los vehículos que tienen las ventanillas cubiertas con escarcha, hielo o nieve también son un riesgo.

Aquellos vehículos que pueden quedar parcialmente ocultos por intersecciones o callejones ciegos también son un riesgo. Tenga en cuenta que si usted sólo puede ver la parte trasera o delantera de un vehículo pero no a su conductor, el conductor tampoco puede verlo a usted. Esté atento porque la persona puede retroceder o ingresar a su carril. Esté siempre preparado para detenerse.

Camiones de reparto. A menudo los paquetes o las puertas de este tipo de vehículos bloquean la visión del conductor. Los conductores de camionetas cerradas, vehículos postales y de reparto local generalmente están apurados y pueden descender del vehículo o ingresar al carril de circulación en forma repentina.

Vehículos estacionados. Estos vehículos son un riesgo, especialmente cuando las personas descienden de ellos o cuando arrancan repentinamente y se cruzan en su camino. Observe si hay movimiento dentro del vehículo o si el vehículo se mueve, lo que indica que hay gente en el interior. Fíjese si las luces de freno o de retroceso están encendidas, preste atención al tubo de escape y a otros indicios de que el conductor esté por mover el vehículo.

Tenga cuidado cuando vea un autobús detenido, ya que los pasajeros pueden cruzar por delante o por detrás del autobús y generalmente no pueden verlo a usted.

Peatones y ciclistas. A menudo, las personas que van caminando, corriendo o andando en bicicleta van por la carretera de espaldas al tráfico, de modo que no pueden verlo a usted. A veces, llevan estéreos portátiles con auriculares y tampoco pueden oírlo, lo cual puede ser peligroso. En días lluviosos, es posible que los peatones no puedan verlo por los sombreros o paraguas, o bien que puedan estar apurados para refugiarse de la lluvia, y no prestar atención al tráfico.

Distracciones. Las personas distraídas son un riesgo. Preste atención hacia dónde miran. Si están mirando hacia otro lado, no pueden verlo a usted. Pero esté alerta aun cuando lo estén mirando, ya que pueden creer que tienen el derecho de paso.

Niños. Los niños tienden a actuar por impulso sin prestar atención al tráfico. Es posible que si están jugando no se fijen en el tráfico, lo cual constituye un riesgo grave.

Gente conversando. Es posible que los conductores o peatones que estén conversando no presten suficiente atención al tráfico.

Trabajadores. Las personas que están trabajando en la calzada o cerca de ella son una señal de riesgo. El trabajo crea una distracción para otros conductores y, además, es posible que los propios trabajadores no lo vean a usted.

Camiones de helados. La presencia de vendedores de helados son indicios de riesgo porque puede haber niños cerca y es posible que no lo vean.

Vehículos con problemas. Los conductores que están cambiando una llanta o arreglando el motor muchas veces no prestan atención al peligro que representa el tráfico de la calzada, y suelen descuidarse. Un vehículo con el gato colocado o con la cubierta levantada son signos de riesgo.

Accidentes. Los accidentes son particularmente riesgosos. Es posible que la gente involucrada en el accidente no se fije en el tráfico. Por otra parte, los conductores que pasan por el lugar tienden a mirar la escena del accidente. La gente generalmente cruza la carretera corriendo sin mirar y los vehículos a veces reducen la velocidad o se detienen repentinamente.

Gente de compras. Las personas que están en zonas comerciales generalmente no se fijan en el tráfico porque están buscando tiendas o mirando escaparates.

Conductores confundidos. Los conductores confundidos generalmente cambian repentinamente de dirección o se detienen sin avisar. Es común confundirse cerca de los cambios de autopistas o supercarreteras e intersecciones importantes. Los turistas que no conocen el área pueden representar un gran riesgo. Algunas formas de identificar a los turistas son equipaje en el portaequipaje o placas de otros estados. Acciones inesperadas, como detenerse en el medio de una cuadra, cambiar de carril sin razón aparente o encender las luces de retroceso en forma repentina son indicios de que el conductor está confundido. La vacilación es otra señal, por ejemplo, conducir muy despacio, usar frecuentemente los frenos o parar el medio de una intersección. También es posible que aquellos conductores que están mirando los carteles con nombres de calles, mapas y números de las casas no le presten atención.

Conductores lentos. Los conductores que no logran mantener la velocidad normal son un riesgo. Ver con anticipación los vehículos que avanzan lentamente puede prevenir un choque. Algunos vehículos son lentos por naturaleza y encontrarse con ellos es un indicio de riesgo (ciclomotores, maquinaria agrícola o de construcción, tractores, etc.). Algunos de ellos tienen la señal de "vehículo de marcha lenta" para advertirlo. Esta señal consiste en un triángulo rojo con un centro anaranjado. Preste atención a ella.

Conductores que hacen señales de giro. Los conductores que hacen señales de giro pueden disminuir la velocidad más de lo esperado o, incluso, detenerse. Si están haciendo un giro cerrado hacia un callejón o entrada de vehículos, pueden hacerlo en forma muy lenta. Si los peatones u otros vehículos le impiden el paso, es posible que tengan que detenerse en plena calle. Por otra parte, los vehículos que viran a la izquierda pueden necesitar parar para ceder el paso a los que vienen en dirección opuesta.

Conductores con prisa. En algunas situaciones, otros conductores pueden pensar que el vehículo comercial de usted les impide llegar a tiempo a su destino. Dichos conductores pueden pasarlo sin dejar suficiente espacio para el tráfico que viene de frente, y encerrarlo. Además, quienes ingresan a la carretera pueden ponérsele enfrente para evitar quedar atrás, y de esta manera lo obligarán a frenar. Esté atento a esto y tenga cuidado con los conductores apurados.

Conductores con impedimentos. Los conductores somnolientos, enfermos o aquéllos que están bajo los efectos de drogas o alcohol constituyen un riesgo. Algunos indicios para identificarlos son los siguientes:

- Zigzaguear o cambiarse de un carril a otro.
- Salirse del camino (pisar el arcén con las ruedas derechas o golpear contra el bordillo al doblar).
- Detenerse cuando no corresponde (detenerse con luz verde o demorar demasiado ante una señal de alto).
- Llevar la ventanilla abierta cuando hace frío.
- Aumentar o disminuir la velocidad abruptamente o conducir demasiado rápido o lento.

En horas de la noche tenga cuidado con los conductores borrachos o somnolientos.

Movimientos corporales del conductor. Los conductores miran en la dirección hacia donde van a doblar. A veces el movimiento de la cabeza y del cuerpo puede indicar que va a virar, aun si no encienden las luces de giro. Los conductores que miran por encima del hombro pueden estar por cambiar de carril. Es más fácil ver estos indicios en motociclistas y ciclistas. Observe a otros usuarios de la carretera y trate de detectar si están por hacer algo riesgoso.

Situación conflictiva. Usted está en una situación conflictiva cuando tiene que cambiar de velocidad o de dirección para evitar chocar a alguien. Los conflictos se producen en las intersecciones donde confluyen los vehículos, en confluencias de ruta (como rampas de entrada a las supercarreteras) y donde se necesita hacer cambios de carril (como la finalización de un carril, que lo obliga a pasarse a otro carril de tráfico). Otras situaciones incluyen tráfico lento o detenido en un carril y escenas de accidentes. Preste atención a otros conductores que estén en este tipo de situaciones porque representan un riesgo para usted. Cuando ellos reaccionen ante el conflicto, pueden hacer algo que los ponga a usted en una situación conflictiva con ellos.

2.8.4 – Tenga siempre un plan de acción

Sea previsor. Es importante que continúe aprendiendo a percibir los riesgos de la carretera. Sin embargo, no olvide que los riesgos pueden convertirse en emergencias. Preste atención a los riesgos para tener tiempo de planificar cómo solucionar una emergencia. Cuando vea un riesgo, piense en las emergencias que podrían producirse e imagine qué haría. Esté siempre preparado para actuar de acuerdo con su plan. De esta manera usted será un conductor preparado y previsor que mejorará la seguridad propia y también la de todos los usuarios de la carretera.

Apartados 2.7 y 2.8
Ponga a prueba sus conocimientos

1. ¿Cómo puede calcular cuántos segundos tiene de espacio en distancia entre de seguimiento?
2. Si va manejando un vehículo de 30 pies (9 m) a 55 mph (89 km/h), ¿cuántos segundos debe dejar de distancia de seguimiento?
3. Usted debe disminuir su distancia de seguimiento si alguien va siguiéndolo demasiado cerca. ¿Verdadero o falso?
4. Si usted se abre a la izquierda antes de doblar a la derecha, otro conductor puede tratar de rebasarlo por la derecha. ¿Verdadero o falso?
5. ¿Qué es un riesgo?
6. ¿Por qué debe hacer planes de emergencia cuando ve un riesgo?

Estas preguntas pueden aparecer en la prueba. Si no puede responderlas a todas, relea los apartados 2.7 y 2.8.

2.9 – Distracción al manejar

Cuando usted conduce un vehículo y no tiene la atención puesta en la carretera, está poniendo en peligro a sus pasajeros, a otros vehículos, a los peatones y a usted mismo. Realizar una actividad que desvíe su atención de la tarea de conducir puede provocar distracción. Desviar los ojos de la carretera o sacar las manos del volante presenta riesgos de conducción obvios. Las actividades mentales que desvían su mente de la conducción son igualmente peligrosas. Es posible que esté mirando los objetos de la carretera pero que en realidad no los vea porque su atención está puesta en otra cosa.

Algunas de las actividades que pueden distraer su atención son: conversar con los pasajeros; sintonizar la radio, el reproductor de CD o los controles de climatización del vehículo; comer, beber o fumar; leer mapas u otro tipo de material escrito; levantar algo que se cayó; leer anuncios o carteles publicitarios; mirar a otras personas o vehículos, entre ellos a conductores agresivos; hablar por teléfono celular o radio CB; usar dispositivos telemáticos (como sistemas de navegación, bípers, etc.); soñar despierto u ocupar su pensamiento con otras distracciones.

2.9.1 - No conduzca distraído

Si a causa de distracciones los conductores reaccionan medio segundo tarde, los choques se duplican. Algunos consejos para no distraerse:

- Antes de manejar, revise y familiarícese con todas las características de seguridad y el uso de los aparatos electrónicos que tiene el vehículo, incluso su teléfono celular o inalámbrico.
- Preseleccione las estaciones de radio.
- Cargue previamente sus cintas y discos favoritos.
- Saque del vehículo cualquier objeto innecesario.
- Revise los mapas y planifique su ruta antes de comenzar a conducir.
- Ajuste todos los espejos para la mejor visibilidad a su rededor antes de comenzar el viaje.
- No intente leer ni escribir mientras conduce.
- Evite fumar, comer y beber mientras conduce.
- No entable conversaciones complejas o intensas con otros ocupantes del vehículo.

2.9.2 - Use el equipo de comunicaciones del vehículo con precaución

- Si es posible, salga de la carretera y deténgase en un lugar seguro y permitido cuando haga o reciba una llamada a través de su equipo de comunicaciones.
- Si es posible, apague el teléfono celular hasta que llegue a destino.
- Tenga el teléfono celular a mano.
- Predetermine en su teléfono celular los números que use frecuentemente.

- Si tiene que realizar una llamada, busque un lugar seguro para salir de la carretera. No realice llamadas mientras esté manejando.
- La Ley de Vehículos y Tránsito del estado de Nueva York establece que sólo se permite el uso de dispositivos de manos libres mientras maneja. Ni siquiera estos dispositivos no son seguros para usar cuando está circulando en la carretera.
- Si debe usar el teléfono celular, hable poco. Planifique la forma de liberarse de amigos o acompañantes que hablan mucho cuando maneje. Nunca use el teléfono celular para hacer relaciones sociales.
- Corte la comunicación en situaciones de tráfico complicadas.
- No use el equipo cuando se aproxime a lugares con mucho tráfico, zonas de obras en construcción, gran cantidad de peatones o condiciones climáticas adversas.
- No intente escribir ni leer mensajes en su sistema satelital mientras conduce.

2.9.3 - Tenga cuidado con otros conductores distraídos

Es necesario que usted pueda reconocer a otros conductores que están distraídos por alguna razón. Si no sabe identificarlos, es posible que no pueda percibir los riesgos que representan ni reaccionar correctamente y a tiempo para evitar un choque. Tenga cuidado con:

- vehículos que van de un lado a otro de las líneas de división de carriles o dentro del propio carril;
- vehículos que viajan a velocidades irregulares;
- conductores que están ocupados con mapas, alimentos, cigarrillos, teléfonos celulares u otros objetos;
- conductores que parecen estar conversando con sus pasajeros.

Deje mucho espacio al conductor distraído y mantenga una distancia segura.

Tenga mucho cuidado cuando rebase a un conductor que parece estar distraído, ya que es posible que no se haya dado cuenta de su presencia y que pueda cruzarse delante de usted.

2.10 - Conductores agresivos y violencia en la carretera

2.10.1 - ¿Qué significa?

La conducción agresiva y la violencia en la carretera no son problemas nuevos. Sin embargo, en el mundo actual donde abunda el tráfico pesado y lento, y las agendas apretadas, cada vez más conductores descargan su ira y frustración a través de sus vehículos.

Las carreteras atestadas de vehículos dejan poco margen para el error, provocan sospecha y hostilidad entre los conductores y los llevan a tomar los errores de otros conductores como algo personal.

La conducción agresiva es el acto de conducir un vehículo motorizado de manera egoísta, audaz o prepotente, sin respeto por los derechos o la seguridad de los demás.

La violencia en la carretera es un estado emocional de ira u hostilidad, provocado por un incidente que involucra el uso de un vehículo motorizado y que puede intensificarse hasta llegar a actos delictivos violentos, amenazas o intentos de realizar actos violentos. La violencia en la carretera puede incluir conductas provocativas destinadas a intimidar, acosar o amedrentar a terceros.

La violencia en la carretera no es lo mismo que la conducción agresiva. Sin embargo, la conducción agresiva puede aumentar hasta convertirse en violencia en la carretera. La conducción agresiva generalmente involucra infracciones de tráfico, mientras que la violencia en la carretera está relacionada con incurrir en delitos.

2.10.2 - No sea un conductor agresivo

La forma en que lo afectará la tensión mientras conduce depende en gran parte de su estado de ánimo, incluso antes de que arranque el vehículo.

- Reduzca la tensión antes y durante la conducción. Escuche música tranquila y agradable.
- Ponga toda su atención en la conducción. No se distraiga hablando por el teléfono celular, comiendo, etc.
- Sea realista para calcular el tiempo de viaje. Considere que puede haber demoras a causa del tráfico, de obras en construcción o del mal tiempo, y téngalas en cuenta a la hora de hacer planes.
- Si va a llegar más tarde que lo esperado, acéptelo. Respire hondo y acepte la demora.
- Dé al otro conductor el beneficio de la duda. Trate de imaginar por qué está manejando así. Cualquiera sea la razón, no tiene nada que ver con usted.
- Disminuya la velocidad y manténgase a una distancia razonable.
- No conduzca lentamente en el carril izquierdo del tráfico.
- Mantenga las manos en el volante. Evite hacer gestos que puedan hacer enojar a otro conductor, aunque sean expresiones de irritación aparentemente inofensivas, como mover la cabeza a uno y otro lado.
- Sea un conductor precavido y cortés. Si otro conductor parece ansioso por rebasarlo, diga "Adelante". Esta respuesta pronto se convertirá en un hábito y no se sentirá tan ofendido por los actos de otros conductores.

2.10.3 - Qué debería hacer usted cuando se encuentra con un conductor agresivo

- Lo primero y principal es hacer todo lo posible para alejarse de su camino.
- Deje su orgullo en el asiento de atrás. No lo desafíe aumentando la velocidad o intentando demostrar que usted "hace lo que quiere" en su carril.
- Evite el contacto visual.
- Ignore los gestos y no reaccione ante ellos.
- Denuncie a los conductores agresivos ante las autoridades correspondientes y provea la descripción del vehículo, el número de placa, la ubicación, y si es posible, el rumbo hacia donde se dirigía.
- Si tiene un teléfono celular y puede hacerlo de manera segura, llame a la policía.
- Si un conductor agresivo se ve involucrado en un accidente más adelante en la carretera, deténgase a una distancia prudente de la escena del choque, espere a que llegue la policía y denuncie el comportamiento de conducción del que fue testigo.

Apartados 2.9 y 2.10
Ponga a prueba sus conocimientos

1. ¿Cuáles son algunos de los consejos para no distraerse?
2. ¿Cómo se usan prudentemente los equipos de comunicaciones del vehículo?
3. ¿Cómo puede identificar a un conductor distraído?
4. ¿Cuál es la diferencia entre conducción agresiva y violencia en la carretera?
5. ¿Qué debe hacer cuando se enfrenta a un conductor agresivo?
6. ¿Qué puede hacer para reducir la tensión antes y durante la conducción?

Estas preguntas pueden aparecer en la prueba. Si no puede responderlas a todas, relea los apartados 2.9 y 2.10.

2.11 - Conducción nocturna

2.11.1 - Es más peligroso

Usted corre un riesgo mayor cuando conduce de noche porque no puede ver los riesgos tan rápidamente como de día y, como consecuencia, tiene menos tiempo para reaccionar. Cuando lo toman por sorpresa, tiene menos posibilidades de evitar un choque.

Los problemas de la conducción nocturna están relacionados con el conductor, la carretera y el vehículo.

2.11.2 - Factores relacionados con el conductor

Visión. Las personas no pueden ver con la misma agudeza de noche o cuando hay poca iluminación. Asimismo, los ojos necesitan tiempo para adaptarse a la visión con poca luz. La mayoría de la gente experimenta esto cuando entran en un cine a oscuras.

Encandilamiento. Las luces brillantes pueden enceguecer a los conductores por un momento. Recuperarse de esta ceguera lleva un tiempo. Este encandilamiento es particularmente molesto para conductores ancianos. La mayoría de las personas alguna vez han sido enceguecidas momentáneamente por el flash de una cámara o por las luces altas de un vehículo que viene de frente. Recuperarse del encandilamiento puede llevar varios segundos. Incluso dos segundos de ceguera por encandilamiento pueden ser peligrosos. En ese tiempo, un vehículo que circula a 55 mph (89 km/h) recorrerá más de la mitad de la longitud de un campo de fútbol americano. Cuando conduzca, no mire directamente las luces brillantes. Fije la mirada sobre el lado derecho de la carretera. Si un vehículo que viene de frente tiene luces muy brillantes, dirija la mirada a las líneas laterales.

Cansancio y falta de agudeza mental. La fatiga o el cansancio y la falta de agudeza mental son problemas que se acentúan de noche. Una persona no puede controlar la necesidad física de dormir. En la mayoría de las personas el estado de alerta decae de noche, especialmente después de la medianoche, y cuando han estado conduciendo por un largo tiempo. Por esta razón, es posible que los conductores no perciban los riesgos a tiempo o que no reaccionen con suficiente rapidez, lo cual aumenta las probabilidades de chocar. Si usted tiene sueño, la única medida segura es salir de la carretera y dormir un rato. Si no lo hace, pone en riesgo su vida y la de los demás.

2.11.3 - Factores relacionados con la carretera

Iluminación deficiente. De día generalmente hay suficiente luz para ver bien, pero de noche esto no ocurre. En algunas áreas, las calles pueden estar muy bien iluminadas pero en otras, la iluminación puede ser deficiente. Es probable que en la mayoría de las carreteras usted dependa totalmente de sus faros delanteros.

Una menor iluminación significa que no podrá ver los riesgos tan bien como en plena luz del día. Es difícil ver los vehículos en las carreteras cuando no llevan luces. Hay muchos accidentes nocturnos en los que están involucrados peatones, deportistas, ciclistas y animales.

Aun cuando haya luces, la escena de la carretera puede ser confusa, ya que puede ser difícil ver las señales de tráfico e identificar los riesgos contra un fondo de luces de señales, escaparates u otros elementos.

Cuando la iluminación sea deficiente o produzca confusión maneje más despacio. Conduzca lo suficientemente lento como para poder detenerse dentro del espacio que puede ver hacia delante.

Conductores borrachos. Los conductores borrachos o bajo los efectos de drogas son un riesgo para usted y para ellos mismos. Manténgase especialmente alerta durante los horarios de cierre de bares y tabernas. Esté atento a conductores que tengan problemas para mantenerse en su carril, para mantener la velocidad, que se detengan sin razón aparente o que muestren signos de estar bajo los efectos del alcohol o las drogas.

2.11.4 - Factores relacionados con el vehículo

Faros delanteros. De noche, la principal fuente de iluminación para ver y para que otros lo vean a usted son los faros. No se puede ver con la misma claridad con los faros delanteros que con la luz del día. Con luces bajas se puede ver aproximadamente 250 pies (76 m) hacia delante y con luces altas, hasta alrededor de 350 a 500 pies (107 a 152 m). Por ello, debe regular la velocidad para mantener la distancia de parada dentro del alcance de su visión. Esto significa que debe avanzar de forma suficientemente lenta como para poder detenerse dentro del alcance de la luz de sus faros delanteros. De otra manera, no tendrá tiempo de detenerse cuando vea el riesgo.

La conducción nocturna puede ser más peligrosa si los faros delanteros tienen problemas. Si están sucios, iluminan sólo la mitad de lo que deberían. Esto disminuye su capacidad de ver y dificulta que los demás lo vean a usted. Asegúrese de que las luces estén limpias y funcionen. Los faros delanteros también pueden estar mal regulados. Si no apuntan en la dirección correcta, no le permitirán obtener una buena visión, y podrían encandilar a otros conductores. Hágalos revisar por una persona calificada para asegurarse de que están debidamente regulados.

Otras luces. Para que los demás puedan verlo con facilidad, las siguientes luces deben estar limpias y funcionar correctamente:

- Reflectores
- Luces indicadoras
- Luces de espacio libre
- Calaveras o luces traseras
- Luces de identificación

Luces de giro y luces de freno. De noche, las luces de giro y las luces de freno son aún más importantes para indicar a otros conductores lo que usted intenta hacer. Asegúrese de que estén limpias y funcionen bien.

Parabrisas y espejos. Tener el parabrisas y los espejos limpios es más importante de noche que de día, ya que de noche, las luces pueden hacer que la suciedad del parabrisas o de los espejos produzca un resplandor que estorbe la visión. La mayoría de la gente que ha tenido que conducir de frente al sol cuando acaba de salir o está por ponerse dice que apenas puede ver a través de un parabrisas que en pleno día parece estar en buenas condiciones. Para conducir con seguridad de noche, limpie el interior y el exterior del parabrisas.

2.11.5 - Procedimientos para conducir de noche

Procedimientos antes del viaje. Asegúrese de estar descansado y alerta. Si está somnoliento, ¡duerma antes de empezar a manejar! Incluso un descanso corto puede salvar su vida o la de terceros. Si usa anteojos, asegúrese de que estén limpios y sin raspaduras. De noche no use anteojos de sol. Haga una inspección completa del vehículo antes del viaje. Revise todas las luces y reflectores y limpie las que estén a su alcance.

Evite encandilar a los demás. El resplandor de sus faros delanteros puede causar problemas a los conductores que vienen de frente y también reflejarse en los espejos retrovisores de los conductores que van en su misma dirección y molestarlos. Baje las luces antes de que encandilen a otros conductores. Hágalo cuando se encuentre dentro de una distancia de 500 pies (152 metros) del vehículo que viene de frente o del que va delante de usted.
Evite ser encandilado por los vehículos que vienen de frente. No mire directamente las luces de los vehículos que vienen de frente. Mire ligeramente hacia el carril derecho o la línea marcada, si los hay. Si otros conductores no bajan las luces, no trate de "desquitarse" encendiendo sus propias luces altas. Esto incrementa el encandilamiento de los conductores que vienen de frente y las probabilidades de chocar.

Use luces altas cuando sea posible. Algunos conductores cometen el error de usar siempre las luces bajas. Esto disminuye peligrosamente su visión hacia delante. Use las luces altas siempre que sea seguro y esté permitido. Úselas cuando no esté dentro de los 500 pies (152 m) de un vehículo que se aproxima. También evite que haya demasiada luz dentro de la cabina, ya que esto dificulta ver hacia afuera. Mantenga apagada la luz interior y regule las luces de sus instrumentos al mínimo necesario para leer los indicadores.

Si tiene sueño, deténgase en el lugar seguro más cercano. La gente a menudo no se da cuenta de que está muy próxima a dormirse aun cuando se le cierran los ojos. Si puede hacerlo con seguridad, mírese en el espejo. Si tiene aspecto somnoliento o si siente que tiene sueño, ¡deje de manejar! Su situación reviste gran peligro. La única medida segura es dormir.

2.12 - Conducción con niebla

La niebla puede aparecer en cualquier momento. La niebla en la carretera puede ser extremadamente peligrosa. Generalmente aparece en forma inesperada y la visibilidad disminuye rápidamente. Cuando hay niebla debe tener cuidado y estar preparado para disminuir la velocidad. No suponga que la niebla se aclarará al entrar en ella.

El mejor consejo para manejar en la niebla es no manejar. Es preferible que salga de la carretera y se detenga en un área de descanso o en una parada de camiones hasta que la visibilidad mejore. Si debe continuar manejando, asegúrese de tener en cuenta lo siguiente:

* Obedezca todas las señales de advertencia relacionadas con la niebla.
* Disminuya la velocidad antes de entrar en el banco de niebla.
* Use luces bajas y faros antiniebla para tener mejor visibilidad aun durante el día, y esté atento a otros conductores que puedan haber olvidado encenderlos.
* Encienda las luces intermitentes cuádruples. Esto les dará una oportunidad a los conductores que se aproximan desde atrás de verlo más rápidamente.
* Tenga cuidado con los vehículos que están al costado de la calzada. Ver faros traseros o delanteros delante de su vehículo puede no ser una indicación real de hacia dónde va la carretera. Es posible que el vehículo ni siquiera esté en la carretera.
* Use las luces reflectantes de los costados de la autopista como una guía para saber por dónde va la carretera.
* Escuche para detectar tráfico que no puede ver.
* Evite rebasar a otros vehículos.
* No se detenga al costado del camino, a menos que sea absolutamente necesario.

2.13 - Conducción en invierno

2.13.1 – Elementos que debe inspeccionar en el vehículo

Asegúrese de que su vehículo esté preparado para conducir en la época invernal. Debe realizar una inspección regular antes del viaje y prestar especial atención a los siguientes elementos:

Nivel de líquido refrigerante y cantidad de anticongelante. Asegúrese de que el sistema de enfriamiento del motor esté lleno y de que haya suficiente anticongelante para evitar la congelación. Esto se puede comprobar con un probador especial para refrigerantes.

Equipo de descongelación y calefacción. Asegúrese de que los descongeladores funcionen, ya que son necesarios para manejar con seguridad. Cerciórese de que la calefacción funcione y de que usted sepa usarla. Si tiene otros aparatos de calefacción y cree que los necesitará (por ejemplo, calefactores de los espejos, de la caja de la batería, del tanque de combustible), compruebe su funcionamiento.

Limpiaparabrisas y lavaparabrisas. Asegúrese de que las hojas de los limpiaparabrisas estén en buenas condiciones y de que hagan suficiente presión sobre el parabrisas para limpiarlo. En caso contrario, es posible que no quiten la nieve correctamente. Asegúrese de que el lavaparabrisas funcione y de que haya suficiente líquido en el depósito. Use anticongelante del líquido lavador de parabrisas para evitar que se congele. Si no puede ver bien mientras maneja (por ejemplo, si sus limpiaparabrisas no trabajan bien), deténgase en un lugar seguro y arregle el problema.

Llantas. Asegúrese de que el dibujo tenga suficiente profundidad. Las ruedas de tracción deben proveer la tracción necesaria para mover el equipo en el pavimento mojado o en la nieve, mientras que las de dirección deben tener tracción para dirigir el vehículo. Una profundidad adecuada del dibujo es de especial importancia en condiciones climáticas invernales. La profundidad mínima debe ser de 4/32 pulgadas en cada uno de los surcos mayores de las llantas delanteras y de 2/32 pulgadas en las otras llantas. Cuanto mayor sea la profundidad, mejor. Use un medidor para determinar si el dibujo tiene la profundidad necesaria para manejar con seguridad.

Cadenas para las llantas. Usted puede encontrarse en situaciones donde no puede conducir sin cadenas, ni siquiera para llegar a un lugar seguro. Lleve el número necesario de cadenas y eslabones transversales adicionales. Asegúrese de que sean de la medida de sus ruedas de tracción. Inspeccione las cadenas para detectar ganchos rotos, eslabones transversales gastados o rotos y cadenas laterales dobladas o rotas. Aprenda a colocar las cadenas antes de que necesite hacerlo en la nieve y el hielo.

Luces y reflectores. Asegúrese de que las luces y los reflectores estén limpios, ya que son especialmente importantes durante condiciones climáticas adversas. Contrólelos con frecuencia cuando maneje con mal tiempo para asegurarse de que estén limpios y que funcionen correctamente.

Ventanillas y espejos. Antes de salir, quite el hielo, la nieve, etc. del parabrisas, de las ventanillas y de los espejos. Use un raspador para parabrisas, un cepillo para nieve y el descongelador de parabrisas, según sea necesario.

Agarraderas, escalones y pequeñas plataformas. Quite todo el hielo y la nieve de las agarraderas, los escalones y las pequeñas plataformas. Esto reducirá el riesgo de resbalarse.

Persianas del radiador y parrilla de invierno. Quite el hielo de la persiana del radiador. Asegúrese de que la parrilla protectora de invierno no esté demasiado cerrada. Si las persianas se congelan cerradas o si la parrilla protectora está demasiado cerrada, el motor puede recalentarse y detenerse.

Sistema de escape. Las fugas en el sistema de escape son especialmente peligrosas si la ventilación de la cabina es deficiente (ventanillas cerradas, etc.). Las conexiones sueltas pueden permitir el ingreso de fugas de monóxido de carbono al vehículo. Este gas toxico produce somnolencia y en cantidades suficientemente grandes puede causar la muerte. Controle el sistema de escape para detectar piezas sueltas, ruidos o signos de fugas.

2.13.2 - Conducción

Superficies resbalosas. Conduzca despacio y con precaución sobre carreteras resbalosas. Si están muy resbalosas, no conduzca y deténgase en el primer lugar seguro.

Arranque en forma suave y lenta. Al principio, sienta cómo está la carretera. No se apure.

Verifique si hay hielo. Controle si hay hielo en la carretera, especialmente en puentes y cruces elevados. Si los otros vehículos no salpican, eso indica que se ha formado hielo en la carretera. También verifique si los espejos y las hojas del limpiaparabrisas tienen hielo. Si es así, seguramente también habrá hielo en la carretera.

Ajuste los giros y las frenadas a las condiciones de la carretera. Vire lo más suavemente posible. No frene con más fuerza de la necesaria ni use el freno del motor ni el retardador de velocidad, ya que pueden hacer patinar las ruedas de tracción en superficies resbalosas.

Ajuste la velocidad a las condiciones de la carretera. No pase a los vehículos que circulan más lento, salvo que sea necesario. Avance despacio y observe la carretera hacia delante lo suficiente como para mantener una velocidad constante. Evite tener que disminuir y aumentar la velocidad.

Tome las curvas a velocidades más bajas y no frene mientras las transita. Tenga en cuenta que cuando la temperatura se eleva al punto en que el hielo comienza a derretirse, la carretera se vuelve más resbalosa. Disminuya la velocidad aún más.

Ajuste el espacio a las condiciones. No conduzca al lado de otros vehículos. Mantenga una distancia de seguimiento mayor. Cuando vea un embotellamiento de tráfico, reduzca la velocidad o deténgase para esperar a que se despeje. Trate de anticipar las paradas y reduzca la velocidad gradualmente. Tenga cuidado con las máquinas quitanieves y con los camiones con sal y arena, y cédales todo el espacio posible.

Frenos mojados. Cuando maneja bajo lluvia copiosa o en sectores con agua estancada profunda, los frenos se mojan. El agua en los frenos puede hacer que pierdan fuerza, frenen en forma despareja o se peguen. Esto puede provocar que el poder de frenado disminuya, que las ruedas se bloqueen, que el vehículo tire hacia un lado u otro o que el remolque se pliegue sobre el tractor.

Si es posible, evite cruzar charcos profundos o corrientes de agua. Si no puede evitarlo, debe hacer lo siguiente:

- Disminuya la velocidad y cambie a una marcha baja.
- Frene suavemente. Esto hace que los revestimientos de los frenos presionen contra los tambores o los discos, y evita la entrada de lodo, basuras, arena y agua.
- Aumente las revoluciones por minuto del motor y cruce el agua mientras ejerce una ligera presión sobre los frenos.
- Cuando salga del agua, mantenga una ligera presión en los frenos durante una distancia corta para que se calienten y se sequen.
- Haga una parada de prueba cuando sea seguro. Mire hacia atrás para comprobar que nadie lo sigue y luego aplique los frenos para asegurarse de que funcionan bien. Si no funcionan bien, vuelva a realizar el procedimiento indicado anteriormente. (PRECAUCIÓN: No aplique mucha presión en el freno y en el acelerador a la vez porque se pueden recalentar los tambores y los revestimientos de freno).

2.14 - Conducción en temperaturas muy altas

2.14.1 – Elementos que debe revisar en el vehículo

Realice una inspección normal antes del viaje, pero preste especial atención a los siguientes elementos:

Llantas. Revise el montaje y la presión de aire de las llantas. Cuando conduzca en temperaturas muy altas, inspeccione las llantas cada dos horas o cada 100 millas (160 km). Tenga en cuenta que la presión del aire aumenta con la temperatura. No les quite aire a las llantas porque la presión estaría demasiado baja cuando las llantas se enfríen. Si una llanta está muy caliente al tacto, deténgase hasta que se enfríe. De lo contrario la llanta puede explotar o incendiarse.

Aceite del motor. El aceite del motor ayuda a mantenerlo refrigerado y lubricado. Asegúrese de que el vehículo tenga suficiente aceite del motor. Si tiene un termómetro para el aceite, verifique que la temperatura esté dentro de los niveles correctos mientras maneja.

Líquido refrigerante del motor. Antes de salir, asegúrese de que el sistema de refrigeración del motor tenga suficiente agua y anticongelante de acuerdo con las instrucciones del fabricante del motor. (El anticongelante ayuda al funcionamiento del motor en temperaturas tanto altas como bajas.) Cuando maneje, controle frecuentemente el termómetro de temperatura del agua y del líquido refrigerante. Asegúrese de que se mantengan dentro de los niveles normales. Si el termómetro sube por encima de la temperatura máxima segura, existe la posibilidad de que algún problema provoque una falla o incluso el incendio del motor. Deténgase tan pronto como sea posible y trate de detectar el problema.

Algunos vehículos tienen visores o aberturas transparentes en los recipientes de derrame o de recuperación del refrigerante, que le permiten verificar el nivel de este líquido cuando el motor está caliente. Si el depósito no forma parte del sistema presurizado, se puede quitar la tapa sin riesgo para agregar líquido refrigerante aunque el motor esté a temperatura de funcionamiento.

Nunca quite la tapa del radiador ni ninguna parte del sistema presurizado hasta que éste se haya enfriado, ya que debido a la presión, el vapor y el agua pueden saltar y provocar quemaduras graves. Si puede tocar la tapa del radiador con la mano, es probable que ya esté lo suficientemente frío como para abrirlo.

Si tiene que agregar líquido refrigerante a un sistema que no tiene tanque de recuperación o de derrame, siga estos pasos:

- Apague el motor.
- Espere hasta que el motor se haya enfriado.
- Protéjase las manos (use guantes o un paño grueso).
- Gire lentamente la tapa del radiador hasta el primer tope para liberar el cierre de presión.
- Aléjese mientras escapa la presión del sistema de enfriamiento.
- Cuando toda la presión haya salido, presione la tapa hacia abajo y complete el giro para quitarla.
- Controle visualmente el nivel del líquido refrigerante y agregue más si es necesario.
- Vuelva a poner la tapa y gírela completamente hasta la posición de cerrado.

Bandas del motor. Aprenda a controlar la tensión de las bandas en V de su vehículo presionándolas. Las bandas flojas no activarán correctamente la bomba de agua o el ventilador, lo cual puede producir un sobrecalentamiento. También controle las bandas a fin de detectar grietas u otros signos de desgaste.

Mangueras. Asegúrese de que las mangueras del líquido refrigerante estén en buenas condiciones. Una manguera rota puede provocar una falla e incluso, el incendio del motor mientras conduce.

2.14.2 - Conducción

Tenga cuidado con el exudado de alquitrán. En altas temperaturas, es frecuente que el alquitrán del pavimento de la carretera suba a la superficie. Los lugares donde el pavimento exuda alquitrán son muy resbalosos.

Circule de forma lenta para evitar el sobrecalentamiento. Las velocidades altas generan más calor para las llantas y el motor. En climas desérticos el calor puede aumentar hasta un punto peligroso e incrementar la probabilidad de fallas o incluso de incendio de las llantas o fallas del motor.

Apartados 2.11, 2.12, 2.13 y 2.14
Ponga a prueba sus conocimientos

1. Se deben usar las luces bajas siempre que sea posible. ¿Verdadero o falso?
2. ¿Qué debe hacer antes de manejar si está somnoliento?
3. ¿Qué efectos pueden provocar los frenos mojados? ¿Cómo puede evitar estos problemas?
4. Debe dejar salir aire de las llantas calientes para que la presión se normalice. ¿Verdadero o falso?
5. Se puede quitar con seguridad la tapa del radiador siempre que el motor no esté sobrecalentado. ¿Verdadero o falso?

Estas preguntas pueden aparecer en la prueba. Si no puede responderlas a todas, relea los apartados 2.11, 2.12, 2.13 y 2.14.

2.15 - Cruces de vías de ferrocarril

Los cruces de vías de ferrocarril con pendiente son un tipo especial de intersección donde la calzada cruza las vías del tren. Estos cruces de vías de ferrocarril son siempre peligrosos. Debe acercarse a ellos dando por sentado que puede venir un tren.

2.15.1 - Tipos de cruces de vías de ferrocarril

Pasos pasivos. Este tipo de cruce de vías de ferrocarril no tiene ningún dispositivo de control de tráfico. La decisión de detenerse o seguir queda totalmente en sus manos. Usted debe saber reconocer este tipo de cruce, fijarse si hay trenes que transiten las vías y decidir si tiene un espacio suficiente como para pasarlo sin riesgos. Los cruces de vías de ferrocarril pasivos tienen señales de advertencia redondas de color amarillo, marcas en el pavimento y señales de cruce de ferrocarril.

Pasos activos. Este tipo de cruce de vías de ferrocarril posee un dispositivo de control de tráfico instalado en el cruce para regular el tráfico. Estos dispositivos activos son luces intermitentes rojas con o sin campanas y luces intermitentes rojas con campanas y barreras.

2.15.2 - Dispositivos y señales de advertencia

Señales de advertencia anticipada. La señal de advertencia redonda de color negro sobre fondo amarillo está ubicada antes de un cruce de vías de ferrocarril público e indica a los conductores que deben disminuir la velocidad, mirar y escuchar si viene el tren y estar preparados para detenerse antes de las vías en caso de que el tren estuviera por pasar. Ver la figura 2.15

Figura 2.15

Marcas en el pavimento. Indican lo mismo que la señal de advertencia anticipada. Se trata de una "X" con las letras "RR" y una marca de "no pasar" pintada en carreteras de dos carriles. *Ver la figura 2.16*

Figura 2.16

En estas carreteras también hay una señal que indica la prohibición de rebasar a otros vehículos. Antes de las vías, puede haber una línea blanca de detención pintada en el pavimento. La parte de adelante del vehículo debe estar detrás de esta línea cuando esté detenido frente al cruce de vías de ferrocarril.

Señales de cruce de ferrocarril. Esta señal indica que hay un cruce de vías de ferrocarril y exige a los automovilistas dar paso al tren. Si no hay una línea blanca pintada en el pavimento, debe detener el autobús antes de la señal de cruce de ferrocarril. Cuando la carretera pasa por encima de más de un par de vías, debajo de la señal se indica la cantidad correspondiente. *Ver la figura 2.17*

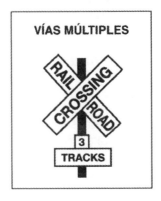

Figura 2.17

Luces intermitentes rojas de señalización. En muchos cruces de vías de ferrocarril, la señal de cruce de ferrocarril cuenta con luces intermitentes rojas y campanas. Cuando se encienden las luces intermitentes, usted debe detenerse de inmediato, ya que significa que está por pasar el tren y debe darle paso. Si hay más de un par de vías, antes de cruzar asegúrese de que por ninguna venga el tren. *Ver la figura 2.18*

Barreras. Muchos cruces de vías de ferrocarril tienen barreras con luces intermitentes rojas y campanas. Deténgase cuando se enciendan las luces intermitentes y antes de que baje la barrera. No inicie la marcha hasta tanto haya subido la barrera y las luces intermitentes se hayan apagado. Cruce sólo cuando sea seguro hacerlo. *Ver la figura 2.18*

Figura 2.18

2.15.3 - Procedimientos para conducir

Nunca acelere para llegar antes que el tren al cruce de vías de ferrocarril. Nunca intente llegar antes que el tren al cruce de vías de ferrocarril, ya que es extremadamente difícil calcular la velocidad de un tren que se aproxima.

Reduzca la velocidad. Reduzca la velocidad de acuerdo con su capacidad de ver un tren que se aproxima en cualquier dirección y mantenga la velocidad en un punto que le permita detenerse antes de las vías si es necesario.

No espere escuchar el tren. Por el ruido del interior del vehículo, no es posible escuchar la bocina del tren hasta que está peligrosamente cerca del cruce de vías de ferrocarril.

No confíe en las señales. No debe confiar solamente en la presencia de señales de advertencia, barreras o banderilleros que le avisen que se aproxima un tren. Preste mucha atención en los cruces de vías de ferrocarril que no tienen barreras ni luces intermitentes rojas.

Las vías dobles exigen un control doble. Recuerde que el tren que avanza por una vía puede obstaculizar la visión de otro que avanza por la otra vía. Mire hacia ambos lados antes de cruzar. Después de que un tren haya pasado por el cruce, antes de cruzar las vías asegúrese de que no vengan otros.

Espacios que circundan las vías y cruces de vías de ferrocarril en ciudades y pueblos. Los espacios que circundan las vías y los cruces de vías de ferrocarril en las ciudades y los pueblos son tan peligrosos como los cruces de vías de ferrocarril rurales. Acérquese con precaución.

2.15.4 - Cómo detenerse de forma segura en los cruces de vías de ferrocarril

Debe detenerse completamente en un cruce de vías de ferrocarril siempre que:

- sea obligatorio hacerlo por el tipo de carga, según las disposiciones estatales o federales; o
- la detención sea exigida por ley por cualquier otro motivo.

Cuando se detenga asegúrese de:

- fijarse en el tráfico que viene atrás, a medida que va frenando gradualmente; usar un carril de salida, si hubiera uno;
- encender las luces intermitentes de emergencia.

2.15.5 - Cómo cruzar las vías

Los cruces de vías de ferrocarril con entradas empinadas pueden hacer que su vehículo quede atascado en las vías.

Nunca permita que las condiciones del tráfico lo obliguen a detenerse en las vías. Antes de iniciar el cruce, asegúrese de que puede cruzar las vías de una sola vez. Un camión con remolque común tarda un mínimo de 14 segundos en cruzar un cruce de vías de ferrocarril de una sola vía y más de 15 segundos en cruzar uno de doble vía.

No cambie de marcha mientras cruza las vías del ferrocarril.

2.15.6 - Situaciones especiales

¡Tenga cuidado! Los siguientes remolques pueden quedar atascados en cruces de vías de ferrocarril elevados:

- Unidades bajas (plataformas de transporte, transportadores de automóviles, camiones de mudanzas, remolques de dos pisos para transporte de ganado).
- Tractores de un solo eje que tiran un remolque largo con tren de aterrizaje para cargar un tractor con ejes dobles.

Si por alguna razón queda atascado en las vías, salga del vehículo y aléjese de las vías. Busque carteles indicadores o soportes con luces de señalización en los cruces de vías de ferrocarril a fin de obtener información para casos de emergencia. Llame al 911 o a otro número de emergencia. Informe la ubicación del cruce de vías de ferrocarril por medio de todos los puntos de referencia identificables, especialmente el número del Departamento de Transporte (DOT) del vehículo si lo tiene.

2.16 - Conducción en la montaña

Cuando conduce en la montaña, la gravedad juega un papel importante. En cualquier pendiente ascendente la gravedad hace más lenta la marcha. Mientras más empinada o larga sea la pendiente, o más pesada la carga, más tendrá que usar las marchas bajas para trepar las cuestas o montañas. Al descender por pendientes largas e inclinadas, la gravedad hace aumentar la velocidad del vehículo, por lo que debe seleccionar una velocidad segura, usar una marcha lenta y las técnicas de frenado apropiadas. Además, debe planificar con anticipación y obtener información sobre la existencia de pendientes largas y empinadas en su ruta de viaje. Si es posible, hable con otros conductores que conozcan las pendientes para saber cuáles son las velocidades seguras.

Debe circular en forma lenta para que los frenos actúen sin calentarse demasiado. Si los frenos se calientan excesivamente, pueden empezar a desvanecerse, es decir, a perder su capacidad, lo que significa que tendrá que presionarlos cada vez con más fuerza para conseguir el mismo efecto de frenado. Si continúa presionando los frenos con fuerza, pueden seguir perdiendo capacidad hasta que sea imposible reducir la velocidad o detenerse por completo.

2.16.1 - Seleccione una velocidad "segura"

Su objetivo más importante es elegir una velocidad que no sea demasiado rápida respecto a:

- el peso total del vehículo y su carga;
- la extensión de la pendiente;
- la inclinación de la pendiente;
- las condiciones de la carretera;
- el clima.

Si hay una indicación de límite de velocidad o un cartel que indique la velocidad máxima de seguridad, nunca sobrepase la velocidad indicada. También esté atento a señales de alerta que indiquen la extensión e inclinación de la pendiente.

La forma principal de controlar la velocidad es usando el efecto de frenado del motor. Dicho efecto es mayor cuando las revoluciones por minuto reguladas y la transmisión están en las marchas más bajas. Evite usar los frenos a fin de poder utilizarlos para disminuir la velocidad o detenerse cuando lo requieran las condiciones de la carretera y el tráfico.

2.16.2 - Seleccione la marcha apropiada antes de iniciar el descenso de la pendiente

Cambie la transmisión a una marcha baja antes de iniciar el descenso. No intente hacer el cambio cuando ya haya aumentado la velocidad porque no podrá cambiar a una marcha más baja ni volver a poner ninguna marcha, y perderá el efecto de frenado del motor. Forzar el cambio a una marcha más baja en una transmisión automática a alta velocidad puede dañar la transmisión y provocar la pérdida de todo el efecto de frenado del motor.

En el caso de camiones más viejos, la regla para elegir la marcha es usar la misma marcha para bajar una pendiente que para subirla. Sin embargo, los camiones nuevos tienen piezas de baja fricción y formas aerodinámicas que ahorran combustible, y pueden tener también motores de mayor potencia. Esto significa que pueden subir una pendiente en marchas más altas y que producen menos fricción y resistencia que los frene al descender. Por esa razón, es posible que los conductores de los camiones modernos tengan que usar marchas más bajas cuando desciendan una pendiente que cuando la suban. Usted debería saber qué es adecuado para su vehículo.

2.16.3 – Desvanecimiento o falla de los frenos

Los frenos están diseñados de modo que las zapatas o pastillas rocen el tambor o los discos de freno para disminuir la velocidad del vehículo. El frenado genera calor pero los frenos están diseñados para soportar altas temperaturas. Sin embargo, cuando se los usa demasiado y no se recurre al efecto de frenado del motor, los frenos pueden desvanecerse y perder su capacidad de frenado por acción del calor excesivo.

Los frenos también pueden desvanecerse por no estar debidamente ajustados. Para controlar el vehículo de forma segura, cada freno debe hacer su parte del trabajo. Los frenos que no estén bien ajustados dejarán de cumplir su función. No obstante, los que sí lo estén pueden recalentarse y desvanecerse y, en consecuencia, no serán suficientes para controlar el vehículo. Los frenos pueden desajustarse rápidamente, especialmente cuando se usan mucho, y además los revestimientos del freno se desgastan más rápido cuando se calientan. Por estos motivos el ajuste de los frenos debe controlarse con frecuencia.

2.16.4 - Técnica de frenado correcta

Recuerde: el uso de los frenos en pendientes largas o empinadas es sólo un complemento para el efecto de frenado del motor. Una vez que el vehículo esté en la marcha baja apropiada, la técnica correcta de frenado es la siguiente:

- Aplique los frenos con la fuerza suficiente para sentir una clara disminución de la velocidad.
- Cuando la velocidad se haya reducido hasta aproximadamente 5 mph (8 km/h) por debajo de su velocidad "segura", suelte los frenos (esta presión del freno debe durar unos tres segundos).
- Cuando la velocidad aumente hasta su velocidad "segura", repita los pasos 1 y 2.

Por ejemplo, si su velocidad "segura" es de 40 m/h (64 km/h), no debe aplicar los frenos hasta que la velocidad llegue a 40 m/h (64 km/h). En ese momento, aplique los frenos lo suficiente para reducir gradualmente la velocidad a 35 m/h (56 km/h) y luego suéltelos. Repita esto con la frecuencia necesaria hasta que haya llegado al final de la pendiente.

Muchas rampas de escape que se han construido en pendientes montañosas están hechas para detener de forma segura a los vehículos que han perdido el control sin lesionar a sus conductores ni a los pasajeros. Cuentan con una superficie larga cubierta por una capa de material suelto y blando, en algunos casos combinada con una pendiente ascendente, para disminuir la marcha de un vehículo que ha perdido el control.

Conozca la ubicación de las rampas de escape en su ruta. Hay carteles que indican a los conductores dónde se ubican las rampas. Las rampas de escape ayudan a salvar vidas, equipos y cargas.

Apartados 2.15 y 2.16
Ponga a prueba sus conocimientos

1. ¿Cuáles son los factores que determinan la selección de una velocidad "segura" al descender una pendiente larga y empinada?
2. ¿Por qué debe poner la marcha apropiada antes de iniciar el descenso de una pendiente?
3. Describa la técnica de frenado adecuada al descender una pendiente larga y empinada.
4. ¿Qué tipo de vehículos pueden quedar atascados en un cruce de vías de ferrocarril?
5. ¿Cuánto tiempo se necesita para que un tractor con remolque común atraviese un cruce de vías de ferrocarril de vía doble?

Estas preguntas pueden aparecer en la prueba. Si no puede responderlas a todas, relea los apartados 2.15 y 2.16.

2.17 - Emergencias durante la conducción

Las emergencias viales ocurren cuando dos vehículos están a punto de chocar. Las emergencias vehiculares ocurren cuando fallan las llantas, los frenos u otras piezas fundamentales. Las prácticas de seguridad indicadas en este manual pueden ayudar a prevenir emergencias, pero si se produce la emergencia, las probabilidades de que usted pueda evitar el choque dependen de la forma en que reaccione. A continuación se explican las medidas que puede tomar.

2.17.1 - Cómo maniobrar para evitar un choque

Ante una emergencia, detenerse no siempre es lo más seguro. Cuando no tiene suficiente espacio para detenerse, es posible que deba maniobrar para esquivar lo que tiene adelante. Recuerde que por lo general esquivar un obstáculo es más rápido que detenerse. Sin embargo, los vehículos con mucho peso en la parte superior y los tractores con varios remolques pueden volcar.

Mantenga ambas manos sobre el volante. Para virar rápidamente, debe sostener firmemente el volante con ambas manos. La mejor forma de tener ambas manos sobre el volante en una emergencia es no quitarlas nunca de allí.

Cómo virar rápidamente y con seguridad. Si se lo hace correctamente, se puede virar rápidamente y con seguridad. A continuación se detallan algunos puntos que todo conductor seguro debe tener en cuenta:

- No pise el freno cuando esté doblando porque es muy factible que las ruedas se bloqueen. Si esto ocurre, puede patinar y perder el control del vehículo.
- No gire el volante más de lo necesario para esquivar obstáculos. Cuanto más cerrado sea el giro, tanto mayores serán las probabilidades de patinar o volcar.
- Esté preparado para "contravirar", es decir, para girar el volante en la dirección contraria una vez esquivado el obstáculo que había en su camino. Si no está preparado para maniobrar en sentido opuesto, no podrá hacerlo con la suficiente rapidez. Debe pensar en el viaje y el contraviraje como dos partes de una misma maniobra.

Hacia dónde maniobrar. Si un conductor que avanza en dirección opuesta se ha pasado a su carril, lo más conveniente es que usted se desplace hacia la derecha, ya que si el conductor se da cuenta de lo sucedido, la respuesta natural será volver a su propio carril.

Si hay un obstáculo en su camino, la mejor dirección para maniobrar dependerá de la situación.

- Si ha usado los espejos sabrá cuál es el carril que está vacío y que puede usar con seguridad.
- Si no hay obstáculos en el arcén, ir hacia la derecha puede ser lo más conveniente. No es factible que alguien circule por el arcén, pero sí que un vehículo lo pase por la izquierda. Usted lo sabrá si ha estado usando los espejos.
- Si tiene obstáculos a ambos lados, lo más conveniente puede ser un movimiento a la derecha que por lo menos no obligará a nadie a cruzar al carril opuesto con la posibilidad de ocasionar un choque frontal.

Salirse del camino. En algunas emergencias usted puede necesitar salirse del camino, ya que esto puede ser menos riesgoso que sufrir un choque con otro vehículo.

La mayoría de los arcenes son lo suficientemente firmes como para soportar el peso de un vehículo grande y, por lo tanto, son una vía de escape disponible. A continuación se detallan algunas pautas para salirse del camino.

Evite frenar. Si es posible, evite usar los frenos hasta que la velocidad haya descendido a aproximadamente 20 mph (32 km/h). Luego frene muy suavemente para evitar patinar en una superficie no compacta.

Si es posible, conserve un juego de ruedas sobre el pavimento. Esto ayudará a mantener el control del vehículo.

Quédese en el arcén. Si no hay obstáculos en el arcén, permanezca en él hasta que el vehículo se detenga. Haga señales y mire por los espejos antes de volver a la carretera.

Cómo volver a la carretera. Si se ve obligado a volver a la carretera antes de poder detenerse, siga este procedimiento:

- Sostenga firmemente el volante y gire para regresar a la carretera de una sola vez con seguridad. No trate de regresar a la carretera gradualmente, ya que si lo hace, las ruedas pueden adherirse inesperadamente y usted puede perder el control del vehículo.

- Apenas las dos ruedas delanteras estén en la superficie pavimentada maniobre en sentido opuesto inmediatamente. Los dos giros deben hacerse como parte de una sola maniobra de "viraje y contraviraje".

2.17.2 – Frenar en una emergencia: cómo detenerse con rapidez y seguridad

Si de repente alguien se pasa a su carril delante de usted, su respuesta natural es pisar el freno, lo cual es una buena respuesta si hay suficiente distancia para detenerse y usa correctamente los frenos.

Debe frenar de modo que su vehículo se mantenga en línea recta y le permita virar si es necesario. Pude usar el método de "frenado controlado" o el de "frenado a golpes".

Frenado controlado.

Con este método usted frena con la mayor intensidad posible sin bloquear las ruedas. Al hacerlo, los movimientos del volante deben ser mínimos. Si necesita hacer una maniobra más amplia o si las ruedas se bloquean, suelte los frenos y vuelva a aplicarlos tan pronto como sea posible.

Frenado "a golpes".

- Aplique totalmente los frenos.
- Si las ruedas se bloquean, suelte los frenos.
- En cuanto las ruedas vuelvan a rodar, aplique totalmente los frenos nuevamente. (Las ruedas pueden demorar hasta un segundo en empezar a rodar después de que usted suelte los frenos. Entonces si vuelve a accionarlos antes de que las ruedas comiencen a rodar, el vehículo no se mantendrá en línea recta).

No se pegue a los frenos. El frenado de emergencia no significa pisar el pedal de freno con toda su fuerza, ya que esta acción sólo hará que se las ruedas se bloqueen y patinen. Y si esto sucede, no podrá controlar el vehículo.

2.17.3 – Fallas de los frenos

Los frenos rara vez fallan si se mantienen en buenas condiciones. La mayoría de las fallas de los frenos hidráulicos ocurren por una de dos razones (los frenos de aire se tratan en la sección 5):

- Pérdida de la presión hidráulica
- Pérdida de la capacidad de los frenos en cuestas largas

Pérdida de la presión hidráulica. Cuando el sistema no acumula presión, el pedal de freno se nota blando o se hunde hasta el piso. A continuación se detalla lo que se puede hacer.

- Cambiar a una marcha más baja. Poner una marcha más baja ayudará a disminuir la velocidad del vehículo.

- Bombear los frenos. En ocasiones, bombear el pedal del freno genera suficiente presión hidráulica para detener el vehículo.

- Usar el freno de estacionamiento. El freno de estacionamiento o de emergencia es independiente del sistema de frenos hidráulicos. Por lo tanto, puede ser usado para disminuir la velocidad del vehículo. Sin embargo, asegúrese de presionar el botón para liberar el freno de estacionamiento o de tirar de la palanca de desenganche al mismo tiempo que acciona el freno de emergencia, de modo de regular la presión del freno y evitar que las ruedas se bloqueen.

- Buscar una ruta de escape. Mientras disminuye la velocidad del vehículo, busque una ruta de escape: un campo abierto, una calle lateral o una rampa de escape. Doblar cuesta arriba es una buena forma de disminuir la velocidad y detener el vehículo, pero asegúrese de que no comience a retroceder después de detenerse. Para ello ponga una marcha baja, ponga el freno de estacionamiento y, si es necesario, deje rodar el vehículo hacia atrás hasta que algún obstáculo lo detenga.

Fallas de los frenos en bajadas. En las bajadas largas, circular a una velocidad lo suficientemente baja y frenar correctamente casi siempre evitan que los frenos fallen, pero si esto ocurre, debe buscar algo fuera del vehículo para detenerlo.

Lo mejor es una rampa de escape. Si la hay, habrá señales que lo indiquen. Úsela. Generalmente están ubicadas a pocas millas de la cima de la pendiente. Anualmente, cientos de conductores evitan lesionarse o dañar sus vehículos gracias a las rampas de escape. Algunas tienen grava suelta que ofrece resistencia al movimiento del vehículo y lo hace detener. Otras tienen una cuesta ascendente que hace que el vehículo se detenga, mientras la grava suelta lo mantiene en su lugar.

Los conductores que se quedan sin frenos en una bajada deben usar la rampa de escape, si la hay. De lo contrario, sus probabilidades de tener un accidente pueden ser mucho mayores.

Si no hay una rampa de escape, tome la ruta de escape menos peligrosa que encuentre, como un campo abierto o una carretera lateral que sea plana o cuesta arriba. Haga la maniobra tan pronto se dé cuenta de que los frenos no funcionan porque mientras más se demore, más rápido avanzará el vehículo y más difícil será detenerlo.

2.17.4 - Fallas de las llantas

Cómo reconocer una falla de las llantas. Darse cuenta rápidamente de que tiene una falla en una llanta le dará más tiempo para reaccionar y también lo ayudará a disponer de unos segundos más para recordar qué debe hacer. Éstos son los principales signos de fallas de las llantas:

- Ruido: la explosión de un reventón se reconoce fácilmente. Como el vehículo puede tardar unos segundos en reaccionar, usted puede pensar que se trata de otro vehículo, pero siempre que escuche el estallido de una llanta lo más seguro es suponer que fue suya.
- Vibración: si el vehículo golpea o vibra mucho, puede ser signo de que una de las llantas se ha desinflado. Si se trata de una llanta trasera, éste puede ser el único signo que perciba.
- Sensación: si siente la dirección "pesada", probablemente sea un signo de que una de las llantas delanteras tiene una falla. A veces una falla de la llanta trasera puede provocar movimientos hacia atrás y adelante o el "coleo" del vehículo, pero las llantas traseras duales suelen impedir que esto suceda.

Cómo responder a una falla de las llantas. Si falla una llanta, su vehículo está en peligro. Debe seguir estos pasos de inmediato:

- Sostener firmemente el volante: si se trata de una llanta delantera, puede hacer que el volante se tuerza y se le escape de las manos. La única forma de evitarlo es sostener el volante con firmeza con ambas manos en todo momento.
- No toque el freno: En una emergencia lo natural es querer frenar. Sin embargo, si frena cuando falla una llanta, puede perder el control del vehículo. A menos que esté a punto de chocar con algo, no toque el freno hasta que el vehículo haya reducido la velocidad. Luego, frene muy suavemente, salga de la carretera y deténgase.
- Revisar las llantas: después de parar, salga del vehículo y revise las llantas. Hágalo incluso si el vehículo parece estar funcionando perfectamente bien. Si ha perdido una de las llantas duales, sólo podrá saberlo si se baja del vehículo y lo verifica.

2.18 - Sistema antibloqueo de frenos (ABS)

El sistema ABS es un sistema computarizado que evita el bloqueo de las ruedas durante frenadas bruscas.

Es un complemento de los frenos comunes, no aumenta ni disminuye la capacidad de frenado normal del vehículo y se activa cuando las ruedas están próximas a bloquearse.

El sistema no necesariamente acorta la distancia de frenado pero sí ayuda a controlar el vehículo cuando usted frena bruscamente.

2.18.1 - Cómo funciona el sistema antibloqueo de frenos

Este sistema cuenta con sensores que detectan el posible bloqueo de las ruedas. Una unidad de control electrónico (ECU) disminuye la presión del freno para evitarlo.

La presión del freno se ajusta para proveer el máximo frenado sin peligro de bloqueo.

El sistema ABS funciona mucho más rápido que la capacidad del conductor para responder a un posible bloqueo de las ruedas. El resto de las veces, el sistema de frenos funcionará normalmente.

2.18.2 - Vehículos que deben contar con sistemas ABS

El Departamento de Transporte exige sistemas ABS en los siguientes vehículos:

- Tractores de camiones con frenos de aire fabricados a partir del 1º de marzo de 1997.
- Otros vehículos equipados con frenos de aire (camiones, autobuses, remolques y plataformas de conversión) fabricados a partir del 1º de marzo de 1998.
- Autobuses y camiones equipados con frenos hidráulicos con un peso bruto estimado mínimo de 10,000 libras (4,536 kilos) fabricados a partir del 1º de marzo de 1999.

Muchos vehículos comerciales fabricados antes de estas fechas han sido equipados con sistemas ABS de freno por los propietarios.

2.18.3 - Cómo saber si su vehículo está equipado con sistema ABS

Los tractores, camiones y autobuses tienen lámparas amarillas en el tablero de instrumentos que indican fallas de funcionamiento del sistema ABS.

Los remolques tienen lámparas amarillas que indican fallas de funcionamiento del sistema ABS sobre el lado izquierdo, en el extremo delantero o trasero.

Las plataformas rodantes fabricadas a partir del 1º de marzo de 1998 deben tener una lámpara sobre el lado izquierdo.

En los vehículos nuevos, este indicador se enciende momentáneamente durante el arranque para verificar que la lámpara funcione, y luego se apaga rápidamente. En los sistemas más viejos, el indicador puede permanecer encendido hasta tanto el vehículo supere las 5 millas (8 km) por hora.

Si el indicador permanece encendido luego de la verificación de funcionamiento de la luz o se enciende durante el recorrido, tal vez el sistema antibloqueo no funcione correctamente.

En el caso de unidades remolcadas fabricadas antes de que este sistema fuera exigido por el Departamento de Transporte, puede ser difícil determinar si están equipadas con sistema ABS. Busque debajo del vehículo la unidad de control electrónico y los cables del sensor de velocidad de las ruedas que salen por detrás de los frenos.

2.18.4 - De qué manera lo ayuda el sistema ABS

Cuando frena bruscamente en superficies resbalosas a bordo de un vehículo sin ABS, las ruedas de dirección se pueden bloquear y usted podría perder el control del vehículo. Cuando las otras ruedas se bloquean, el vehículo puede patinar, plegarse o incluso hacer un trompo.

El sistema ABS de frenado contribuye a evitar el bloqueo de las ruedas y a mantener el control del vehículo. Con el sistema ABS, tal vez no pueda frenar en una distancia menor que con el sistema tradicional, pero sí debería poder maniobrar y esquivar obstáculos mientras frena, y evitar patinar como consecuencia del frenado excesivo.

2.18.5 - Sistema ABS solamente en el tractor o en el remolque

Si tiene sistema ABS sólo en el tractor, en el remolque o incluso solamente en un eje, también tendrá mayor control sobre el vehículo durante el frenado. Frene normalmente.

Aun cuando sólo el tractor tenga sistema ABS, se puede mantener el control de la dirección y hay menos probabilidades de que el vehículo se pliegue. Pero observe el remolque y suelte el pedal del freno (si puede hacerlo con seguridad) si éste comienza a desplazarse hacia los lados.

Cuando sólo el remolque tiene sistema ABS, tiene menos probabilidades de desplazarse lateralmente, pero si pierde el control de la dirección o el tractor tiende a plegarse, suelte el pedal del freno (si puede hacerlo con seguridad) hasta que retome el control.

2.18.6 - Cómo frenar si tiene sistema ABS

El procedimiento de frenado en vehículos equipados con ABS es idéntico al utilizado con los frenos tradicionales. Dicho de otra manera:

- Utilice la potencia de frenado que sea necesaria para detener el vehículo sin riesgos y mantenerlo bajo control.
- Frene siempre de la misma manera, independientemente de si el autobús, tractor, remolque o ambos cuentan con sistema ABS o no.
- A medida que reduzca la velocidad, esté atento al comportamiento del tractor y el remolque y, cuando sea seguro, vaya soltando el pedal de freno para mantener el vehículo bajo control.

Hay sólo una excepción a este procedimiento. Si conduce un camión sencillo o un vehículo de combinación con sistema ABS en todos los ejes, ante una emergencia puede pisar totalmente el freno.

2.18.7 - Cómo frenar si el sistema ABS no funciona

Aun cuando el sistema ABS no funcione, las prestaciones normales de frenado permanecen intactas. Conduzca y frene como siempre lo ha hecho.

Los vehículos con ABS tienen un indicador amarillo en el tablero que indica fallas de funcionamiento.

En los vehículos nuevos, este indicador se enciende momentáneamente durante el arranque para verificar que la luz funcione y luego se apaga rápidamente. En los sistemas más viejos, el indicador puede permanecer encendido hasta tanto el vehículo supere las 5 millas (8 km) por hora.

Si el indicador permanece encendido luego de la verificación de funcionamiento de la lámpara o se enciende durante el recorrido, tal vez el sistema antibloqueo no funcione en una o más ruedas.

Recuerde que si el sistema ABS no funciona, los frenos tradicionales sí lo harán. Conduzca normalmente, pero repare pronto el sistema.

2.18.8 - Recordatorios sobre seguridad

- El sistema ABS *no* le permite conducir a mayor velocidad, a una menor distancia de otros vehículos ni con menos cuidado.
- El sistema ABS *no* evita derrapes en las curvas ni patinazos ocasionadas por aceleración excesiva; sólo bloqueos de ruedas que son fruto del frenado.
- El sistema ABS *no* necesariamente acorta la distancia de parada, aunque sí ayuda a mantener el control del vehículo.
- El sistema ABS *no* aumenta ni disminuye la potencia final de parada; es sólo un complemento de los frenos normales, pero no los sustituye.
- El sistema ABS *no* exige cambios en la forma normal de frenar. En situaciones normales, el vehículo se detendrá como siempre lo ha hecho. El ABS sólo se activa si, debido a una frenada brusca, las ruedas se bloquearían de no tenerlo.
- El sistema ABS no sustituye a frenos en mal estado o deteriorados.
- *Recuerde:* el mejor componente de seguridad de un vehículo es un conductor prudente.
- *Recuerde:* conduzca de manera tal de no tener que usar jamás el sistema ABS.
- *Recuerde:* si lo necesita, el sistema ABS puede ayudarle a evitar accidentes graves.

2.19 - Control y recuperación al patinar

Si las llantas no se agarran a la superficie de la carretera, el vehículo patinará. Esto ocurre por alguno de los siguientes cuatro motivos:

Frenado brusco. Al frenar muy bruscamente se bloquean las ruedas. El vehículo también puede patinar si se usa el retardador de velocidad cuando la carretera está resbalosa.

Viraje excesivo. Doblar en forma más cerrada que la capacidad de giro del vehículo.

Sobreaceleración. Accionar las ruedas de tracción con demasiada potencia las hace girar en falso.

Velocidad excesiva. La mayoría de los derrapes graves son provocados por conducir más rápidamente de lo que las condiciones de la carretera lo permiten. Los conductores que adaptan su forma de conducir a las condiciones de la carretera no aceleran bruscamente ni necesitan frenar bruscamente ni hacer maniobras repentinas por exceso de velocidad.

2.19.1 – Cuando las ruedas de tracción patinan

El patinazo más común es la que se produce cuando las ruedas traseras pierden tracción por la aceleración o el frenado excesivos. Los patinazos causados por aceleración generalmente ocurren en el hielo o la nieve. Los puede detener fácilmente si retira el pie del acelerador. (Cuando la carretera esté muy resbalosa, presione el embrague, ya que el motor puede impedir que las ruedas giren libremente y recobren la tracción.)

Los patinazos de frenado de las ruedas traseras ocurren cuando al frenar, las ruedas de tracción traseras se bloquean. Generalmente se desplazan lateralmente para "alcanzar" a las delanteras porque las ruedas bloqueadas tienen menos tracción que las que están en movimiento. En un autobús o en un camión sencillo, el vehículo se desplazará lateralmente en un "trompo". En el caso de vehículos que llevan remolques, un patinazo de las ruedas de tracción puede hacer que el remolque empuje a un lado al vehículo de arrastre, y se repliegue transversalmente sobre él (*jacknife*). *Ver la figura 2.19.*

Figura 2.19

2.19.2 - Cómo corregir patinazos debido al frenado de las ruedas de tracción

Para corregir un patinazo provocado por el frenado de las ruedas de tracción, realice lo siguiente:

Suelte el freno. Esto permitirá que las ruedas traseras vuelvan a rodar y les impedirá resbalar más. Si se encuentra sobre hielo, presione el embrague para que las ruedas puedan rodar libremente.

Doble rápidamente. Cuando un vehículo empieza a resbalar hacia un lado, rápidamente gire hacia la dirección en que quiera que vaya el vehículo – por la carretera. Debe girar el volante rápidamente.

Gire en dirección contraria. Al regresar un vehículo a su curso normal, tiene la inercia de seguir doblando. A menos que usted gire rápidamente el volante en el sentido opuesto, puede patinar hacia la dirección opuesta. Se necesita mucha práctica para aprender a no tocar el freno, girar rápidamente el volante, pisar el embrague y virar en la dirección opuesta. El mejor lugar para practicar es una pista de pruebas amplia o una "pista para patinar".

2.19.3 – Cuando las ruedas delanteras patinan

La mayoría de los patinazos de las ruedas delanteras se producen por conducir a velocidades superiores a las adecuadas para las condiciones de la carretera. Otras causas incluyen el desgaste del dibujo (llantas lisas) en las ruedas delanteras y la distribución irregular de la carga, de manera que no haya peso suficiente sobre el eje delantero. Cuando las ruedas delanteras patinan, el frente del vehículo tiende a moverse en línea recta independientemente de cuánto gire usted el volante. En una superficie muy resbalosa, es posible que no pueda doblar o tomar una curva.

Cuando las ruedas delanteras patinan, la única forma de solucionarlo es dejar que el vehículo pierda velocidad. Evite virar o frenar con fuerza y disminuya la velocidad tan pronto como pueda hacerlo sin patinar.

Apartados 2.17, 2.18 y 2.19
Ponga a prueba sus conocimientos

1. Parar no siempre es la medida más seguro en una emergencia. ¿Verdadero o falso?
2. ¿Cuáles son algunas de las ventajas de desplazarse hacia la derecha en lugar de hacia la izquierda para esquivar un obstáculo?
3. ¿Qué es una "rampa de escape"?
4. Si se revienta una llanta, debe pisar el freno con fuerza para detenerse rápidamente. ¿Verdadero o falso?
5. ¿Cómo sabe si su vehículo tiene sistema de frenos antibloqueo (ABS)?
6. ¿Cuál es la técnica correcta de frenado cuando maneja un vehículo con sistema de frenos antibloqueo?
7. ¿De qué manera le ayuda el sistema de frenos antibloqueo?

Estas preguntas pueden aparecer en la prueba. Si no puede responderlas a todas, relea los apartados 2.17, 2.18 y 2.19.

2.20 - Procedimientos en caso de colisión

Si se encuentra involucrado en una colisión pero no está gravemente herido, debe actuar para prevenir averías o lesiones mayores. Los pasos básicos que se deben seguir en un accidente son:

* proteger el área;
* notificar a las autoridades;
* atender a los heridos.

2.20.1 - Proteger el área

Lo primero que se debe hacer en la escena de la colisión es evitar que ocurra otro accidente en el mismo lugar. Éstas son las medidas que debe tomar para proteger el área:

- Si su vehículo está implicado en la colisión, trate de moverlo a un lado del camino. Esto servirá para prevenir otro accidente y para permitir la circulación del tráfico.
- Si usted se ha detenido para prestar ayuda, estacione lejos del lugar de la colisión, ya que el área que circunda el lugar del accidente se necesitará para los vehículos de emergencias.
- Encienda sus luces intermitentes.
- Coloque triángulos reflectantes para advertir al resto del tráfico y asegúrese de que otros conductores puedan verlos a tiempo para esquivar el lugar de la colisión.

2.20.2 -Notificar a las autoridades

Si tiene un teléfono celular o una radio CB, solicite asistencia antes de salir de su vehículo. De lo contrario, espere hasta que la escena del accidente haya sido protegida adecuadamente y luego llame o pida a alguien que llame por teléfono a la policía. Trate de identificar el lugar donde se encuentra para informar la ubicación exacta.

2.20.3 -Atender a los heridos

Si una persona calificada está en el lugar de la colisión y atendiendo a los heridos, no intervenga a menos que le solicite su ayuda. Si no es así, haga todo lo que pueda para ayudarlos. A continuación se detallan algunos pasos simples para brindar asistencia:
- No mueva a las personas gravemente heridas, salvo que exista peligro de incendio o que la circulación del tráfico lo haga necesario.
- Detenga las hemorragias graves aplicando presión directa sobre la herida.
- Mantenga caliente a la persona herida.

2.21 - Incendios

Los incendios de camiones pueden causar lesiones y averías. Conozca las causas de los incendios, aprenda a prevenirlos y sepa qué hacer para extinguirlos.

2.21.1 - Causas de los incendios

Algunas de las causas de incendios de vehículos son las siguientes:

- Luego de un accidente: derrames de combustible, uso indebido de cohetes luminosos.
- Llantas: Llantas con menor presión que la debida y llantas duales que se rozan.
- Sistema eléctrico: cortocircuitos ocasionados por aislamiento defectuoso o conexiones sueltas.
- Combustible: conductores que fuman, carga de combustible inapropiada, conductos de combustible sueltos.
- Carga: inflamable, incorrectamente empacada o cargada, con ventilación deficiente.

2.21.2 - Prevención de incendios

Preste atención a lo siguiente:

- Inspección del vehículo antes del viaje. Realice una inspección completa de los sistemas de electricidad, combustible y escape así como de las llantas y la carga. Asegúrese de controlar que el extinguidor de incendios esté cargado.
- Inspección durante el viaje. Cada vez que se detenga durante el viaje, controle las llantas, las ruedas y la carrocería para detectar signos de calentamiento.

- Observación de procedimientos seguros. Siga los procedimientos de seguridad correctos para cargar combustible en el vehículo, usar el freno y luces intermitentes de emergencia y realizar otras actividades que puedan provocar un incendio.
- Controles. Revise los instrumentos e indicadores con frecuencia para detectar signos de sobrecalentamiento y use los espejos para estar atento a indicios de humo en las llantas o en el vehículo.
- Precaución. Siempre manipule con precaución todo elemento inflamable.
-

2.21.3 - Extinción de incendios

Es importante saber cómo combatir incendios, ya que. Los conductores que no saben cómo actuar, los agravan. Aprenda cómo funciona el extinguidor de incendios; lea las instrucciones impresas en el extinguidor antes de tener que usarlo. A continuación, se detallan algunos procedimientos que se deben seguir en caso de incendio:

Salga de la carretera. El primer paso es sacar el vehículo de la carretera y detenerse. Para hacerlo:

- Estacione en un lugar abierto, lejos de edificios, árboles, malezas, otros vehículos y de todo aquello que pueda prenderse fuego.
- ¡No entre a una gasolinera!
- Notifique el problema y su ubicación a los servicios de emergencia.

Evite que el fuego se propague. Antes de intentar apagar el incendio, asegúrese de que no se propague.

- Si hay fuego en el motor, apague el motor tan pronto como sea posible. Si es posible, no abra el capó. Dispare espuma por las rejillas, a través del radiador o desde la parte inferior del vehículo.
- Si hay fuego en la carga de una camioneta o en la caja de un remolque, mantenga cerradas las puertas, especialmente si la carga contiene materiales peligrosos. Si abre las puertas dejará entrar oxígeno y esto avivará aún más el fuego.

Apague el incendio. A continuación se detallan algunas reglas para apagar un incendio.

- Cuando use un extinguidor, manténgase tan alejado del fuego como sea posible.
- Apunte el extinguidor hacia la fuente o la raíz del fuego, no hacia las llamas.
- Ubíquese de espaldas al viento. Deje que el viento lleve el chorro del extinguidor hacia el fuego.
- Continúe hasta que el material que se estaba quemando se haya enfriado. La ausencia de humo o llamas no significa que el fuego no se pueda reiniciar.

Use el extinguidor de incendios adecuado

- La figura 2.20 detalla el tipo de extinguidor de incendios que se debe usar según la clase de incendio.
- El extinguidor de incendios tipo B:C está diseñado para apagar incendios eléctricos y con líquidos inflamables.
- El extinguidor tipo A:B:C está diseñado para apagar incendios de madera, papel y tela.
- El agua se puede usar para madera, papel o telas, pero no se debe usar para incendios eléctricos (ya que podría causar electrocución) ni para incendios de gasolina (porque no haría más que propagar las llamas).
- Si se quema una llanta debe enfriarse, para lo que puede ser necesario utilizar una gran cantidad de agua.
- Si no está seguro sobre qué utilizar para apagar un incendio, especialmente si fue provocado por sustancias peligrosas, espere la llegada de los bomberos.

Clases y tipos de Incendio		Tipo de extinguidor
Clase	**Tipo**	**Tipo de extinguidor**
A	**Madera, papel, combustibles comunes** *Extinguir por **enfriamiento y remojo** con agua o sustancias químicas secas.*	• Polvo químico seco de uso múltiple • Agua • Agua con anticongelante • Agua presurizada • Espuma (para algunos incendios)
B	**Gasolina, aceite, grasa y otros líquidos grasos** *Extinguir **sofocando, enfriando, o aislando la fuente de ignición** con dióxido de carbono o químicos secos.*	• Químico seco común • Químico seco de uso múltiple • Químico seco de cloruro de potasio (ClK) • Dióxido de carbono (seco) • Agente halogenado (gas) • Agua presurizada • Espuma
C	**Incendios de equipos eléctricos** ***Extinguir** con agentes no conductores de la electricidad **como dióxido de carbono o químicos secos.*** **NO USE AGUA**	• Químico seco común • Químico seco de uso múltiple • Químico seco de cloruro de potasio (ClK) • Dióxido de carbono (seco) • Agente halogenado (gas)
D	**Incendios con metales combustibles** *Extinguir usando **agentes extinguidores especiales de polvo seco***	• Químico seco de Púrpura K • Químico seco de uso múltiple • Compuesto especial de polvo seco

Figura 2.20

Apartados 2.20 y 2.21
Ponga a prueba sus conocimientos

1. ¿Qué debe hacer en la escena de una colisión para prevenir otra colisión?
2. Mencione dos causas de incendio en las llantas.
3. ¿Para qué tipo de incendios no debe usarse un extinguidor B:C?
4. Al usar un extinguidor, ¿usted debe aproximarse lo más posible al fuego?
5. Mencione algunas causas de incendios de vehículos.

Estas preguntas pueden aparecer en la prueba. Si no puede responderlas a todas, relea los apartados 2.20 y 2.21.

2.22 - Conducción bajo los efectos del alcohol y otras drogas

2.22.1 – Conducir alcoholizado

Beber alcohol antes de manejar es muy peligroso y representa un problema muy grave. Hay más de 20,000 muertes por año a causa de accidentes de tráfico en los que están involucradas personas que beben alcohol. El alcohol disminuye la coordinación muscular, el tiempo de reacción, la percepción de la profundidad y la visión nocturna. También afecta las partes del cerebro que controlan el juicio y la inhibición. Para algunas personas una bebida es suficiente para mostrar signos de esta disminución.

¿Qué tanto puede ser un trago?
Lo que afecta el comportamiento humano es el alcohol que contienen las bebidas. Es indistinto si proviene de "un par de cervezas", de dos vasos de vino o de dos medidas de alguna bebida fuerte. Las siguientes bebidas **contienen la misma cantidad de alcohol**:

- Un vaso de 12 onzas (355 cm^3) de cerveza con 5% de graduación alcohólica
- Un vaso de 5 onzas (148 cm^3) de vino con 12% de graduación alcohólica
- Una medida de 1½ onza (45 cm^3) de bebida con 80% de graduación alcohólica

¿Cómo actúa el alcohol? El alcohol pasa directamente al torrente sanguíneo y es transportado al cerebro. Luego de pasar por el cerebro, un pequeño porcentaje se elimina por la orina, la transpiración y el aliento, mientras el resto es transportado al hígado. El hígado sólo puede procesar un tercio de onza (10 cm^3) de alcohol por hora, cantidad considerablemente inferior a la contenida en una bebida común. Éste es un índice fijo, de modo que sólo el tiempo y no el café negro o una ducha fría van a devolverle el estado de sobriedad. Si usted bebe más de lo que su cuerpo puede eliminar, acumulará más alcohol y su capacidad para manejar se verá afectada. Comúnmente se entiende que la concentración de alcohol en la sangre (BAC) expresa la cantidad de alcohol que hay en el cuerpo. *Ver la figura 2.21.*

Contenido aproximado de alcohol en la sangre									
Bebidas	Peso corporal en libras								Efectos
	100	120	140	160	180	200	220	240	
0	.00	.00	.00	.00	.00	.00	.00	.00	Único nivel seguro para conducir
1	.04	.03	.03	.02	.02	.02	.02	.02	Comienzo de la disminución de las capacidades
2	.08	.06	.05	.05	.04	.04	.03	.03	Capacidad de conducir muy disminuida sanciones penales
3	.11	.09	.08	.07	.06	.06	.05	.05	
4	.15	.12	.11	.09	.08	.08	.07	.06	
5	.19	.16	.13	.12	.11	.09	.09	.08	
6	.23	.19	.16	.14	.13	.11	.10	.09	
7	.26	.22	.19	.16	.15	.13	.12	.11	Intoxicación alcohólica según la ley sanciones penales
8	.30	.25	.21	.19	.17	.15	.14	.13	
9	.34	.28	.24	.21	.19	.17	.15	.14	
10	.38	.31	.27	.23	.21	.19	.17	.16	

Reste 0.01 % por cada 40 minutos de consumición de bebidas alcohólicas. Una bebida equivale a 1.5 onzas (38 cm^3) de bebida con 40% de graduación alcohólica, 12 onzas (355 cm^3) de cerveza o 5 onzas (148 cm^3) de vino de mesa.

Figura 2.21

¿Qué determina la concentración de alcohol en la sangre?

La BAC está determinada por la cantidad de alcohol que se bebe (más alcohol equivale a más BAC), la rapidez con que se bebe (mientras más rápidamente se beba, más alta será la BAC), y el peso corporal (una persona menuda no necesita beber tanto para alcanzar la misma BAC).

El alcohol y el cerebro. El alcohol afecta en mayor grado al cerebro a medida que aumenta la concentración. La primera parte del cerebro afectada controla el juicio y el autocontrol. Uno de los efectos nocivos del alcohol es que el bebedor no es consciente de que se está embriagando. Y sin duda alguna, el buen juicio y el autocontrol son absolutamente necesarios para manejar de manera segura.

A medida que la concentración de alcohol en la sangre aumenta, el control muscular, la visión y la coordinación se deterioran. Los efectos sobre la capacidad para manejar pueden incluir:

- zigzaguear entre carriles;
- arrancar de forma rápida y brusca;
- no hacer señales de advertencia o no encender los faros;
- no detenerse ante señales de alto o de luces rojas;
- pasar indebidamente.

Estos efectos implican mayores probabilidades de tener accidentes y la posible pérdida de la licencia de conductor. *Ver la figura 2.22.* Las estadísticas de accidentes muestran que las probabilidades de tener un accidente es mucho mayor para aquellos conductores que han bebido que para los que no lo han hecho.

Efectos del aumento de la concentración de alcohol en la sangre		
El contenido de alcohol en la sangre es la cantidad de alcohol en el torrente sanguíneo expresada en miligramos de alcohol por cada 100 milímetros de sangre o miligramos. La concentración de alcohol en la sangre depende de la cantidad de sangre (que aumenta con el peso) en relación con la cantidad de alcohol que se consume en un tiempo determinado (rapidez para beber). Mientras más rápidamente se bebe, más alta es la concentración debido a que el hígado sólo puede procesar aproximadamente una bebida por hora y el resto se acumula en la sangre.		
BAC	**Efectos en el organismo**	**Efectos en el estado para manejar**
0.02	Sensación de relajación y ligero calor.	Menor inhibición.
0.05	Relajación evidente.	Menor atención, menor conciencia de sí mismo; comienza la disminución de la coordinación.
0.08	Disminución marcada de la coordinación y del juicio.	Conducción en estado de ebriedad; coordinación y juicio disminuidos.
0.10*	Comportamiento bullicioso y posiblemente embarazoso, con cambios de humor.	Disminución del tiempo de reacción.
0.15	Disminución del equilibrio y del movimiento; ebriedad evidente.	Incapacidad para conducir.
0.30	Pérdida de la conciencia en algunos conductores.	
0.40	Pérdida de la conciencia en la mayoría de los conductores y en algunos casos, la muerte.	
0.50	Respiración interrumpida y en muchos casos, la muerte.	
* Una concentración de 0.10 significa que 1/10 del 1% (es decir, 1/1000) del contenido total de la sangre es alcohol.		

Figura 2.22

Cómo el alcohol afecta la forma de manejar. Beber alcohol afecta el juicio, la visión, la coordinación y el tiempo de reacción de todos los conductores, y provoca graves errores en la forma de manejar, por ejemplo:

- Incremento del tiempo de reacción ante los riesgos
- Conducción demasiado rápida o demasiado lenta
- Conducción en un carril que no corresponde
- Conducción sobre el bordillo

- Ir serpenteando

La verdad sobre el alcohol. Existen muchas ideas peligrosas con respecto al consumo de alcohol. Quien cree en estas ideas erróneas tiene más probabilidades de tener inconvenientes. A continuación se detallan algunos ejemplos:

EL MITO	LA VERDAD
El alcohol mejora la capacidad para manejar.	El alcohol es una droga que disminuye el poder de atención y la capacidad para manejar de manera segura.
Algunas personas pueden beber en gran cantidad sin que el alcohol las afecte.	El alcohol afecta a todas las personas que lo beben.
Comer mucho antes de beber evita la ebriedad.	Los alimentos no evitan la ebriedad.
El café y un poco de aire fresco ayudan al bebedor a recuperar la sobriedad.	Sólo el tiempo ayuda al bebedor a recuperar la sobriedad; no hay otros métodos eficaces.
Es mejor beber cerveza porque no es tan fuerte como el vino o el whisky.	Unas cuantas cervezas tienen el mismo contenido de alcohol que unas copas de whisky o unos vasos de vino.

Figura 2.23

2.22.2 - Otras drogas

Además del alcohol, cada vez con más frecuencia se consumen otras drogas legales e ilegales. La ley prohíbe la tenencia y el consumo de diversas drogas durante el horario de trabajo y también, manejar bajo los efectos de cualquier "sustancia química controlada", anfetaminas u otros estimulantes (incluidas las píldoras estimulantes y las "semillitas"), narcóticos o cualquier otra sustancia que pueda afectar la seguridad durante la conducción. Esto incluye una variedad de medicamentos que pueden adquirirse con o sin recetas (como los medicamentos para el resfrío), y que pueden provocar somnolencia u otros efectos que disminuyen la capacidad para manejar de manera segura. No obstante, está permitida la posesión y el consumo de medicamentos recetados por un médico, si el doctor le asegura que no afectarán su capacidad para manejar de manera segura.

Preste atención a las advertencias de las etiquetas de drogas y medicamentos lícitos y a las indicaciones del médico con respecto a los efectos que pueden provocar. No consuma drogas ilegales.

No consuma drogas que ocultan la fatiga porque la única cura para el cansancio es el descanso. El alcohol puede potenciar los efectos de otras drogas. La regla más segura es no mezclar drogas cuando conduce.

El consumo de drogas puede provocar accidentes de tráfico con consecuencias tales como lesiones, daños a la propiedad e incluso, la muerte. Además, puede dar lugar a arrestos, multas y sentencias de cárcel. También puede significar el fin de su carrera como conductor.

2.23 - Mantenerse alerta y en buen estado para manejar

Conducir un vehículo por varias horas produce mucho cansancio. Hasta el mejor conductor experimenta disminución de la atención. Sin embargo, los buenos conductores tienen formas para ayudarse a permanecer atentos y conducir con seguridad.

2.23.1 - Prepárese para conducir

Duerma lo suficiente. El sueño no es como el dinero, no puede ahorrarlo para más adelante ni lo puede pedir prestado. Pero, como en el caso del dinero, sí puede incurrir en deudas de sueño. Si no duerme lo suficiente, tiene una "deuda" de sueño con usted mismo que sólo puede pagarla durmiendo, y que no desaparece ni puede superarla con fuerza de voluntad. Una persona necesita un promedio de entre siete y ocho horas de sueño cada 24 horas. Es peligroso iniciar un viaje largo cuando ya está cansado. Si ha programado un viaje largo, asegúrese de dormir lo suficiente antes de partir.

Programe los viajes de manera segura. Trate de organizar su horario de modo de no iniciar un viaje largo con "deudas de sueño". Su organismo está acostumbrado a dormir una determinada cantidad de horas. Si conduce durante esas horas, su atención disminuirá. De ser posible, trate de programar los viajes en horarios en que normalmente está despierto. Muchos de los accidentes de vehículos motorizados pesados ocurren entre la medianoche y las 6 de la mañana porque los conductores cansados se duermen con facilidad en ese horario, en especial si habitualmente no conducen durante ese periodo. Tratar de seguir adelante y terminar un viaje largo en esos horarios puede resultar muy peligroso.

Haga ejercicios regularmente. Hacer ejercicio físico regularmente ayuda a crear resistencia a la fatiga y a mejorar la calidad del sueño, por lo que debe tratar de incorporar la actividad física a su vida diaria. En lugar de sentarse a ver televisión en el compartimiento para dormir, camine o corra unas vueltas alrededor de la playa de estacionamiento. Un poco de ejercicio diario le dará energía para todo el día.

Coma sano. Generalmente es difícil para los conductores encontrar comida saludable, pero con un poco de esfuerzo puede comer bien aun en la ruta. Trate de encontrar restaurantes con comidas sanas y bien balanceadas. Si debe comer en restaurantes de comidas rápidas, elija platos con bajo contenido de grasas. Otra forma simple de reducir la ingesta de calorías es eliminar los refrigerios que engordan. En su reemplazo, pruebe comer frutas o vegetales.

Evite tomar medicamentos. Muchos medicamentos inducen el sueño. Son los que tienen en la etiqueta la advertencia de que no se deben conducir vehículos u operar máquinas mientras se está bajo sus efectos. Los medicamentos contra el resfrío son los más comunes dentro de ese tipo. Si debe conducir cuando está resfriado, estará más seguro sufriendo los síntomas del resfrío que los efectos del medicamento.

Consulte a su médico. Los controles regulares realmente salvan vidas. Enfermedades como la diabetes, el cáncer de piel y de colon y las cardiopatías se pueden detectar fácilmente y son tratables si se detectan a tiempo.

Debe realizar una consulta a su médico o en un centro de tratamiento de trastornos del sueño si con frecuencia tiene sueño durante el día, tiene dificultades para dormir de noche, duerme siestas a menudo, se duerme en momentos insólitos, emite ronquidos fuertes, jadea o se ahoga mientras duerme, o se levanta sintiendo que no ha dormido lo suficiente.

2.23.2 - Cuando conduzca

Manténgase fresco. Un vehículo con alta temperatura o con ventilación deficiente puede inducirlo al sueño. Mantenga la ventanilla o las entradas de ventilación un poco abiertas o use el aire acondicionado, si lo tiene.

Descanse. Los descansos cortos pueden ayudarlo a mantenerse alerta, pero debe hacerlos antes de sentirse somnoliento o cansado. Haga paradas frecuentes, camine un poco e inspeccione el vehículo. Haga ejercicios físicos. Tome un descanso a media tarde y programe dormir entre la medianoche y las 6 de la mañana.

Cómo reconocer los signos de peligro por conducir en estado de somnolencia. Dormir no es un acto voluntario. Si tiene sueño, puede dormirse sin darse cuenta. Es probable que caiga en microsueños o momentos muy breves de sueño que duran entre cuatro y cinco segundos. A 55 millas por hora (89 km/h), ese tiempo equivale a 100 yardas (91 metros) y es suficiente para tener un accidente. Aunque no se dé cuenta de su estado de somnolencia, si tiene una deuda de sueño corre peligro. A continuación se detallan algunas formas de darse cuenta de si está próximo a dormirse. Si experimenta alguno de estos signos de peligro, considérelos una advertencia de que puede dormirse aunque no lo quiera.

- Se le cierran los ojos o no puede enfocar bien la vista.
- Le resulta difícil mantener la cabeza erguida.

- No puede dejar de bostezar.
- Tiene pensamientos erráticos e inconexos.
- No recuerda haber conducido las últimas millas.
- Se desplaza entre carriles, conduce muy cerca del vehículo que va adelante o no ve las señales de tráfico.
- Constantemente hace maniobras bruscas para volver a su carril.
- Se ha salido de la carretera y ha evitado un accidente por una mínima distancia.

Aunque experimente uno solo de estos síntomas, puede correr riesgo de dormirse. Estacione fuera de la carretera en un lugar seguro y duerma una siesta.

2.23.3 - ¿Cuándo siente sueño?

Tratar de seguir adelante cuando se tiene sueño es más peligroso de lo que piensa la mayoría de los conductores. De hecho, es una de las causas principales de accidentes fatales. A continuación se detallan algunas reglas importantes para seguir en caso de sentir somnolencia:

Deténgase para dormir. Cuando su organismo necesita dormir, lo único que le hará bien es dormir. Si de todos modos tiene que hacer una parada, hágala cuando sienta los primeros signos de somnolencia aunque esto ocurra antes del horario programado para detenerse. Si al día siguiente se levanta un rato más temprano, puede mantener el horario programado sin peligro de manejar cuando no está alerta.

Duerma un rato. Si no puede detenerse durante toda la noche, al menos salga de la carretera y duerma un rato en un lugar seguro, como un área de descanso o una parada de camiones. Para superar la fatiga, una siesta de sólo media hora le ayudará más que una parada de media hora para tomar café.

Evite las drogas. No hay drogas para curar la fatiga. Aunque pueden mantenerlo despierto por un momento, no le devuelven su estado de alerta, y es posible que se sienta aún más cansado que si no las hubiera tomado. La única forma de superar el cansancio es dormir.

No haga lo siguiente. No confíe en el café o en otra fuente de cafeína para mantenerse despierto. No piense que la radio, una ventanilla abierta o algún otro recurso similar lo mantendrán despierto.

2.23.4 - Enfermedad

De vez en cuando, usted puede enfermarse al grado de no puede manejar con seguridad un vehículo automotor. Si esto le sucede, no debe manejar. Sin embargo, en caso de emergencia, puede manejar hasta el lugar más cercano donde pueda detenerse con seguridad.

2.24 – Reglas sobre materiales peligrosos para todos los conductores comerciales

Todos los conductores deben tener conocimientos sobre materiales peligrosos, poder reconocer las cargas peligrosas y saber si pueden transportarlas sin tener la certificación para materiales peligrosos en su LCC.

2.24.1 - ¿Qué son los materiales peligrosos?

Los materiales peligrosos son productos que representan un riesgo para la salud, la seguridad y la propiedad durante su transporte. *Ver la figura 2.24.*

2.24.2 - ¿Por qué hay reglas?

Usted debe respetar las distintas reglas que rigen para el transporte de materiales peligrosos. El objetivo de las reglas es:

- Conservar el producto dentro de su envase;
- advertir el riesgo;
- garantizar la seguridad de los conductores y los equipos.

Conservar el producto dentro del envase.
Muchos productos peligrosos pueden provocar lesiones o la muerte por contacto. Para evitar que los conductores y otras personas entren en contacto con esos productos, las reglas instruyen a los embarcadores sobre cómo envasarlos con seguridad. Otras reglas similares indican a los conductores cómo cargar, transportar y descargar los tanques de producto a granel. Éstas son las reglas de envasado.

Advertir el riesgo. El embarcador utiliza un documento de embarque y rótulos en forma de rombo para advertir sobre el peligro a los estibadores y conductores. Las órdenes de embarque, los conocimientos de embarque y los manifiestos son ejemplos de documentos de embarque donde se describen los materiales peligrosos transportados. Los embarcadores colocan rótulos en forma de rombo en la mayoría de los paquetes, para advertir sobre los riesgos. Si el rótulo en forma de rombo no se puede poner sobre el contenedor, los embarcadores deben colocarlo en una etiqueta. Por ejemplo, los cilindros de gas comprimido en los que un rótulo no se conservaría llevan etiquetas o calcomanías. Los rótulos en forma de rombo son semejantes a los que se muestran en la *figura 2.25.*

Después de un accidente o de un derrame o fuga de material peligroso el conductor puede encontrarse lesionado e imposibilitado de informar los riesgos del material que transporta. Los bomberos y la policía pueden evitar o disminuir los daños y las lesiones en el lugar si saben qué materiales peligrosos están siendo transportados. La vida del conductor y la de otras personas puede depender de la rapidez con que se encuentren los documentos de embarque. Por esa razón, usted debe identificar los documentos de embarque relacionados con materiales peligrosos, o llevarlo en un lugar visible, arriba del resto de la documentación. Debe guardarlos:

- en una bolsa, en la puerta del conductor;
- a la vista y al alcance;
- en el asiento del conductor si se baja del vehículo.

Definiciones de las clases de materiales peligrosos		
Clase	Nombre de la clase	Ejemplo
1	Explosivos	Municiones, dinamita, fuegos artificiales
2	Gases	Propano, oxígeno, helio
3	Líquidos inflamables	Gasolina, acetona
4	Sólidos inflamables	Fósforos, mechas
5	Oxidantes	Nitrato amónico, peróxido de hidrógeno
6	Sustancias tóxicas	Pesticidas, arsénico
7	Material radioactivo	Uranio, plutonio
8	Corrosivos	Ácido clorhídrico, ácido para baterías
9	Cargas peligrosas varias	Formaldehído, asbestos
Ninguna	OMR - D (otros materiales regulados, domésticos)	Rocío fijador para el cabello o carbón
Ninguna	Líquidos combustibles	Fueloil, líquido para encendedores

Figura 2.24

2.24.3 - Lista de productos regulados

Para advertir a los demás sobre el transporte de materiales peligrosos se utilizan **rótulos**, que son señales colocadas en el exterior del vehículo para identificar la clase de peligro que la carga representa. Un vehículo rotulado debe tener como mínimo cuatro rótulos idénticos colocados al frente, a ambos lados y en la parte trasera. Los rótulos deben ser legibles desde las cuatro direcciones, medir como mínimo 10 ¾ pulgadas cuadradas (69 cm^2) y colocarse en posición vertical, con la punta hacia arriba, en forma de diamante o rombo. Los tanques de carga y otros empaques de carga a granel muestran el número de identificación del contenido en rótulos o en paneles de color naranja.

El **número de identificación** es un código de cuatro dígitos que los servicios de primera respuesta a emergencias utilizan para identificar los materiales peligrosos. Puede ser utilizado en la documentación de transporte para identificar más de una sustancia química. Estará precedido por las letras "NA" o "UN". La Guía de Respuesta a Emergencias (ERG) del Departamento de Transporte de los Estados Unidos (DOT) enumera las sustancias químicas y sus números de identificación asignados.

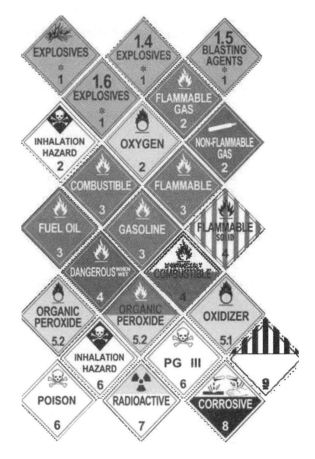

Figura 2.25

No todos los vehículos que transportan materiales peligrosos deben tener rótulos. Las reglas al respecto se encuentran en la sección 9 de este manual. Usted puede manejar un vehículo que transporte materiales peligrosos siempre que no sea obligatorio que el vehículo esté rotulado. Si el vehículo está obligado a llevar rótulos no puede manejarlo, a menos que su licencia de conductor tenga la certificación para materiales peligrosos. *Ver la figura 2.25.*

Las normas exigen que todos los conductores de vehículos rotulados sepan cómo cargar y transportar materiales peligrosos de manera segura, por lo que deben tener una licencia de conductor comercial con la certificación para materiales peligrosos. Para obtener la certificación necesaria, los conductores deben aprobar una prueba escrita sobre los temas tratados en la sección 9 de este manual. Se necesita una certificación para tanques a fin de conducir determinados vehículos que transportan líquidos o gases, sin que necesariamente el líquido o el gas sea un material peligroso. La certificación para tanques será necesaria sólo si se exige una licencia de conductor comercial Clase A o B para manejar este vehículo y si éste tiene un tanque acoplado de manera permanente, independientemente de su capacidad, o si transporta un tanque portátil con capacidad para 1000 galones (3800 litros) o más.

Los conductores que necesiten una certificación para materiales peligrosos deben conocer las reglas sobre rótulos. Si usted no sabe si su vehículo debe estar rotulado, pregúntele a su empleador. Nunca conduzca un vehículo que debe estar rotulado sin tener la certificación para materiales peligrosos porque estaría cometiendo un delito. Si lo detienen en un control, le entregarán una citación judicial y no se le permitirá seguir conduciendo el camión, lo cual le costará tiempo y dinero. Si usted no cumple con la exigencia de rotular el vehículo, puede arriesgar su vida y la de los demás en caso de un accidente, ya que las personas del servicio de emergencias no sabrán que usted transporta una carga peligrosa.

Los conductores que transporten materiales peligrosos también deben saber cuáles productos pueden cargar juntos, y cuáles no. Estas reglas también se detallan en la sección 9. Antes de cargar un camión con más de un tipo de producto, debe determinar si pueden transportarse juntos sin riesgos. Si no lo sabe, pregúntele a su empleador y consulte las disposiciones.

Apartados 2.22, 2.23 y 2.24
Ponga a prueba sus conocimientos

1. Los medicamentos comunes para el resfrío pueden causarle sueño. ¿Verdadero o falso?
2. ¿Qué debe hacer si tiene sueño cuando conduce?
3. El café y un poco de aire fresco ayudan al bebedor a recuperar la sobriedad. ¿Verdadero o falso?
4. ¿Qué es un rótulo de materiales peligrosos?
5. ¿Por qué se deben utilizar estos rótulos?
6. ¿Qué es una "deuda de sueño"?
7. ¿Cuáles son los signos de peligro por conducir en estado de somnolencia?

Estas preguntas pueden aparecer en la prueba. Si no puede responderlas a todas, relea los apartados 2.22, 2.23 y 2.24.

SECCIÓN 3
TRANSPORTE SEGURO DE LA CARGA

Contenido de la sección

- **Inspección de la carga**
- **Peso y equilibrio de la carga**
- **Sujeción de la carga**
- **Cargas que requieren atención especial**

Esta sección trata sobre cómo transportar la carga en forma segura. Para obtener una licencia de conductor comercial (LCC), debe conocer las reglas básicas para el transporte seguro de la carga.

Una carga incorrectamente cargada o asegurada puede representar un peligro para otros y para usted mismo. Si la carga está suelta y se cae del vehículo puede provocar inconvenientes con el tráfico o herir e incluso causar la muerte de otras personas. En una frenada brusca o un choque, la carga suelta puede lesionar al conductor o provocar su muerte. Una sobrecarga puede dañar el vehículo, y la forma en que la carga está distribuida puede afectar la dirección del vehículo y dificultar su control.

Independientemente de quién cargue y sujete la carga, usted es el responsable de:

- inspeccionar la carga;
- reconocer una sobrecarga y el peso mal equilibrado;
- asegurarse de que la carga está correctamente amarrada y que no obstaculice su visión hacia el frente ni hacia los lados;
- asegurarse de que la carga no le impida acceder al equipo de emergencia.

A fin de transportar materiales peligrosos para los cuales se exige rotular el vehículo, usted necesitará una certificación. La sección 9 de este manual proporciona la información necesaria para pasar la prueba de materiales peligrosos.

Las disposiciones federales, estatales y locales sobre el peso de vehículos comerciales, sujeción y cubierta de la carga, y los lugares donde está permitido transitar con vehículos grandes varían. Infórmese sobre las reglas de las áreas por donde circulará.

3.1 – Inspección de la carga

Inspección antes del viaje. Asegúrese de que el camión no esté sobrecargado y de que la carga esté correctamente sujetada y equilibrada.

Después de iniciar el viaje. Revise nuevamente la carga y los dispositivos de sujeción dentro de las primeras **50** millas (80 km). Realice los ajustes necesarios.

Controles frecuentes. Durante el viaje, vuelva a verificar la carga y los dispositivos de sujeción las veces que sea necesario para mantenerla segura. Es un buen hábito realizar nuevas inspecciones:

- después de haber conducido 3 horas o 150 millas (240 km);
- después de cada descanso que tome durante el viaje.

3.2 – Peso y equilibrio de la carga

Usted es responsable de que el vehículo no esté sobrecargado. Por eso es importante que conozca las siguientes definiciones sobre peso:

3.2.1 – Definiciones que debe saber

Peso bruto del vehículo (GVW). Peso total de un vehículo simple y su carga.

Peso bruto combinado (GCW). Peso total de una unidad motriz, los remolques y la carga.

Peso bruto estimado del vehículo (GVWR). GVW máximo especificado por el fabricante para un vehículo simple y su carga.

Peso bruto combinado estimado (GCWR). GCW máximo especificado por el fabricante para un vehículo combinado y su carga.

Peso del eje. Peso que el eje o un juego de ejes ejerce sobre el suelo.

Carga para las llantas. Peso máximo que una llanta puede soportar con seguridad a determinada presión. Este valor está especificado en el costado de cada llanta.

Sistemas de suspensión. Capacidad de peso de los sistemas de suspensión indicada por el fabricante.

Capacidad del dispositivo de acoplamiento. Los dispositivos de acoplamiento se clasifican según el peso máximo que pueden arrastrar o llevar cargado.

3.2.2 – Límites de peso permitidos por ley

Debe respetar los límites de peso establecidos por la ley. Cada estado fija límites máximos para GVW, GCW y pesos de ejes. El peso máximo del eje se suele establecer por medio de una fórmula para puente que permite fijar un límite más bajo de peso máximo de eje cuando los ejes están a una menor distancia entre sí. Esto se hace para evitar sobrecargar puentes y carreteras.

La sobrecarga puede perjudicar la dirección, los frenos y el control de la velocidad. Los camiones sobrecargados tienen que ir a paso muy lento en las subidas. Lo que es peor, pueden cobrar demasiada velocidad en las bajadas. También necesitan más distancia para frenar, ya que los frenos pueden fallar cuando se los exige demasiado.

Si conduce en la montaña o en condiciones climáticas adversas, puede ser riesgoso transitar con los límites máximos de peso permitido por la ley. Tómelo en cuenta antes de iniciar el viaje.

3.2.3 – No transporte el mayor peso en la parte superior.

La altura del centro de gravedad del vehículo es muy importante para manejarlo de manera segura. Si el centro de gravedad está alto (porque la carga está apilada o presenta mayor peso en la parte superior) existe un mayor riesgo de volcar. Esto se torna más peligroso en las curvas o si tiene que esquivar un obstáculo. Es muy importante distribuir la carga de modo que quede lo más baja posible. Coloque las partes más pesadas de la carga debajo de las más livianas.

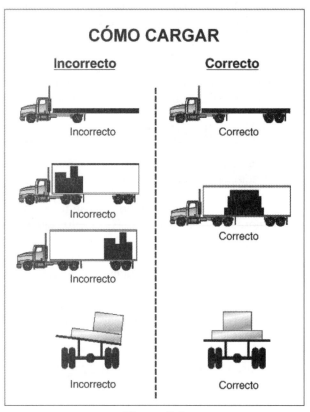

Figura 3.1

3.2.4 – Equilibre el peso

Una mala distribución del peso puede volver insegura la operación del vehículo. Demasiado peso sobre el eje de la dirección puede hacer que ésta se ponga pesada y también dañar el eje y las ruedas de dirección. Si los ejes delanteros no tienen suficiente peso de carga (cosa que sucede cuando el peso se coloca demasiado hacia atrás) se puede aligerar tanto el peso del eje de la dirección, que doblar no sea seguro. Muy poco peso sobre los ejes de tracción también puede provocar una tracción deficiente y hacer que las ruedas de tracción giren en falso. En condiciones climáticas adversas, es posible que el camión no pueda continuar la marcha. Cuando la carga se coloca de manera que el centro de gravedad quede alto, existe un mayor riesgo de volcar. En vehículos de plataforma plana también hay más probabilidades de que la carga mal equilibrada se desplace hacia los lados o se caiga. *Ver la figura 3.1.*

3.3 – Sujeción de la carga

3.3.1 – Bloqueo y uso de tirantes

Los dispositivos de bloqueo se utilizan en la parte delantera, trasera o en los laterales de la carga para evitar que se desplace. Están diseñados para calzar perfectamente en la carga y se fijan a la plataforma para que la carga no se mueva. Los tirantes también se utilizan para evitar el movimiento de la carga. Van de la parte superior de la carga hasta el piso y/o las paredes del compartimiento de carga.

3.3.2 – Amarres de la carga

En remolques de plataforma plana o abiertos a los lados (sin paredes laterales), se debe sujetar la carga para evitar que se desplace o se caiga. En remolques cerrados los amarres también pueden ser útiles para evitar que el desplazamiento de la carga afecte el control del vehículo. Los amarres deben ser del tipo adecuado y con la resistencia necesaria. Los reglamentos federales exigen que límite del peso total de la carga de cualquier sistema de amarre utilizado para asegurar un artículo o grupo de artículos contra el movimiento debe pesar por lo menos la mitad de lo que pese el artículo o grupo de artículos. Utilice el equipo

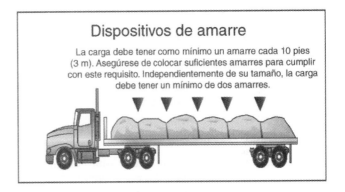

Figura 3.2

apropiado para amarrar: cuerdas, tirantes, cadenas y dispositivos de tensión (malacates, trinquetes y piezas de remache). Los amarres deben estar debidamente sujetos al vehículo por medio de ganchos, pernos, rieles, argollas, etc. *Ver la figura 3.2.*

La carga debe tener como mínimo un amarre cada 10 pies (3 metros). Asegúrese de colocar suficientes amarres para cumplir con este requisito. Independientemente del tamaño de la carga, debe tener como mínimo dos amarres.

Existen requisitos especiales para la sujeción de diversas piezas pesadas de metal. Infórmese sobre estos requisitos si tiene que transportar este tipo de carga.

3.3.3 – Tablones delanteros

Los tablones delanteros ubicados detrás de la cabina (rejillas protectoras) evitan que la carga lo golpee en caso de chocar o que deba detenerse bruscamente por una emergencia. Asegúrese de que dicho armazón esté en buenas condiciones, ya que está diseñado para bloquear el movimiento hacia delante de la carga transportada.

3.3.4 – Cubrir la carga

Hay dos razones fundamentales para cubrir la carga:

- Proteger a las personas en caso de que la carga se derrame
- Proteger la carga del mal tiempo

La protección para casos de derrames es un requisito de seguridad obligatorio en muchos estados. Familiarícese con las leyes de los estados por los que transita.

Mientras maneje, observe con frecuencia la cubierta de su carga por los espejos. Si la cubierta va aleteando puede rasgarse y soltarse, lo cual dejaría la carga descubierta y podría obstaculizar su visibilidad o la de otros conductores.

3.3.5 – Cargas selladas y en contenedores

Por lo general, los contenedores se utilizan cuando la carga se transporta parte del recorrido por tren o barco. El transporte en camión se realiza al principio o al final del viaje. Algunos contenedores tienen sus propios dispositivos de amarre o cierres que se fijan directamente a una estructura especial. Otros deben ser cargados en remolques de plataforma plana y sujetarse correctamente como cualquier otra carga.

Si bien las cargas selladas no pueden inspeccionarse, se debe verificar que no excedan los límites permitidos de peso bruto y peso sobre el eje.

3.4 – Cargas que requieren atención especial

3.4.1 – Carga seca a granel

Los tanques de carga seca a granel requieren de cuidados especiales porque tienen un centro de gravedad alto y la carga puede desplazarse. Extreme sus precauciones al tomar curvas y realizar giros cerrados; hágalo en forma lenta y cuidadosa.

3.4.2 – Carne colgada

La carne de res, puerco o cordero colgada dentro de un camión refrigerado puede ser una carga muy inestable con un centro de gravedad alto. Se debe tener especial precaución en las curvas cerradas, como las rampas de entrada o de salida. Cuando transporte este tipo de cargas, maneje despacio.

3.4.3 – Ganado

El ganado se puede mover en el remolque y dificultar la estabilidad del vehículo. Cuando no lleve una carga completa, utilice compuertas para mantener al ganado junto. Aun cuando el ganado esté todo junto, es necesario tener especial cuidado porque los animales se pueden inclinar en las curvas y desplazar así el centro de gravedad, lo cual aumenta las probabilidades de volcar.

3.4.4 – Cargas de tamaño excesivo

Las cargas demasiado largas, anchas o pesadas deben contar con permisos de tráfico especiales. Conducir con este tipo de cargas por lo general está autorizado sólo en ciertos horarios limitados, y puede ser necesario contar con equipos especiales, tales como señales de "carga ancha" (wide load), luces intermitentes, banderines, etc. Para transportar este tipo de cargas, en algunos casos incluso se necesita escolta policial o vehículos piloto con señales de advertencia o luces intermitentes. Estas cargas especiales requieren precauciones especiales a la hora de manejar.

3.4.5 – Bobinas de metal

La sección 510(2)(b)(ix) de la Ley de Tránsito del estado de Nueva York requiere que cualquier conductor comercial que transporte bobinas de metal, que individualmente o agrupadas pesen 5,000 libras (2,300 kilogramos) o más, debe tener una certificación para bobinas de metal en su Licencia de conducir comercial de Nueva York. Usted debe poseer una licencia Clase A, B o C y aprobar una prueba escrita de conocimientos para calificar para esta certificación. La prueba escrita se basa en el material presentado en el *Manual del Conductor para la Colocación Segura de Bobinas de Metal y Otra Carga* (MV-79) y la tabla de Límite de Carga de Trabajo (WLL) (MV-79C). Se puede obtener este manual en las oficinas del Departamento de Vehículos Automotores (DMV) y se lo puede descargar desde el sitio de Internet http://www.dmv.ny.gov/forms/mv79.pdf.

Sección 3
Ponga a prueba sus conocimientos

1. ¿Cuáles son las cuatro cosas relacionadas con la carga por las cuales son responsables los conductores?
2. ¿Con qué frecuencia debe parar en la carretera para revisar la carga?
3. ¿En qué se diferencia el peso bruto combinado estimado del peso bruto combinado?
4. Mencione dos situaciones en las que los pesos máximos fijados por la ley pueden no ser seguros.
5. ¿Qué puede suceder si no lleva suficiente peso en el eje delantero?
6. ¿Cuál es la cantidad mínima de amarres para cualquier carga transportada en una plataforma plana?
7. ¿Cuál es la cantidad mínima de amarres para una carga de 20 pies (6 m)?
8. Mencione las dos razones fundamentales para cubrir la carga transportada en una plataforma abierta.
9. ¿Qué debe verificar antes de transportar una carga sellada?

Estas preguntas pueden aparecer en la prueba. Si no puede responderlas a todas, relea la sección 3.

SECCIÓN 4
TRANSPORTE SEGURO DE PASAJEROS

Contenido de la sección

- **Obligatoriedad de la certificación para transporte de pasajeros**
- **Inspección del vehículo**
- **Carga e inicio del viaje**
- **En la carretera**

- **Inspección del vehículo después del viaje**
- **Prácticas prohibidas**
- **Uso del dispositivo de interbloqueo de frenos-puerta**

4.1 – Obligatoriedad de la certificación para transporte de pasajeros

Usted deberá contar con una licencia de conductor comercial (LCC) con certificación para transporte de pasajeros "P" para conducir:

- **vehículos diseñados para transportar más de 15 pasajeros adultos sentados (sin contar el conductor);**
- **vehículos definidos como autobuses por el Artículo 19-A, Sección 509 (a) de la Ley de Vehículos y Tráfico del estado de Nueva York.**

También se requiere una certificación para autobús escolar ("S") a fin de transportar estudiantes entre la parada de autobús que corresponda a sus hogares y la escuela en un autobús escolar con un peso bruto estimado (GVWR) de 26,001 libras (11,794 kilos) o que esté diseñado para transportar más de 15 pasajeros adultos sentados, sin contar al conductor (ver sección 10, Autobús escolar). No es necesario contar con una licencia de conductor comercial (LCC) o una certificación de pasajeros si transporta a miembros de su familia con fines no comerciales.

Para obtener la certificación de pasajeros, debe pasar la prueba de conocimientos sobre las secciones 2 y 4 de este manual. (Si su vehículo tiene frenos de aire, también debe pasar la prueba de conocimientos que se encuentra en la sección 5). Asimismo, debe aprobar las pruebas de destreza que se requieren para la clase de vehículo que va a manejar.

4.2 – Inspección del vehículo

Antes de manejar el autobús, debe asegurarse de que sea seguro hacerlo. Lea el informe de inspección confeccionado por el conductor anterior y fírmelo sólo si hay una certificación de que los defectos informados con anterioridad han sido reparados o de que no fue necesario hacerlo. Ésta es su constancia de que los defectos informados han sido reparados.

4.2.1 – Sistemas del vehículo

Antes de iniciar la marcha, asegúrese de que los siguientes sistemas estén en buenas condiciones de funcionamiento:

- Frenos de servicio, incluidos los acoples de las mangueras de aire (si el autobús tiene un remolque o semirremolque)
- Freno de estacionamiento
- Mecanismo de dirección
- Luces y reflectores
- Llantas (las ruedas delanteras no deben haber sido renovadas ni recauchutadas)
- Claxon (pito)
- Limpiaparabrisas
- Espejos retrovisores

- Dispositivos de acoplamiento (si los tuviera)
- Ruedas y aros
- Equipo de emergencia (exigido por ley)
  - ➢ Extinguidor de incendios
  - ➢ Reflectores de emergencia
  - ➢ Fusibles eléctricos de repuesto (a menos que esté equipado con interruptores automáticos)

4.2.2 – Puertas y paneles de acceso

Cuando examine el exterior del autobús, cierre las salidas de emergencias que encuentre abiertas. Antes de iniciar la marcha, cierre también todos los paneles de acceso (para el equipaje, el servicio de excusado, el motor, etc.).

4.2.3 – Interior del autobús

A veces, la gente daña los autobuses cuando el conductor no está vigilándolo. Antes de iniciar el viaje, examine siempre el interior del autobús para garantizar la seguridad de los pasajeros. Las escalerillas y los pasillos deben estar siempre despejados y las siguientes piezas del autobús deben estar en condiciones seguras de funcionamiento:

- Agarraderas y pasamanos
- Revestimiento del piso
- Dispositivos de señalización, entre ellos el zumbador de emergencia del baño (si el autobús tiene baño)
- Manijas de las salidas de emergencia

Los asientos deben ser seguros para los pasajeros y estar bien sujetos al autobús.

Nunca conduzca con una puerta o ventanilla de salida de emergencia abierta. La señal de salida de emergencia (*Emergency Exit*) colocada en una puerta de emergencia debe ser claramente visible. Si hay una luz roja sobre dicha puerta, asegúrese de que funcione. Enciéndala a la noche o siempre que use las luces exteriores.

4.2.4 – Respiraderos del techo

Puede dejar algunos respiraderos de emergencia del techo semiabiertos para permitir el ingreso de aire fresco, pero no lo haga de forma habitual. Siempre que conduzca con los respiraderos abiertos tenga en cuenta la altura máxima del autobús.

4.2.5 – ¡Use el cinturón de seguridad!

El asiento del conductor debe tener cinturón de seguridad. Úselo siempre para más seguridad.

4.3 – Carga e inicio del viaje

No permita que los pasajeros dejen su equipaje de mano en las puertas o los pasillos ni ningún otro elemento con los que otros pasajeros puedan tropezar. Asegure el equipaje y la carga para evitar daños y para:

- permitir que el conductor se mueva con libertad y facilidad;
- permitir que los pasajeros salgan por cualquier puerta o ventanilla en caso de emergencia;
- evitar que los pasajeros se lesionen si los equipajes de mano se cayeran o se desplazaran.

4.3.1 – Materiales peligrosos

Esté atento a cargas o equipaje que contengan materiales peligrosos, ya que la mayoría de estos materiales no puede transportarse en autobús.

La Tabla Federal de Materiales Peligrosos detalla los materiales que se consideran peligrosos *(ver la figura 4.2)* y que representan un riesgo para la salud, la seguridad y la propiedad durante el transporte. Las reglas exigen que los embarcadores identifiquen los contenedores de materiales peligrosos con rótulos que contengan el nombre, el número de identificación y la clase de peligro. Existen nueve rótulos de materiales peligrosos distintos. Todos tienen forma de rombo y son de cuatro pulgadas (10 cm) de tamaño. *Ver ejemplos en la figura 4.1* Esté atento a la presencia de estos rótulos en forma de rombo. No transporte materiales peligrosos, a menos que esté seguro de que las reglas lo permiten.

Figura 4.1

4.3.2 – Materiales peligrosos prohibidos

Los autobuses pueden transportar municiones para armas de bajo calibre con el rótulo OMR-D, insumos hospitalarios de emergencia y medicamentos. También pueden transportar pequeñas cantidades de otros materiales peligrosos si el embarcador no puede enviarlos de ninguna otra forma. Los autobuses **jamás** deben transportar lo siguiente:

- Gases tóxicos de la división 2.3, sustancias tóxicas líquidas clase 6, gas lacrimógeno o material irritante
- Más de 100 libras (45 kilos) de sustancias tóxicas sólidas clase 6
- Explosivos en el mismo espacio ocupado por gente, excepto municiones para armas de bajo calibre
- Material rotulado como radioactivo en el mismo espacio ocupado por gente
- Más de 500 libras (227 kilos) en total de materiales peligrosos permitidos, y no más de 100 libras (45 kilos) de una clase cualquiera

A veces los pasajeros suben al autobús con materiales peligrosos sin rotular. No permita que lleven materiales peligrosos comunes, como baterías para automóviles o gasolina.

4.3.3 – Línea de permanencia de pie

Ningún pasajero puede viajar de pie por delante de la línea del respaldo del asiento del conductor.

Definiciones de las clases de materiales peligrosos		
Clase	**Nombre de la clase**	**Ejemplo**
1	Explosivos	Municiones, dinamita, fuegos artificiales
2	Gases	Propano, oxígeno, helio
3	Líquidos inflamables y combustibles	Gasolina, acetona, fueloil y líquido para encendedores
4	Sólidos inflamables	Fósforos, mechas
5	Oxidantes	Nitrato amónico, peróxido de hidrógeno
6	Sustancias tóxicas	Pesticidas, arsénico
7	Material radioactivo	Uranio, plutonio
8	Corrosivos	Ácido clorhídrico, ácido para baterías
9	Cargas peligrosas varias	Formaldehído, asbestos
Ninguna	OMR-D (otros materiales regulados, domésticos)	Rocío fijador para el cabello o carbón

Figura 4.2

Los autobuses que están diseñados para permitir pasajeros de pie deben indicar los lugares donde no se puede viajar de pie con una línea de dos pulgadas (5 cm) en el piso o de alguna otra manera que indique a los pasajeros dónde no pueden estar parados. Esta señal se llama línea de permanencia de pie, y todos los pasajeros que viajen de pie deben mantenerse detrás de ella.

4.3.4 – En su lugar de destino

Cuando llegue a destino o a paradas intermedias anuncie:

- el lugar;
- el motivo de la parada;
- la hora de la próxima partida;
- el número de autobús.

Recuerde a los pasajeros que lleven su equipaje de mano si van a bajarse y, si el pasillo está en un nivel más bajo que los asientos, recuérdeles acerca del desnivel. Es mejor avisarles a los pasajeros antes de detener totalmente el vehículo.

Los conductores de autobuses alquilados NO deben permitir que los pasajeros ingresen al autobús antes de la hora de partida. Esto ayuda a evitar los robos y el vandalismo del autobús.

4.4 – En la carretera

4.4.1 – Supervisión de los pasajeros

Muchos transportistas de autobuses charter e interurbanos tienen reglas para seguridad y comodidad de los pasajeros. Mencione las normas sobre fumar, beber o usar radios y aparatos de música al principio del viaje. Explicar las reglas al comienzo le ayudará a evitar problemas posteriores.

Mientras maneje, observe tanto el interior del autobús como la carretera hacia adelante, hacia los lados y hacia atrás. Es posible que deba recordar a los pasajeros las reglas, o pedirles que mantengan los brazos y la cabeza dentro del autobús.

4.4.2 – En las paradas

Los pasajeros pueden tropezarse al subirse o bajarse del autobús, o cuando éste arranca o para. Advierta a los pasajeros que tengan cuidado al descender del autobús, y espere a que estén sentados o bien acomodados antes de arrancar. Inicie y detenga la marcha con suavidad para evitar que los pasajeros se lesionen.

De vez en cuando es posible que algún pasajero tenga una conducta inapropiada o se encuentre en estado de ebriedad. Tenga en cuenta que usted debe garantizar la seguridad de ese pasajero así como la de los demás. No baje a esta clase de pasajeros en lugares que no sean seguros. Quizás sea mejor bajarlo en la siguiente parada o en un área bien iluminada donde haya más gente. Muchos vehículos tienen pautas para manejar a pasajeros con actitudes perturbadoras.

4.4.3 – Accidentes comunes

Accidentes más comunes de autobuses. Por lo general, los accidentes de autobuses ocurren en las intersecciones. Tome precauciones aun cuando existan avisos o señales de alto para el tráfico que circula en otras direcciones. Los autobuses escolares o de transporte colectivo a veces golpean espejos o vehículos que van pasando, al arrancar después de una parada. Tenga presente cuánto espacio libre necesita su autobús y preste atención a postes o ramas de árboles en las paradas. Usted debe saber cuánto espacio necesita su autobús para acelerar e incorporarse al tráfico, por lo tanto, espere a tener ese espacio antes de salir de la parada. Nunca dé por sentado que otros conductores frenarán para darle lugar cuando ponga la señal o inicie la marcha para incorporarse al tráfico.

4.4.4 – Velocidad en las curvas

Los accidentes que ocurren en las curvas y que causan destrucción de los autobuses o víctimas fatales se producen por exceso de velocidad, a menudo en carreteras resbalosas a causa de lluvia o nieve. Las curvas con inclinación tienen una "velocidad designada" segura. En buenas condiciones climáticas, la velocidad señalizada es segura para automóviles pero puede ser demasiado alta para muchos autobuses. Un autobús con buena tracción puede volcar, mientras que uno con poca tracción puede salirse de la curva. ¡Disminuya la velocidad en las curvas! Si su autobús se inclina hacia afuera en una curva con inclinación, significa que está conduciendo demasiado rápido.

4.4.5 – Cruces de vías de ferrocarril

Deténgase en los cruces de vías de ferrocarril:

- Detenga el autobús entre 15 y 50 pies (5 y 15 metros) antes del cruce de ferrocarril.
- Escuche y mire en ambas direcciones para saber si viene un tren. Abra la puerta delantera, si eso le permite ver o escuchar mejor un tren que se aproxime.
- Cuando el tren haya pasado y antes de cruzar las vías, asegúrese de que no viene otro tren en la dirección opuesta por otras vías.
- Si su autobús tiene transmisión manual, nunca cambie de marcha mientras esté cruzando las vías.
- En las siguientes situaciones no tiene obligación de parar pero sí de disminuir la velocidad y observar con cuidado que no vengan otros vehículos:

  - ➢ En cruces de tranvías
  - ➢ Donde el tráfico sea dirigido por un policía o por una persona que haga señales con banderines
  - ➢ Cuando el semáforo esté en luz verde
  - ➢ En cruces de vías marcadas como exentas (*exempt*) o abandonadas (*abandoned*)

4.4.6 – Puentes levadizos

Pare en los puentes levadizos. Deténgase en puentes levadizos que no tengan semáforos o agentes para controlar el tráfico. Hágalo con un mínimo de 50 pies (15 metros) antes de la línea de levantamiento del puente. Antes de cruzar, asegúrese de que el tramo levadizo esté totalmente cerrado. En las siguientes situaciones, no tiene obligación de parar pero sí debe disminuir la velocidad y cerciorarse que sea seguro cruzar:

- El semáforo está en luz verde
- El puente tiene un policía o agente de tráfico para controlar el tráfico cada vez que el puente se abra

4.5 – Inspección del vehículo después del viaje

Inspeccione el autobús al final de cada turno. Si trabaja para una línea interestatal, debe llenar un informe escrito de inspección por cada autobús que haya manejado. El informe debe identificar a cada autobús y enumerar todo defecto que pueda afectar la seguridad o provocar una avería. Si no hay defectos, también debe hacerse constar en el informe.

A veces los pasajeros dañan piezas relacionadas con la seguridad, como agarraderas, asientos, salidas de emergencia y ventanas. Si usted notifica estos daños al final de su turno, los mecánicos pueden repararlos antes de la próxima salida del autobús. Los conductores de autobuses de transporte masivo también deben verificar que los dispositivos de señalización para pasajeros y los dispositivos de interbloqueo de frenos-puerta funcionen correctamente.

4.6 – Prácticas prohibidas

Evite cargar combustible con los pasajeros a bordo, a menos que sea absolutamente necesario. Nunca lo haga en un lugar cerrado con pasajeros a bordo.

No hable con los pasajeros ni se distraiga con ninguna otra actividad mientras va manejando.

No remolque ni empuje autobuses descompuestos con pasajeros a bordo en uno u otro vehículo, a menos que hacerlos descender no fuera seguro. Remolque o empuje el autobús únicamente hasta llegar al lugar más próximo donde sea seguro bajar a los pasajeros. Siga las normas señaladas por su empleador para remolcar o empujar autobuses descompuestos.

4.7 – Uso del dispositivo de interbloqueo de frenos-puerta

Algunos autobuses para transporte masivo urbano tienen un sistema de interbloqueo de los frenos y el acelerador, el cual acciona los frenos de servicio y mantiene inactivo el regulador cuando la puerta trasera está abierta, y se desactiva cuando ésta se cierra. No use este dispositivo de seguridad como sustituto del freno de estacionamiento.

Sección 4
Ponga a prueba sus conocimientos

1. Mencione algunos de los elementos que debe revisar en el interior del autobús cuando realiza una inspección antes del viaje.
2. ¿Cuáles son algunos de los materiales peligrosos que se pueden transportar en un autobús?
3. ¿Cuáles son algunos de los materiales peligrosos que no se pueden transportar en un autobús?
4. ¿Qué es una línea de permanencia pie?
5. ¿Es importante el lugar donde hace descender del autobús a un pasajero que tiene una conducta inapropiada?
6. ¿A qué distancia de las vías de un ferrocarril debe parar?
7. ¿Cuándo debe parar antes de cruzar un puente levadizo?
8. Escriba la lista completa de "Prácticas prohibidas" mencionadas en el manual.
9. La puerta trasera de un autobús de tránsito debe estar abierta para poder accionar el freno de estacionamiento. ¿Verdadero o falso?

Estas preguntas pueden aparecer en la prueba. Si no puede responderlas a todas, relea la sección 4.

SECCIÓN 5
FRENOS DE AIRE

Contenido de la sección

- **Partes del sistema de frenos de aire**
- **Sistemas duales de frenos de aire**
- **Inspección de los sistemas de frenos de aire**
- **Uso de los frenos de aire**

Esta sección le brinda información sobre los frenos de aire. Léala si necesita conducir un camión o autobús con frenos de aire o llevar un remolque equipado con este sistema, en cuyo caso también debe leer la sección 6, Vehículos de combinación. Se exige una certificación para frenos de aire sólo si para conducir el vehículo en cuestión necesita una licencia de conducir comercial (LCC).

Los frenos de aire utilizan aire comprimido para funcionar y son un medio adecuado y seguro para detener vehículos pesados y grandes, pero deben tener un buen mantenimiento y ser usados de forma correcta.

En realidad, los frenos de aire están compuestos por tres sistemas de frenos: El sistema de frenos de servicio, el sistema de frenos de estacionamiento y el sistema de frenos de emergencia.

- El sistema de frenos de servicio aplica los frenos cuando usted usa el pedal de freno durante la conducción normal.
- El sistema de frenos de estacionamiento aplica los frenos de estacionamiento cuando usted usa el control para este tipo de freno.
- El sistema de frenos de emergencia usa partes de los sistemas de frenos de servicio y de frenos de estacionamiento para detener el vehículo en caso de una falla del sistema de frenos.

A continuación se describen en más detalle las partes de estos sistemas.

5.1 – Partes del sistema de frenos de aire

El sistema de frenos de aire se compone de numerosas partes. Usted debe conocer las que se describen aquí.

5.1.1 – Compresor de aire

El compresor de aire bombea aire a los tanques de almacenamiento de aire (depósitos) y se conecta al motor por medio de engranajes o de una banda en V. El compresor puede ser enfriado por aire o por el sistema de enfriamiento del motor y puede tener su propia provisión de aceite lubricante o estar lubricado con aceite del motor. Si el compresor tiene su propia provisión de aceite, verifique el nivel de aceite antes de manejar.

5.1.2 – Gobernador del compresor de aire

El gobernador controla el funcionamiento del compresor de aire cuando éste bombea aire a los tanques de almacenamiento. Cuando la presión del tanque de aire se eleva al nivel de "corte" (alrededor de 125 libras por pulgada cuadrada o "psi"), el gobernador detiene el compresor para que deje de bombear aire. Cuando la presión del tanque cae hasta la presión de "bombeo" (alrededor de 100 psi), el gobernador permite que el compresor comience a bombear aire nuevamente.

5.1.3 – Tanques de almacenamiento de aire

Los tanques de almacenamiento de aire almacenan el aire comprimido. El tamaño y la cantidad de los tanques varían según el vehículo. Los tanques contienen aire suficiente para permitir que los frenos se utilicen varias veces, aun si el compresor deja de funcionar.

5.1.4 – Drenajes del tanque de aire

Por lo general, el aire comprimido contiene algo de agua y de aceite del compresor, lo que es perjudicial para el sistema de frenos de aire, ya que el agua se puede congelar en clima frío y provocar una falla de los frenos. El agua y el aceite tienden a acumularse en el fondo del tanque de aire y por eso es importante drenarlo completamente usando la válvula de drenaje que se encuentra en la parte inferior de cada tanque. Hay dos tipos de válvulas:

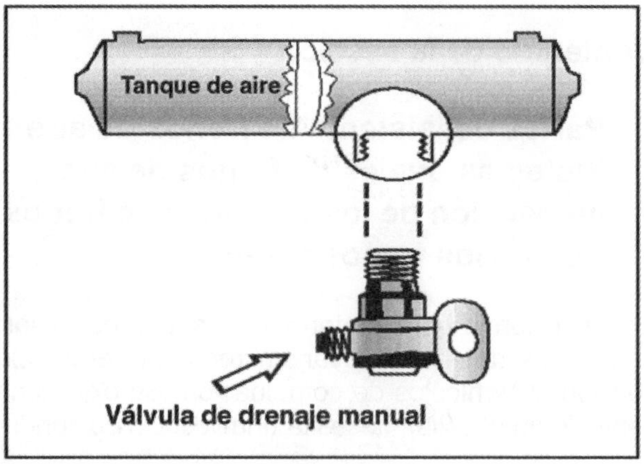

Figura 5.1

- Manual: se la gira un cuarto de vuelta o se tira de un cable. Se recomienda drenar manualmente los tanques al finalizar cada día de manejo. Ver la figura 5.1.
- Automática: el agua y el aceite son expulsados automáticamente. Estos tanques también pueden estar equipados para drenaje manual.

Los tanques de aire automáticos están equipados con dispositivos de calentamiento eléctrico que previenen la congelación del drenaje automático en clima frío.

5.1.5 – Evaporador de alcohol

Algunos sistemas de frenos de aire están equipados con un evaporador de alcohol para poner alcohol en el sistema de aire. Esto ayuda a disminuir el riesgo de que se forme hielo en las válvulas de freno y en otras piezas del sistema cuando durante la temporada de frío, ya que si hay hielo en el sistema, los frenos pueden dejar de funcionar.

Verifique el recipiente de alcohol y llénelo diariamente en la medida que sea necesario durante la temporada de frío. Es necesario drenar diariamente el tanque de aire para eliminar el agua y el aceite (a menos que el sistema tenga válvulas de drenaje automático).

5.1.6 – Válvula de seguridad

En el primer tanque al que el compresor bombea aire está equipado con una válvula de escape de seguridad, que evita que el tanque y el resto del sistema acumulen demasiada presión. Normalmente, la válvula se abre a las 150 psi. Si la válvula de seguridad tiene una fuga de aire, significa que algo no está funcionando bien. Repárela con un mecánico.

5.1.7 – Pedal de freno

El freno se acciona al presionar el pedal (también llamado válvula de pie o válvula de pedal). Si se pisa el pedal con mayor fuerza, se aplica más presión de aire. Si se suelta el pedal, se disminuye la presión y se sueltan los frenos. Cuando esto sucede, parte del aire comprimido del sistema se libera, con lo cual la presión de aire en los tanques disminuye. A esta pérdida la debe reponer el compresor de aire. Pisar y soltar el pedal innecesariamente puede dejar escapar aire más pronto de lo que el compresor puede reponerlo. Si la presión baja demasiado, los frenos no funcionarán.

Cuando usted presiona el pedal de freno, hay dos fuerzas que actúan en contra del pie. La primera fuerza proviene de un resorte, y la segunda, de la presión del aire que va a los frenos. Esto le permite sentir cuánta presión de aire está aplicándose a los frenos.

5.1.8 – Frenos de base

Los frenos de base funcionan en cada rueda. El tipo más común es el freno de tambor de excéntrica en "S". A continuación se describen las partes de este freno.

Tambores, zapatas y revestimientos del freno. Los tambores de los frenos están situados en cada uno de los extremos de los ejes del vehículo. Las ruedas están unidas a los tambores mediante pernos. El mecanismo de frenado se encuentra dentro del tambor. Para detener el vehículo, las zapatas y los revestimientos del freno son empujados contra el interior del tambor. Esto provoca una fricción que disminuye la velocidad del vehículo (y genera calor). El calor que puede soportar un tambor sin dañarse depende de la fuerza que se aplique al freno y de cuánto se lo use. Demasiado calor puede hacer que los frenos dejen de funcionar.

Frenos de excéntrica en "S". Cuando usted presiona el pedal de freno, ingresa aire a cada recámara del freno. La presión del aire empuja la varilla hacia fuera, que hace mover el regulador, con lo cual el eje de la excéntrica del freno gira. Esta acción hace girar la excéntrica en "S" (llamada así por su forma de letra "S"), la cual separa las zapatas una de otra y las presiona contra la cara interior del tambor de freno. Cuando usted suelta el pedal de freno, la excéntrica en "S" vuelve a su lugar y un resorte aleja las zapatas del freno lejos del tambor, lo cual permite que las ruedas vuelvan a girar libremente. Ver la figura 5.2.

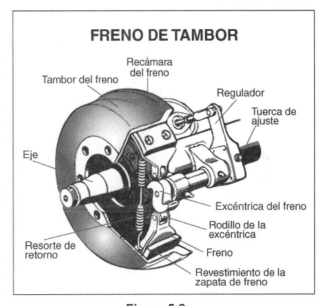

FRENO DE TAMBOR

Tambor del freno · Recámara del freno · Regulador · Tuerca de ajuste · Eje · Excéntrica del freno · Rodillo de la excéntrica · Resorte de retorno · Freno · Revestimiento de la zapata de freno

Figura 5.2

Frenos de cuña. En este tipo de freno, la varilla de empuje de la recámara del freno empuja una cuña situada entre los extremos de las dos zapatas de freno. Esta acción las empuja separándolas y las presiona contra la cara interior del tambor del freno. Los frenos de cuña pueden tener una o dos recámaras de freno. Este tipo de frenos pueden ser de ajuste automático o requerir ajuste manual.

Frenos de disco. En los frenos de disco accionados por aire, la presión del aire actúa sobre la recámara del freno y el regulador, tal como sucede en los frenos de excéntrica en "S". Pero en lugar de la excéntrica en "S", se utiliza un "tornillo de potencia". La presión de la recámara del freno sobre el regulador hace girar el tornillo de potencia que, a su vez, prensa al disco o rotor entre las pastillas de los revestimientos de los frenos, similar a como lo hace una pinza en "C" grande.

Los frenos de cuña y los de disco no son tan comunes como los frenos de excéntrica en "S".

5.1.9 – Medidores del suministro de presión

Todos los vehículos equipados con frenos de aire tienen un medidor de presión conectado al tanque de aire. Si el vehículo tiene un sistema dual de frenos de aire, tendrá un medidor para cada mitad del sistema (o un único medidor con dos agujas). Los sistemas duales se tratan más adelante en este manual. Los medidores señalan cuánta presión hay en los tanques de aire.

5.1.10 – Medidor de la presión aplicada

Este medidor muestra cuánta presión de aire usted está ejerciendo sobre los frenos (pero no todos los vehículos lo tienen). Si debe ejercer mayor presión para mantener la misma velocidad, significa que la capacidad de los frenos está disminuyendo. En ese caso, debe disminuir la velocidad y usar una marcha más baja. La necesidad de aumentar la presión también puede deberse a que los frenos no están bien ajustados, hay fugas de aire o existe un problema mecánico.

5.1.11 – Advertencia de baja presión de aire

La señal indicadora de baja presión de aire es obligatoria en los vehículos que cuentan con frenos de aire. Esta señal visual debe encenderse antes de que la presión de aire en los tanques descienda por debajo de las 60 psi (o, en vehículos más viejos, hasta la mitad de la presión de corte del gobernador del compresor). Generalmente, la señal indicadora es una luz roja pero también puede ser un zumbador.

Otro tipo de advertencia es la "oscilante" (*wig wag*). Cuando la presión del sistema desciende por debajo de 60 psi, este dispositivo deja caer frente a usted un brazo mecánico. Cuando la presión suba por encima de 60 psi, la señal automática se levantará y desaparecerá de su vista. El tipo manual de reposicionamiento debe colocarse en la posición "oculto" manualmente. Tenga en cuenta que no quedará en su lugar hasta que la presión del sistema esté por encima de 60 psi.

En autobuses grandes es común que los dispositivos de advertencia de baja presión muestren la señal cuando la presión llega a 80 u 85 psi.

5.1.12 – Interruptor de la luz de freno

Es necesario que los conductores que viajan detrás de su vehículo sepan que usted va a frenar. El sistema de frenos de aire hace esto mediante un interruptor eléctrico que funciona con presión de aire y que hace que las luces de freno se enciendan cuando usted pisa los frenos de aire.

5.1.13 – Válvula limitante del freno delantero

Algunos vehículos más viejos (fabricados antes de 1975), tienen una válvula limitadora del freno delantero y un control en la cabina. El control por lo general tiene dos marcas: normal (*normal*) y resbaloso (*slippery*). Cuando se coloca el control en la posición de resbaloso, la válvula limitante corta a la mitad la presión de aire normal de los frenos delanteros. Estas válvulas se utilizaban para disminuir el riesgo de que las ruedas delanteras patinaran en superficies resbalosas. Sin embargo, lo que en realidad hacen es reducir la capacidad de frenado del vehículo. El frenado de las ruedas delanteras es bueno en cualquier circunstancia. Se han realizado pruebas que demuestran que es improbable que las ruedas delanteras patinen debido al frenado aun sobre hielo. Para tener capacidad normal de frenado, asegúrese de que el control esté en la posición "normal".

Muchos vehículos tienen válvulas limitantes automáticas en las ruedas delanteras, que disminuyen la cantidad de aire que se aplica a los frenos delanteros, excepto cuando son ejercidos con una presión de 60 psi o mayor. Estas válvulas no pueden ser controladas por el conductor.

5.1.14 – Frenos de resorte

Todos los camiones, tractores de camión y autobuses deben estar equipados con frenos de emergencia y frenos de estacionamiento, que deben sostenerse mediante fuerza mecánica, ya que la presión de aire puede con el tiempo sufrir una fuga. Para ello, por lo general se utilizan frenos de resorte. Durante la conducción, la presión de aire retiene a los potentes resortes. Si la presión desaparece, los resortes accionan los frenos. Un control para el freno de estacionamiento ubicado en la cabina permite que el conductor libere el aire de los frenos de resorte, lo cual hace que los resortes apliquen los frenos. Una fuga en el sistema de frenos de aire que provoque la salida de todo el aire también hará que los resortes apliquen los frenos.

Los frenos de resorte de los tractores y camiones sencillos se aplican totalmente cuando la presión de aire desciende hasta un valor de entre 20 y 45 psi (normalmente entre 20 y 30 psi). No espere a que los frenos se apliquen automáticamente. Apenas suene el zumbador y se encienda la luz indicadora de baja presión de aire, detenga inmediatamente el vehículo en forma segura mientras todavía pueda controlar los frenos.

La potencia de frenado de los frenos de resorte depende de que estén correctamente ajustados. Si no lo están, ni los frenos regulares ni los de emergencia o estacionamiento funcionarán correctamente.

5.1.15 – Controles del freno de estacionamiento

En vehículos más nuevos que cuentan con frenos de aire, los frenos de estacionamiento se aplican mediante una perilla de control amarilla en forma de rombo que se puede empujar y jalar. Para aplicar los frenos de estacionamiento (frenos de resorte) jale la perilla hacia fuera. Para quitarlos, empújela. En vehículos más viejos, es posible que los frenos de estacionamiento se controlen por medio de una palanca. Siempre que estacione, use los frenos de estacionamiento.

Precaución. Nunca pise el pedal de freno cuando los frenos de resorte estén puestos. Si lo hace, las fuerzas combinadas de los resortes y la presión de aire pueden dañar los frenos. Muchos sistemas de freno, aunque no todos, están diseñados de forma tal que esto no ocurra, y aun aquéllos que sí lo están pueden fallar. Es mucho mejor acostumbrarse a no presionar el pedal de freno cuando los frenos de resorte estén puestos.

Válvulas moduladoras de control. En algunos vehículos los frenos de resorte se pueden aplicar gradualmente mediante una manija de control que está ubicada en el tablero de instrumentos. Se la denomina válvula moduladora y funciona con un resorte que le permite al conductor sentir la acción de frenado. Cuanto más mueva la palanca de control, mayor será la fuerza con que se apliquen los frenos. Funcionan de esta manera para que usted pueda controlar los frenos de resorte si fallan los de servicio. Cuando estacione un vehículo con válvula moduladora de control, lleve la palanca hasta el máximo de su recorrido y manténgala en ese lugar con el dispositivo de cierre.

Válvulas duales de control de estacionamiento. Cuando se pierde la presión principal de aire, se aplican los frenos de resorte. Algunos vehículos, como los autobuses, tienen tanques de aire separados que pueden ser utilizados para soltar los frenos de resorte y poder mover el vehículo en una emergencia. Una de estas válvulas es del tipo de empujar y jalar y se utiliza para aplicar los frenos de resorte al estacionar. La otra válvula está provista de un resorte en la posición de "fuera" (*out*). Cuando usted empuja el control hacia adentro, el aire del otro tanque suelta los frenos de resorte para que usted pueda mover el vehículo. Cuando suelta el botón, los frenos de resorte vuelven a accionarse. En el tanque que está aparte hay aire suficiente sólo para repetir esta operación unas pocas veces. Por eso, debe planificar con cuidado cómo avanzar. De lo contrario puede quedarse parado en un sitio peligroso cuando el suministro de aire independiente se agote. Ver la figura 5.3.

FUNCIONAMIENTO DE LA VÁLVULA DE PROTECCIÓN DEL TRACTOR Y DEL FRENO DE EMERGENCIA DEL REMOLQUE

Válvula de protección del tractor
- Provee el suministro de aire
- Se cierra automáticamente si disminuye el suministro de aire durante la conducción

Si se aplican los frenos de estacionamiento, se cierra la válvula de protección del tractor y se aplican los frenos de resorte al mismo tiempo

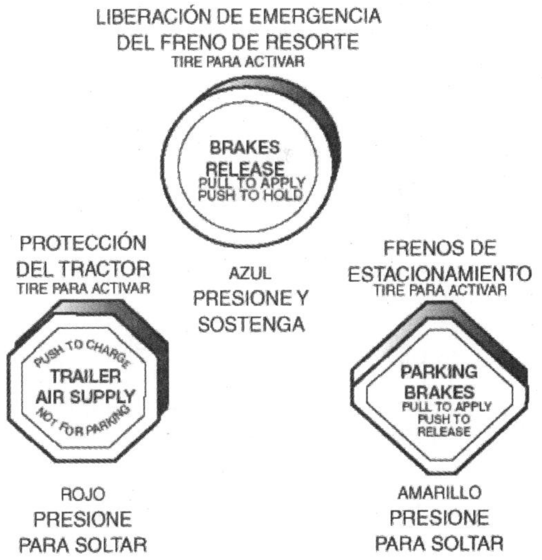

LIBERACIÓN DE EMERGENCIA DEL FRENO DE RESORTE
TIRE PARA ACTIVAR

BRAKES RELEASE
PULL TO APPLY
PUSH TO HOLD

PROTECCIÓN DEL TRACTOR
TIRE PARA ACTIVAR

AZUL
PRESIONE Y SOSTENGA

FRENOS DE ESTACIONAMIENTO
TIRE PARA ACTIVAR

PUSH TO CHARGE
TRAILER AIR SUPPLY
NOT FOR PARKING

PARKING BRAKES
PULL TO APPLY
PUSH TO RELEASE

ROJO
PRESIONE PARA SOLTAR

AMARILLO
PRESIONE PARA SOLTAR

Figura 5.3

5.1.16 – Sistemas antibloqueo de frenos (ABS)

Los frenos con sistema antibloqueo son obligatorios para los tractores de camiones equipados con frenos de aire, fabricados a partir del 1° de marzo de 1997, y para otros vehículos con frenos de aire (camiones, autobuses, remolques y plataformas de conversión), fabricados a partir del 1° de marzo de 1998. Muchos vehículos comerciales fabricados antes de estas fechas han sido equipados con sistemas ABS de freno por los propietarios. Busque la fecha de fabricación en la etiqueta de certificación del vehículo para determinar si está equipado con ABS. Éste es un sistema computarizado que evita que las ruedas se bloqueen cuando se aplica bruscamente el freno.

Los vehículos con ABS tienen un indicador amarillo en el tablero que indica fallas de funcionamiento.

Los tractores, camiones y autobuses tienen lámparas amarillas en el tablero de instrumentos que indican fallas de funcionamiento del sistema ABS.

Los remolques tienen lámparas amarillas que indican fallas de funcionamiento del sistema ABS sobre el lado izquierdo, en el extremo delantero o trasero. Las plataformas de conversión fabricadas a partir del 1º de marzo de 1998 tienen una lámpara sobre el lado izquierdo.

En los vehículos nuevos, este indicador se enciende momentáneamente durante el arranque para verificar que la luz funcione, y luego se apaga rápidamente. En los sistemas más viejos, el indicador puede permanecer encendido hasta tanto el vehículo supere las 5 millas (8 km) por hora.

Si el indicador permanece encendido luego de la verificación de funcionamiento de la lámpara y se enciende durante el recorrido, tal vez haya perdido control antibloqueo en una o más ruedas.

En el caso de unidades remolcadas fabricadas antes de que este sistema fuera exigido por el Departamento de Transporte, puede ser difícil determinar si están equipadas con sistema ABS. Busque la unidad de control electrónico (ECU) debajo del vehículo y los cables del sensor de velocidad de las ruedas que salen por detrás de los frenos.

El sistema ABS es un complemento de los frenos comunes; no aumenta ni disminuye la capacidad de frenado normal del vehículo y se activa cuando las ruedas están próximas a bloquearse.

El sistema no necesariamente acorta la distancia de frenado pero sí ayuda a controlar el vehículo cuando usted frena bruscamente.

Apartado 5.1
Ponga a prueba sus conocimientos

1. ¿Por qué se deben drenar los tanques de aire?
2. ¿Para qué se usa el medidor de suministro de presión?
3. Todos los vehículos equipados con frenos de aire deben tener una señal indicadora de baja presión de aire. ¿Verdadero o falso?
4. ¿Qué son los frenos de resorte?
5. Los frenos de las ruedas delanteras funcionan bien en todas las circunstancias. ¿Verdadero o falso?
6. ¿Cómo sabe si su vehículo está equipado con frenos antibloqueo?

Estas preguntas pueden aparecer en la prueba. Si no puede responderlas a todas, relea el apartado 5.1.

5.2 – Sistemas duales de frenos de aire

Por razones de seguridad, la mayoría de los vehículos pesados utilizan sistemas duales de frenos de aire. Este tipo de frenos tiene dos sistemas de frenos de aire separados, que usan un solo juego de controles. Cada sistema tiene sus propios tanques de aire, mangueras, cables de frenos, etc. Uno de los sistemas normalmente hace funcionar los frenos regulares del eje o los ejes traseros, mientras que el otro hace funcionar los frenos regulares del eje delantero (y posiblemente los de un eje trasero). Ambos sistemas suministran aire al remolque (si lo hay). El primer sistema se llama sistema primario y el otro, sistema secundario. Ver la figura 5.4.

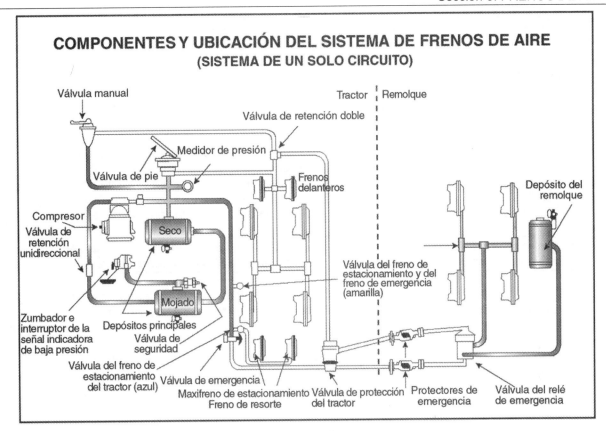

COMPONENTES Y UBICACIÓN DEL SISTEMA DE FRENOS DE AIRE
(SISTEMA DE UN SOLO CIRCUITO)

Figura 5.4

Antes de manejar un vehículo equipado con sistema dual de frenos de aire, debe darle tiempo al compresor para acumular un mínimo de 100 psi tanto en el sistema primario como en el secundario. Observe los medidores de presión de aire primario y secundario (o las agujas, si el sistema tiene dos agujas en un solo medidor). Preste atención al zumbador y a la luz indicadora de baja presión de aire. Ambas señales de advertencia deben apagarse cuando la presión de aire de los dos sistemas llega al valor establecido por el fabricante. Este valor debe ser mayor que 60 psi.

En ambos sistemas, el zumbador y la luz indicadora deben encenderse antes de que la presión de aire caiga por debajo de 60 psi. Si esto ocurre mientras está conduciendo, debe detenerse de inmediato y estacionar el vehículo de manera segura. Si uno de los sistemas de aire tiene muy baja presión, los frenos delanteros o los traseros no funcionarán bien y necesitará más tiempo para detenerse. Detenga el vehículo de manera segura y haga reparar el sistema de frenos de aire.

5.3 – Inspección de los sistemas de frenos de aire

Para inspeccionar el vehículo, debe seguir el procedimiento básico de inspección de siete pasos detallado en la sección 2. En un vehículo con frenos de aire deberá inspeccionar más elementos que en uno que no los tiene. A continuación se tratan estos elementos, en un orden que se corresponde con el del método de siete pasos.

5.3.1 – Durante el paso 2, Inspección del compartimiento del motor

Examine la correa de transmisión del compresor de aire. Si el compresor funciona con correa revise el estado y la tensión para asegurar un correcto funcionamiento.

5.3.2 -Durante el paso 5, Inspección visual alrededor del vehículo

Revise los reguladores de los frenos de excéntrica en "S". Estacione sobre terreno plano y calce las ruedas para evitar que el vehículo se mueva. Desactive los frenos de estacionamiento para poder mover los reguladores. Use guantes y jale con fuerza cada regulador que pueda alcanzar. Si un regulador se mueve más de una pulgada (2.54 cm) en el lugar donde se une a la varilla de empuje, es probable que necesite ser ajustado. Ajústelo usted mismo o hágalo ajustar. Puede ser muy difícil detener un vehículo que tenga mucho juego en los frenos. El problema más común que se encuentra al realizar inspecciones en la carretera es el incorrecto ajuste de los frenos. Cuide su seguridad. Examine los reguladores.

Todos los vehículos fabricados a partir de 1991 tienen reguladores automáticos. Si bien los reguladores automáticos se autoajustan al aplicarse los frenos, debe examinarlos.

Los reguladores automáticos <u>no</u> necesitan ser ajustados en forma manual excepto cuando se realiza mantenimiento en los frenos y durante la instalación de los reguladores. En un vehículo equipado con reguladores automáticos, si el recorrido de la varilla de empuje supera el límite de ajuste exigido es probable que haya un problema mecánico en el regulador, un problema relacionado con los componentes del freno de base o que el regulador no esté instalado correctamente.

El ajuste manual de los reguladores automáticos es peligroso porque le puede dar al conductor una falsa sensación de seguridad con respecto a la eficacia del sistema de frenos.

El ajuste manual de un regulador automático para ajustar el recorrido de la varilla de empuje a los límites exigidos generalmente oculta y no repara un problema mecánico. Además, es probable que el ajuste de rutina de la mayoría de los reguladores automáticos provoque el desgaste prematuro del propio regulador. Se recomienda que cuando los frenos equipados con reguladores automáticos no estén correctamente ajustados, el conductor lleve el vehículo a un taller de reparaciones tan pronto como sea posible para solucionar el problema.

El ajuste manual de un regulador automático sólo debe realizarse como medida provisoria para solucionar una situación de emergencia, ya que es probable que el freno pronto vuelva a salir de su punto de ajuste dado que por lo general este procedimiento no repara el problema subyacente.

(Importante: Los reguladores automáticos son producidos por diferentes fabricantes y no todos funcionan de la misma manera. Consulte el manual de servicio de cada fabricante antes de intentar resolver un problema de ajuste de los frenos).

Revise los tambores (o discos), el revestimiento y las mangueras de los frenos. Los tambores (o discos) de los frenos no deben tener grietas más largas que la mitad del ancho del área de fricción. El revestimiento (material de fricción) no debe estar suelto ni impregnado con aceite ni grasa. Tampoco debe estar gastado al punto que represente un peligro. Verifique que no falten piezas mecánicas y que todas estén bien colocadas y no presenten daños. Examine las mangueras de aire conectadas a las recámaras de los frenos para asegurarse de que no estén cortadas ni gastadas por el roce.

5.3.3 – Paso 7, Inspección final de los frenos de aire

Realice las siguientes inspecciones en lugar de la inspección de frenos hidráulicos explicada en el paso 7 de la sección 2 sobre el sistema de frenos.

Pruebe la señal indicadora de baja presión. Apague el motor cuando tenga suficiente presión de aire, de manera que la señal indicadora de baja presión no esté encendida. Encienda la corriente eléctrica y pise y suelte el pedal de freno para reducir la presión del tanque de aire. La señal indicadora de baja presión de aire debe encenderse antes de que la presión baje a menos de 60 psi en el tanque de aire (o en el tanque con menor presión si se trata de sistemas duales de frenos de aire). Ver la figura 5.5.

Si la señal indicadora no funciona, el sistema podría perder presión de aire sin que usted se dé cuenta. Si tiene un sistema de aire de circuito único, esto podría causar un frenado de emergencia repentino. En los sistemas duales se aumentará la distancia necesaria para detenerse. Sólo puede lograrse un frenado limitado antes de que los frenos de resorte se apliquen.

Verifique que los frenos de muelle se activen automáticamente. Continúe pisando y soltando el pedal de freno para eliminar presión de aire y reducir la presión del tanque. La válvula de protección del tractor y la válvula del freno de estacionamiento deben cerrarse (saltar) en un vehículo combinado de tractor con remolque, y en otros tipos de vehículos sencillos y de combinación la válvula del freno de estacionamiento debe cerrarse (saltar) cuando la presión del aire cae hasta el nivel indicado por el fabricante (generalmente entre 20 y 45 psi). Esta acción hará que los frenos de resorte se apliquen.

Verifique el índice de aumento de la presión de aire. Cuando el motor esté en su nivel operativo de revoluciones por minuto, la presión debería subir de 85 a 100 psi en 45 segundos en los sistemas duales de aire. (Si el vehículo tiene tanques de aire más grandes que los de tamaño mínimo, el tiempo de aumento puede ser más mayor, aunque igualmente seguro. Repase las especificaciones del fabricante). En sistemas sencillos de aire (anteriores a 1975), normalmente se exige que la presión aumente hasta un valor de entre 50 y 90 psi en 3 minutos con el motor al ralentí con 600 a 900 revoluciones por minuto.

Si la presión de aire no aumenta lo suficientemente rápido, puede caer mucho durante la conducción y tal vez sea necesario hacer una parada de emergencia. No conduzca hasta tanto el problema esté reparado.

Verifique el índice de fuga de aire. Con un sistema de aire completamente cargado (normalmente con 125 psi de presión), apague el motor, suelte el freno de estacionamiento y controle el tiempo del descenso de la presión de aire. El índice de pérdida debe ser menor que 2 psi en un minuto para vehículos sencillos y menor que 3 psi en un minuto para vehículos de combinación. Luego aplique 90 psi de presión o más con el pedal de freno. Después del descenso inicial de presión, si la presión de aire disminuye más de 3 psi en un minuto para vehículos sencillos (más de 4 psi para vehículos de combinación), significa que el índice de pérdida de aire es demasiado alto. Verifique que no haya fugas de aire y si las hay, arréglelas antes de conducir el vehículo. De lo contrario, podría quedarse sin frenos mientras va manejando.

DISPOSITIVOS DE ADVERTENCIA DE BAJA PRESIÓN DE AIRE

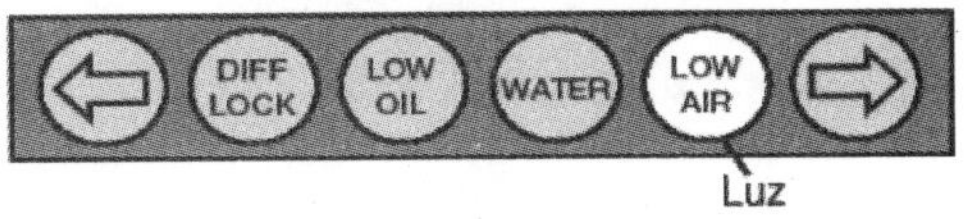

Luz

SEÑAL INDICADORA DE BAJA PRESIÓN

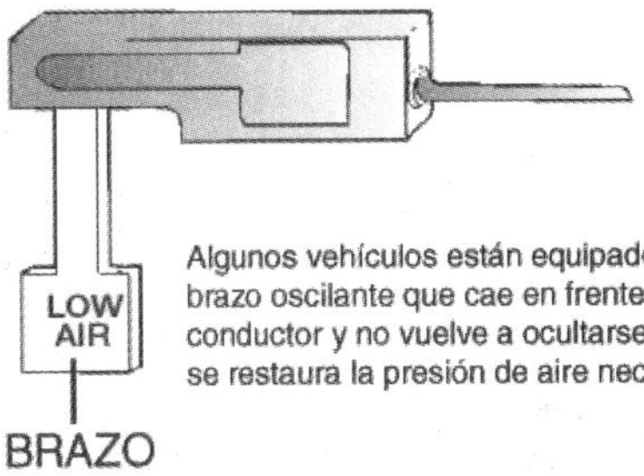

Algunos vehículos están equipados con un brazo oscilante que cae en frente del conductor y no vuelve a ocultarse hasta que se restaura la presión de aire necesaria.

LOW AIR

BRAZO OSCILANTE

Figura 5.5

Verifique las presiones de corte y de bombeo del gobernador del compresor de aire. El bombeo del compresor de aire debe comenzar a unas 100 psi y detenerse en 125 psi aproximadamente. (Repase las especificaciones del fabricante.) Haga funcionar el motor a un régimen de ralentí rápido. El gobernador de aire debe cortar al compresor cerca de la presión especificada por el fabricante. La presión de aire señalada por los medidores dejará de subir. Con el motor al ralentí, pise y suelte el freno para reducir la presión del tanque de aire. El compresor debe cortar más o menos a la presión indicada por el fabricante. La presión debe comenzar a subir.

Si el gobernador de aire no funciona como se describió anteriormente, es posible que necesite reparaciones. Si el gobernador que no funciona correctamente no podrá mantener la presión de aire necesaria para manejar con seguridad.

Pruebe el freno de estacionamiento. Detenga el vehículo, ponga el freno de estacionamiento y trate de avanzar suavemente en una marcha baja para comprobar si el freno de estacionamiento resiste.

Pruebe los frenos de servicio. Espere hasta obtener una presión de aire normal, suelte el freno de estacionamiento, mueva el vehículo hacia delante lentamente (a unas 5 mph u 8 km/h) y aplique los frenos con firmeza usando el pedal de freno. Observe si el vehículo "tira" hacia uno u otro lado, si tarda en detenerse o si lo siente diferente. Esta prueba puede indicar la existencia de problemas que de otra manera no podría detectar hasta que fuera necesario usar los frenos en la carretera.

Apartados 5.2 y 5.3
Ponga a prueba sus conocimientos

1. ¿Qué es un sistema dual de frenos de aire?
2. ¿Qué son los reguladores?
3. ¿Cómo puede revisar los reguladores?
4. ¿Cómo puede probar la señal indicadora de baja presión?
5. ¿Cómo puede verificar que los frenos de resorte se activen automáticamente?
6. ¿Cuáles son los índices máximos de fuga?

Estas preguntas pueden aparecer en la prueba. Si no puede responderlas a todas, relea las secciones 5.2 y 5.3.

5.4 – Uso de los frenos de aire

5.4.1 – Frenado normal

Presione el pedal de freno. Controle la presión para que el vehículo se detenga de manera suave y segura. Si su vehículo tiene transmisión manual, no presione el embrague hasta que las revoluciones por minuto del motor estén cerca del régimen de ralentí. Cuando se detenga, seleccione una marcha para avanzar.

5.4.2 – Cómo frenar con frenos antibloqueo

Cuando frena bruscamente en superficies resbalosas a bordo de un vehículo sin ABS, las ruedas de dirección se pueden bloquear y usted podría perder el control del vehículo. Cuando las otras ruedas se bloquean, el vehículo puede patinar, plegarse o incluso hacer un trompo.

El sistema ABS ayuda a evitar que las ruedas se bloqueen. La computadora detecta el bloqueo inminente y reduce la presión de frenado hasta un nivel seguro para que usted pueda mantener el control del vehículo. Con el sistema ABS, tal vez no pueda frenar en una distancia menor que con el sistema tradicional, pero sí debería poder maniobrar y esquivar obstáculos mientras frena, y evitar patinar como consecuencia del frenado excesivo.

Si tiene sistema ABS sólo en el tractor, en el remolque o incluso solamente en un eje, también tendrá mayor control sobre el vehículo durante el frenado. Frene normalmente.

Aun cuando sólo el tractor tenga sistema ABS, se puede mantener el control de la dirección y hay menos probabilidades de que el vehículo se pliegue. Pero esté atento al remolque y si éste comienza a desplazarse hacia los lados, suelte el pedal de freno (si puede hacerlo con seguridad).

Si sólo el remolque tiene sistema ABS, tendrá menos probabilidades de desplazarse lateralmente, pero si pierde el control de la dirección o el tractor empieza a plegarse, suelte el pedal de freno (cuando pueda hacerlo con seguridad) hasta que retome el control.

El procedimiento de frenado en vehículos de combinación de tractor con remolque equipados con ABS es idéntico al utilizado con los frenos tradicionales. Dicho de otra manera:

- Utilice la potencia de frenado que sea necesaria para detener el vehículo sin riesgos y mantenerlo bajo control.
- Frene siempre de la misma manera, independientemente de si el tractor, el remolque o ambas unidades cuentan con sistema ABS o no.
- A medida que reduzca la velocidad, esté atento al comportamiento del tractor y el remolque y, cuando sea seguro, vaya soltando el pedal de freno para mantener el vehículo bajo control.

Sólo hay una excepción a este procedimiento: si conduce un camión sencillo o un vehículo de combinación con sistema ABS en todos los ejes, ante una emergencia puede aplicar totalmente los frenos.

Aun cuando no funcionara el sistema ABS, las prestaciones normales de frenado permanecen intactas. Conduzca y frene como siempre lo ha hecho.

Recuerde que si el sistema ABS no funciona, los frenos tradicionales sí lo harán. Conduzca normalmente, pero repare pronto el sistema.

5.4.3 – Frenado de emergencia

Si de repente alguien se incorpora en su carril delante de usted, su respuesta natural es aplicar los frenos. Ésta es una buena respuesta si hay suficiente distancia para detenerse y si usa correctamente los frenos.

Debe frenar de modo que su vehículo se mantenga en línea recta y le permita virar si es necesario. Pude usar el método de "frenado controlado" o el de "frenado a golpes".

Frenado controlado. Con este método usted frena con la mayor intensidad posible sin bloquear las ruedas. Al hacerlo, los movimientos del volante deben ser mínimos. Si necesita hacer una maniobra más amplia o si las ruedas se bloquean, suelte los frenos y vuelva a frenar tan pronto como sea posible.

Frenado "a golpes".

- Aplique totalmente los frenos.
- Si las ruedas se bloquean, suelte los frenos.
- En cuanto las ruedas vuelvan a rodar, aplique totalmente los frenos nuevamente. (Las ruedas pueden demorar hasta un segundo para empezar a rodar después de que usted suelte los frenos. Si vuelve a accionar los frenos antes de que las ruedas comiencen a rodar, el vehículo no se mantendrá en línea recta).

5.4.4 – Distancia de parada

La distancia de parada fue explicada en la sección 2 bajo el título "Distancia de parada". En el caso de los frenos de aire hay una demora adicional: "Demora del freno". Este es el tiempo necesario para que los frenos funcionen después de haber pisado el pedal del freno. Con los frenos hidráulicos (utilizados en automóviles y camiones livianos o medianos) los frenos funcionan en forma instantánea. En el caso de los frenos de aire se necesita un tiempo mínimo (medio segundo o más) para que el aire pase por los ductos y llegue hasta los frenos. En consecuencia, la distancia total de parada para los vehículos con sistemas de frenos de aire consta de *cuatro* factores diferentes:

Distancia de percepción + distancia de reacción + distancia de demora del freno + distancia de frenado = distancia total de parada

La distancia de demora del freno de aire a 55 millas por hora (88 km/h) en pavimento seco agrega unos 32 pies (10 m). De modo que a 55 millas por hora, la distancia total de parada para un conductor promedio con un vehículo con buena tracción y frenos en buenas condiciones, es de más de 450 pies (137 m). Ver la figura 5.6.

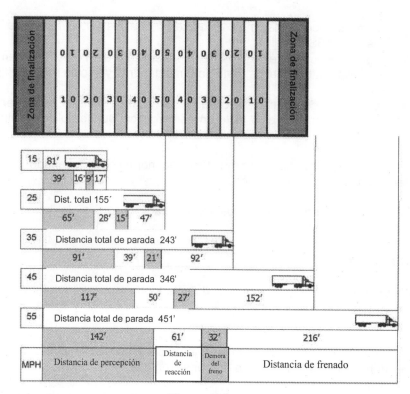

Figura 5.6

5.4.5 – Desvanecimiento o falla de los frenos

Los frenos están diseñados de modo que las zapatas o pastillas de freno hagan fricción con el tambor o los discos de freno para disminuir la velocidad del vehículo. El frenado genera calor, y los frenos están diseñados para resistir altas temperaturas. Sin embargo, cuando se los usa demasiado y no se recurre al efecto de frenado del motor, los frenos pueden desvanecerse o fallar por acción del calor excesivo.

La utilización excesiva de los frenos de servicio provoca sobrecalentamiento y disminuye la capacidad de frenado. El desvanecimiento de los frenos resulta del calor excesivo, que provoca una expansión de los tambores del freno y que origina cambios químicos en el revestimiento, lo cual reduce la fricción. A medida que los tambores sobrecalentados se expanden, las zapatas y el revestimiento tienen que moverse más lejos para hacer contacto con los tambores, lo cual reduce la fuerza del contacto. El uso excesivo puede aumentar el desvanecimiento de los frenos hasta un punto tal que ya no se pueda detener el vehículo ni reducir su velocidad.

La capacidad de los frenos también disminuye si no están ajustados correctamente. Para controlar el vehículo de forma segura, cada freno debe hacer su parte del trabajo. Los frenos que no estén bien ajustados dejarán de hacer su parte antes que aquéllos que estén correctamente ajustados. Los otros frenos podrían entonces recalentarse y desvanecerse y, en consecuencia, perder su capacidad para controlar el vehículo. Los frenos pueden desajustarse rápidamente, especialmente cuando se recalientan. Por eso, debe revisar su correcto ajuste con frecuencia.

5.4.6 – Técnica correcta de frenado

Recuerde: el uso de los frenos en pendientes largas o pronunciadas es sólo un complemento para el efecto de frenado del motor. Una vez que el vehículo está en la marcha baja apropiada, la técnica correcta de frenado es la siguiente:

1. Aplique los frenos con la fuerza suficiente para sentir una clara disminución de la velocidad.

2. Cuando la velocidad se haya reducido hasta aproximadamente 5 mph (8 km/h) por debajo de su velocidad "segura", suelte los frenos (esta aplicación de los frenos debería durar unos 3 segundos).

3. Cuando la velocidad aumente hasta su velocidad "segura", repita los pasos 1 y 2.

Por ejemplo, si su velocidad "segura" es de 40 m/h (64 km/h), no debe aplicar los frenos hasta que la velocidad llegue a 40 m/h (64 km/h). En ese momento, aplique los frenos lo suficiente para reducir gradualmente la velocidad a 35 m/h (56 km/h) y luego suéltelos. Repita esto con la frecuencia necesaria hasta que haya llegado al final de la pendiente.

5.4.7 – Baja presión de aire

Si se enciende la señal indicadora de baja presión de aire, deténgase y estacione su vehículo de manera segura tan pronto como sea posible, ya que podría haber una fuga de aire en el sistema. Tenga en cuenta que el frenado controlado sólo es posible cuando hay aire suficiente en los tanques de aire. Los frenos de resorte se activarán cuando la presión de aire descienda hasta un valor de entre 20 y 45 psi. Un vehículo con carga pesada necesitará una distancia mayor para detenerse porque los frenos de resorte no se aplican en todos los ejes. Los vehículos con carga ligera o los que circulan en carreteras resbalosas pueden patinar y perder el control cuando se activan los frenos de resorte. Es mucho más seguro parar mientras haya suficiente aire en los tanques para usar el pedal de freno.

5.4.8 – Frenos de estacionamiento

Siempre que estacione use los frenos de estacionamiento, excepto en los casos que se indican a continuación. Jale la perilla de control del freno de estacionamiento para accionar los frenos de estacionamiento y empújela para quitarlos. En los vehículos más nuevos, el control es una perilla o botón amarillo, en forma de rombo, rotulado "parking brakes" (frenos de estacionamiento). En vehículos más viejos puede ser una perilla o botón azul, redondo o con otra forma (incluso puede ser una palanca que se mueva lateralmente o de arriba hacia abajo).

No use los frenos de estacionamiento si los frenos están muy calientes (simplemente por haber bajado una cuesta empinada) o si los frenos están muy mojados en temperaturas de congelación. Si usa los frenos cuando están muy calientes, el calor puede dañarlos. Si los usa en temperaturas bajo cero cuando están muy mojados, pueden congelarse e impedir que el vehículo se mueva. Bloquee las ruedas para inmovilizar el vehículo. Antes de usar los frenos de estacionamiento, deje que se enfríen. Si están mojados, conduzca en una marcha baja y úselos suavemente para que se calienten y se sequen.

Si su vehículo no tiene drenajes automáticos de los tanques de aire, dréneles al final de cada día de trabajo para eliminar la humedad y el aceite. De lo contrario, podrían fallar.

Nunca deje solo su vehículo sin haber puesto los frenos de estacionamiento o haber bloqueado las ruedas, ya que el vehículo podría desplazarse y provocar lesiones y daños.

Apartado 5.4
Ponga a prueba sus conocimientos

1. ¿Por qué debe poner la marcha apropiada antes de comenzar a descender una pendiente?
2. ¿Qué factores pueden hacer que los frenos se desvanezcan o fallen?
3. El uso de los frenos en pendientes largas o pronunciadas es sólo un complemento para el efecto de frenado del motor. ¿Verdadero o falso?
4. Si se aleja del vehículo sólo por un momento, no es necesario que accione el freno de estacionamiento. ¿Verdadero o falso?
5. ¿Con qué frecuencia debe drenar los tanques de aire?
6. ¿Cómo debe frenar si conduce un vehículo de combinación de tractor con remolque equipado con ABS?
7. Si su sistema ABS no funciona, las prestaciones normales de frenado permanecen intactas. ¿Verdadero o falso?

Estas preguntas pueden aparecer en la prueba. Si no puede responderlas a todas, relea el apartado 5.4.

SECCIÓN 6
VEHÍCULOS DE COMBINACIÓN

Contenido de la sección

- **Conducción de vehículos de combinación**
- **Frenos de aire de vehículos de combinación**
- **Sistemas antibloqueo de frenos (ABS)**
- **Acople y desacople**
- **Inspección de vehículos de combinación**

Esta sección contiene la información necesaria para pasar las pruebas para vehículos de combinación (tractor-remolque, dobles, triples, camión y remolque sencillos). Esta información sólo le proporciona los conocimientos mínimos necesarios para manejar vehículos comunes de combinación. Si necesita pasar la prueba para dobles y triples, también deberá estudiar la sección 7.

6.1. – Conducción de vehículos de combinación

Por lo general, los vehículos de combinación son más pesados y más largos, y requieren más habilidad para manejar que los vehículos comerciales sencillos. Esto significa que los conductores de este tipo de vehículos necesitan más conocimientos y destreza que los conductores de vehículos sencillos. En esta sección tratamos algunos factores importantes de seguridad específicos para vehículos de combinación.

6.1.1 - Riesgo de vuelco

Más de la mitad de las muertes de conductores de camiones a causa de choques son provocadas por vuelcos del camión. Cuanto mayor es la carga de un camión, mayor es la distancia vertical del suelo a la cual se ubica el "centro de gravedad" y mayor también es el riesgo de volcar que tiene el camión. Las plataformas totalmente cargadas tienen diez veces más probabilidades de volcar en un choque que las que están vacías.

Tenga en cuenta estos dos consejos que le ayudarán a evitar un vuelco: mantenga la carga lo más cerca posible del suelo y tome las curvas muy despacio. Mantener la carga baja es aún más importante en vehículos de combinación que en camiones sencillos. Asimismo, recuerde mantener la carga bien centrada sobre la plataforma, ya que existen más probabilidades de volcar si la carga está más hacia un lado y hace que el remolque se incline. Asegúrese de que la carga de su vehículo esté centrada y distribuida de la mejor forma posible (la distribución de la carga se trata en la sección 3 de este manual).

Los vuelcos ocurren al doblar con demasiada velocidad. Vaya despacio en las esquinas y en las rampas de entrada o de salida. Evite cambiar rápidamente de carril, especialmente cuando vaya completamente cargado.

6.1.2 - Maniobre con cuidado

Los camiones con remolques producen un peligroso efecto de "latigazo", el cual puede hacer volcar el remolque cuando usted cambia rápidamente de carril. Hay muchos accidentes en los que vuelca sólo el remolque.

La "amplificación hacia atrás" provoca el efecto de latigazo. La figura 6.1 muestra ocho clases de vehículos de combinación y la amplificación hacia atrás que experimenta cada uno de ellos en un cambio rápido de carril. Las plataformas con el mínimo efecto de latigazo se muestran en la parte superior y las que producen el máximo efecto, en la parte inferior. La amplificación hacia atrás de 2.0 que se muestra en la tabla significa que el remolque trasero tiene el doble de probabilidades de volcar que el tractor. Observe que los triples tienen una amplificación hacia atrás de 3.5, lo cual significa que el último remolque de un triple tiene una probabilidad de volcar 3.5 veces mayor que un tractor-remolque de cinco ejes.

Maniobre con cuidado cuando lleve remolques, ya que si hace un movimiento repentino con el volante, el remolque puede volcar. Siga a otros vehículos con suficiente distancia (como mínimo un segundo por cada 10 pies o 3 metros de la longitud de su vehículo, a lo que sumará otro segundo si circula a más de 40 mph o 64 km/h). Mire hacia delante a suficiente distancia para evitar sorpresas y tener que hacer un cambio de carril repentino. De noche, maneje despacio para poder ver los obstáculos con las luces delanteras antes de que sea demasiado tarde para cambiar de carril o detenerse lentamente. Disminuya la velocidad hasta una velocidad segura antes de tomar una curva.

6.1.3 - Frene con tiempo

Controle la velocidad tanto si el vehículo está vacío como si está totalmente cargado. Los vehículos de combinación grandes necesitan más tiempo para detenerse cuando están vacíos que cuando están cargados por completo. Cuando los vehículos tienen una carga ligera, los resortes de la suspensión muy tensos y los potentes frenos producen una tracción deficiente y facilitan el bloqueo de las ruedas. El remolque puede irse para un lado lateralmente y golpear otros vehículos o el tractor puede rápidamente plegarse en ángulo sobre el remolque. Usted también debe ser muy cuidadoso al manejar tractores sin semirremolques. Las pruebas han demostrado que puede ser muy difícil detener lentamente este tipo de tractores, ya que necesitan más tiempo para detenerse que un tractor semirremolque cargado con el peso bruto máximo.

Con cualquier vehículo de combinación, deje bastante distancia de seguimiento y mire hacia delante lo más lejos que pueda para poder frenar con tiempo. No permita que nada lo tome por sorpresa y lo obligue a realizar una parada "de pánico".

INFLUENCIA DEL TIPO DE COMBINACIÓN EN LA AMPLIFICACIÓN HACIA ATRÁS

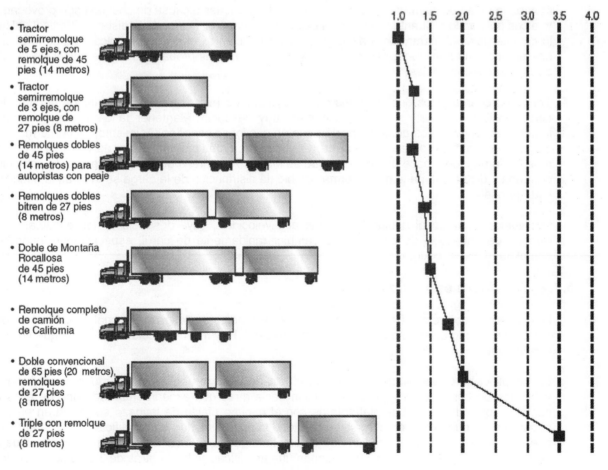

Figura 6.1 *

* *(Tomado de R.D. Ervin, R.L. Nisconger, C.C. MacAdam, y P.S. Fancher, en "Influence of size and weigh variables on the stabiliity and control properties of heavy trucks" (Influencia de las variables de tamaño y peso en las propiedades de estabilidad y control de camiones pesados). University of Michigan Transportation Research Institute, 1983).*

6.1.4 – Cruces de vías de ferrocarril

Los cruces de vías de ferrocarril también pueden causar problemas, especialmente cuando se tiran remolques que tienen poco espacio inferior libre.

Los siguientes remolques pueden quedar atascados en los cruces de vías de ferrocarril elevados:

- Unidades bajas (plataformas de transporte, transportadores de automóviles, camiones de mudanzas, remolques de dos pisos para transporte de ganado).
- Tractores de un solo eje que tiran un remolque largo con ruedas de soporte para cargar un tractor con ejes dobles.

Si por alguna razón se queda atascado en las vías, salga del vehículo y aléjese. Busque carteles indicadores o soportes con luces de señalización en los cruces a fin de obtener información para casos de emergencia. Llame al 911 o a otro número de emergencia e informe la ubicación del cruce de ferrocarril con todos los puntos de referencia identificables, especialmente el número del Departamento de Transporte (DOT) del vehículo si lo tiene.

6.1.5 – Prevea el patinar del remolque

Cuando las ruedas de un remolque se bloquean, el remolque tiende a desplazarse lateralmente. Es más probable que esto ocurra cuando el remolque esté vacío o con una carga ligera. Este tipo de pliegue suele llamarse "plegamiento transversal de remolque". *Ver la figura 6.2.*

El procedimiento para detener el patinar de un remolque es el siguiente:

Reconozca el patinazo. La mejor forma de reconocer con anticipación que el remolque ha comenzado a patinar es mirar por los espejos retrovisores. Siempre que pise con fuerza el freno, mire por los espejos para asegurarse de que el remolque esté en su lugar. Una vez que el remolque se desplaza lateralmente y se sale del carril, es muy difícil evitar un plegamiento transversal.

Suelte el freno. Suelte el freno para recuperar la tracción. No use el freno de mano del remolque (si lo tuviera) para "enderezar el vehículo". Ésta es una medida errónea puesto que lo que causó el patinaje en primer lugar fueron los frenos de las ruedas del remolque. Cuando las ruedas del remolque se agarren nuevamente a la superficie de la carretera, el remolque comenzará a seguir al tractor, y se enderezará.

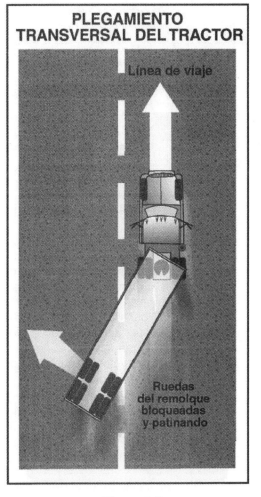

Figura 6.2

6.1.6 – Vire con amplitud

Cuando un vehículo da vuelta en una esquina, las ruedas traseras siguen un trayecto distinto que el que realizan las delanteras. Esto se conoce como desviarse o "hacer trampa". La *figura 6.3* muestra cómo el desvío hace que el trayecto que sigue el tractor es más amplio que el de la plataforma misma. Los vehículos más largos se desviarán más. Las ruedas traseras de la unidad remolcadora (camión o tractor) se desviarán un poco y las ruedas traseras del remolque se desviarán aún más. Si hay más de un remolque, las ruedas traseras del último serán las que más se desvíen. Para virar en una esquina maniobre con suficiente amplitud como para que la parte posterior no se suba al bordillo, no arrolle peatones, etc. No obstante, mantenga la parte posterior cerca del bordillo. Esto evitará que otros conductores lo rebasen por la derecha. Si no puede completar el giro sin pasarse a otro carril, ábrase en el momento de completar el giro. Esto es mejor que desplazarse lateralmente hacia la izquierda antes de comenzar el giro porque así no permitirá que otros conductores lo pasen por la derecha. *Ver la figura 6.4.*

DESVIACIÓN EN UNA VUELTA DE 90º

Figura 6.3

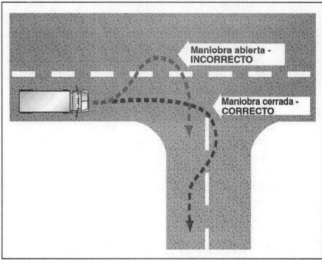

Figura 6.4

6.1.7 - Cómo retroceder con un remolque

Cómo retroceder con un remolque. Cuando retrocede con un automóvil, un camión sencillo o un autobús, usted mueve la parte superior del volante hacia la dirección que desea tomar. Pero cuando retrocede con un remolque, debe mover el volante en la dirección opuesta, y una vez que el remolque comience a doblar, debe girar el volante en sentido contrario para seguir la dirección del remolque.

Siempre que retroceda con un remolque, trate de posicionar el vehículo de modo que pueda retroceder en línea recta. Si debe retroceder en una curva, hágalo hacia el lado del conductor para poder ver mejor. *Ver la figura 6.5.*

Mire el trayecto que realizará. Mire el trayecto que seguirá antes de comenzar a mover el vehículo. Baje del vehículo y camine alrededor. Verifique el espacio libre vertical y hacia los costados, dentro de la zona del trayecto que realizará el vehículo.

Use los espejos de ambos lados. Mire frecuentemente por los espejos de ambos lados. Si todavía no está seguro, salga del vehículo y verifique su trayecto.

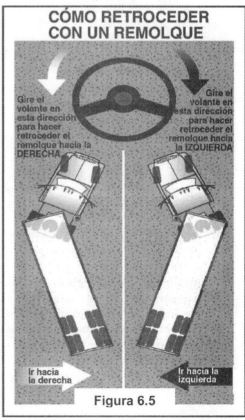

Figura 6.5

Retroceda lentamente. Esto le permitirá hacer las correcciones necesarias antes de desviarse demasiado de su trayecto.

Corrija los desvíos de inmediato. En cuanto observe que el remolque se sale del trayecto adecuado, corrija la dirección girando la parte superior del volante hacia el lado del desvío.

Avance. Cuando retroceda con un remolque, vuelva a avanzar las veces que sea necesario para volver a colocar el vehículo en la posición correcta.

Apartado 6.1
Ponga a prueba sus conocimientos

1. ¿Cuáles son los dos consejos que es importante seguir para evitar un vuelco?
2. Cuando lleva dobles y vira en forma repentina, ¿cuál de los remolques tiene más probabilidades de volcar?
3. ¿Por qué no debe usar el freno de mano del remolque para enderezar un remolque plegado transversalmente?
4. ¿Qué es la desviación?
5. Cuando retrocede con un remolque, debe posicionar su vehículo de modo tal de poder retroceder haciendo una curva hacia el lado del conductor. ¿Verdadero o falso?
6. ¿Qué tipo de remolques pueden quedar atascados en un cruce de vías de ferrocarril?

Estas preguntas pueden aparecer en la prueba. Si no puede responderlas a todas, relea el apartado 6.1.

6.2 - Frenos de aire de vehículos de combinación

Lea la sección 5 sobre frenos de aire antes de leer este apartado. En vehículos de combinación, el sistema de frenos además de las piezas mencionadas en la sección 5, tiene otras piezas que controlan los frenos del remolque y que se detallan a continuación.

6.2.1 - Válvula manual del remolque

La válvula manual del remolque (también llamada válvula del trole o barra Johnson) hace funcionar los frenos del remolque. Esta válvula sólo se debe usar para probar los frenos del remolque. No la use mientras maneja porque corre riesgo de hacer patinar el remolque. El freno de pie envía aire a todos los frenos del vehículo (incluidos los del remolque). Cuando se usa solamente el freno de pie, hay mucho menos riesgo de que el vehículo patine o se pliegue transversalmente.

Nunca use la válvula manual para estacionar porque se puede perder todo el aire y hacer que se suelten los frenos (en remolques que no tienen frenos de resorte). Siempre que estacione use los frenos de estacionamiento. Si el remolque no tiene frenos de resorte, bloquee las ruedas para inmovilizarlo.

6.2.2 - Válvula de protección del tractor

La válvula de protección del tractor conserva el aire en el sistema de frenos del tractor o el camión en caso de que el remolque se desenganche o tenga una fuga importante. La válvula de control de suministro de aire al remolque, que se encuentra en la cabina, controla la válvula de protección del tractor. Esta válvula de control le permite abrir y cerrar la válvula de protección del tractor, la cual se cerrará automáticamente si la presión de aire es baja (entre 20 y 45 psi). Cuando la válvula de protección del tractor se cierra, evita que el aire salga del tractor. Además, deja salir el aire de la línea de emergencia del remolque. Esto hace que se apliquen los frenos de emergencia del remolque y puede producir la pérdida del control del vehículo. (Los frenos de emergencia se tratarán más adelante).

6.2.3 - Control de suministro de aire al remolque

El control del suministro de aire al remolque en vehículos más nuevos es una perilla octogonal (de 8 lados) roja que se usa para controlar la válvula de protección del tractor. Empuje la perilla hacia adentro para suministrar aire al remolque y jálela hacia afuera para cerrar dicho suministro y aplicar los frenos de emergencia del remolque. La válvula saltará (para cerrar la válvula de protección del tractor) cuando la presión de aire descienda a un valor de entre 20 y 45 psi. Es posible que los controles de la válvula de protección del tractor, o de las válvulas de "emergencia" en vehículos más viejos, no funcionen automáticamente. También es posible que tengan una palanca en lugar de una perilla. La posición normal (*normal*) se usa para tirar un remolque y la posición de emergencia (*emergency*), para cerrar el paso de aire y aplicar los frenos de emergencia del remolque.

6.2.4 – Ductos de aire del remolque

Todo vehículo de combinación tiene dos ductos de aire: el de servicio y el de emergencia. Estos ductos pasan de un vehículo a otro (del tractor al remolque, del remolque a la plataforma, de la plataforma al segundo remolque, etc.).

Ducto de aire de servicio. El ducto de aire de servicio (también llamado ducto de control o línea de señal) lleva el aire, cuyo paso es controlado con el freno de pie o el freno de mano del remolque. La presión en el ducto de servicio cambiará según la presión que usted ejerza sobre el freno de pie o la válvula manual. El ducto de servicio está conectado con válvulas relé que permiten aplicar los frenos del remolque con mayor rapidez, lo cual no podría lograrse de otra manera.

Ducto de aire de emergencia. El ducto de emergencia (también llamado línea de suministro) tiene dos propósitos: suministrar aire a los tanques de aire del remolque y controlar los frenos de emergencia de los vehículos de combinación. La pérdida de presión de aire en los ductos de emergencia hace que los frenos de emergencia del remolque se apliquen. La causa de la pérdida de presión puede ser que el remolque se haya desenganchado y, en consecuencia, haya cortado el ducto de emergencia. También puede deberse a la rotura de una manguera, tubería metálica u otra pieza que haya dejado escapar el aire. Cuando el ducto de emergencia pierde presión, hace que la válvula de protección del tractor se cierre (la perilla de suministro de aire saltará).

Los ductos de emergencia por lo general están codificados con color rojo (mangueras, acoples u otras piezas de color rojo) para evitar que se los confunda con el ducto de servicio, que es de color azul.

6.2.5 - Acoples de mangueras (protectores)

Los "protectores" son dispositivos de acoplamiento que se usan para conectar los ductos de aire de servicio y de emergencia desde el camión o el tractor al remolque. Los acoples tienen una junta hermética de goma que evita que el aire escape. Limpie los acoples y las juntas de goma antes de realizar la conexión. Al conectar los acoples protectores, presione las dos juntas herméticas contra los acoples a un ángulo de 90 grados. Una vuelta del protector conectado a la manguera, unirá y trabará los acoples.

Al hacer el acople, asegúrese de conectar los acoples protectores apropiados. Para evitar errores se suelen usar colores. El azul se usa para los ductos de servicio y el rojo, para los de suministro de emergencia. A veces se colocan membretes metálicos en los ductos con las palabras "service" (servicio) o "emergency" (emergencia) impresos. *Ver la figura 6.6.*

Si usted invierte los ductos de aire, el suministro de aire

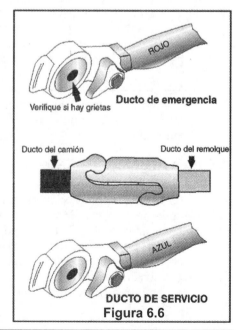

Verifique si hay grietas — **Ducto de emergencia**
Ducto del camión — Ducto del remolque
DUCTO DE SERVICIO
Figura 6.6

pasará al ducto de servicio en lugar de cargar los tanques de aire del remolque y no habrá aire disponible para soltar los frenos de resorte del remolque (frenos de estacionamiento). Si los frenos de resorte no se sueltan al presionar el control de suministro de aire del remolque, revise las conexiones del ducto de aire.

Los remolques más viejos no tienen frenos de resorte. Si ha habido una fuga completa en el tanque de aire del remolque, los frenos de emergencia no funcionarán y las ruedas del remolque girarán libremente. Si usted invierte los ductos de aire podrá conducir pero no tendrá frenos en el remolque, lo cual puede ser muy peligroso. Antes de manejar, siempre pruebe los frenos del remolque con la válvula manual o jalando el control del suministro de aire (válvula de protección del tractor). Trate de avanzar lentamente en una marcha baja para asegurarse de que los frenos funcionen.

Algunos vehículos tienen acoples "terminales" o falsos a los que se pueden conectar las mangueras cuando no están en uso. Esto evitará que entre agua o suciedad al acople y a los ductos de aire. Use los acoples falsos cuando los ductos de aire no estén conectados al remolque. Si no hay acoples falsos, a veces los acoples protectores se pueden unir entre sí (según el tipo de acople). Es muy importante mantener limpio el suministro de aire.

6.2.6 - Tanques de aire del remolque

Todos los remolques y plataformas de conversión tienen uno o más tanques de aire abastecidos por el ducto de (suministro de) emergencia del tractor. Estos tanques proveen la presión de aire que se usa para operar los frenos del remolque. Dicha presión se envía de los tanques de aire a los frenos mediante válvulas relé.

La presión del ducto de servicio le indica cuánta presión deben enviar las válvulas relé a los frenos del remolque. La presión en el ducto de servicio se controla con el pedal de freno (y con el freno de mano del remolque).

Es importante que no deje acumular agua ni aceite en los tanques de aire. De lo contrario, es probable que los frenos no funcionen correctamente. Cada tanque tiene una válvula de drenaje, y usted debe drenar los tanques diariamente. Si los tanques cuentan con drenajes automáticos, en general impedirán el ingreso de la humedad pero de todos modos usted debe abrir los drenajes para comprobarlo.

6.2.7 - Válvulas de cierre

Las válvulas de cierre (también llamadas llaves de corte) se usan en los ductos de aire de servicio y de suministro que se encuentran en la parte trasera de los remolques que tiran otros remolques. Estas válvulas permiten cerrar los ductos de aire cuando no se tira otro remolque. Compruebe que todas las válvulas de cierre estén en posición abierta (open), excepto aquéllas que están en la parte trasera del último remolque, las cuales deben estar cerradas (closed).

6.2.8 - Frenos de servicio, de estacionamiento y de emergencia del remolque

Los remolques más nuevos tienen frenos de resorte como los de los camiones y los tractores de camión. Sin embargo, no se exige que las plataformas de conversión y los remolques fabricados antes de 1975 cuenten con este tipo de frenos. Aquéllos que no tienen frenos de resorte cuentan con frenos de emergencia que funcionan con el aire almacenado en el tanque de aire del remolque. Los frenos de emergencia se aplican cuando el ducto de emergencia pierde presión de aire. Estos remolques no tienen freno de estacionamiento. Los frenos de emergencia se aplican cuando se jala hacia fuera la perilla de suministro de aire o cuando se desconecta el remolque. Una pérdida importante en el ducto de emergencia hará que se cierre la válvula de protección del tractor y se apliquen los frenos de emergencia del remolque. Pero los frenos se sostendrán siempre y cuando haya presión de aire en el tanque de aire del remolque. Llegará un momento en que el aire se fugará por completo y los frenos no funcionarán. Por eso es muy importante para su seguridad que utilice cuñas en las ruedas a fin de inmovilizar los remolques sin frenos de resorte cuando los estacione.

Es posible que usted no note una fuga importante en el ducto de servicio hasta que intente aplicar los frenos. En ese caso, la pérdida de aire producida por la fuga hará descender rápidamente la presión de aire del tanque, y si desciende hasta un determinado nivel, los frenos de emergencia del remolque se aplicarán.

Apartado 6.2
Ponga a prueba sus conocimientos

1. ¿Por qué no debe usar la válvula manual del remolque mientras maneja?
2. Explique qué función cumple el control del suministro de aire al remolque.
3. Explique para qué sirve el ducto de servicio.
4. ¿Para qué sirve el ducto de aire de emergencia?
5. ¿Por qué debe usar cuñas cuando estaciona un remolque sin frenos de resorte?
6. ¿Dónde se encuentran las válvulas de cierre?

Estas preguntas pueden aparecer en la prueba. Si no puede responderlas a todas, relea el apartado 6.2.

6.3 - Sistemas antibloqueo de frenos (ABS)

6.3.1 - Remolques que deben contar con ABS

Todos los remolques y plataformas de conversión fabricadas a partir del 1º de marzo de 1998 deben contar con sistema ABS. No obstante, muchas plataformas de conversión y remolques fabricados antes de esta fecha han sido equipados por los propietarios con sistemas ABS de frenos.

Los remolques tienen lámparas amarillas que indican fallas de funcionamiento del sistema ABS sobre el lado izquierdo, en el extremo delantero o trasero. *Ver la figura 6.7.* Las plataformas de conversión fabricadas a partir del 1º de marzo de 1998 deben tener una lámpara sobre el lado izquierdo.

En el caso de vehículos fabricados antes de que este sistema fuera exigido, puede ser difícil determinar si están equipados con sistema ABS. Busque debajo del vehículo la unidad de control electrónico y los cables del sensor de velocidad de las ruedas que salen por detrás de los frenos.

Figura 6.7

6.3.2 - Cómo frenar si tiene sistema ABS

El sistema ABS es un complemento de los frenos comunes. No aumenta ni disminuye la capacidad de frenado normal del vehículo, y se activa cuando las ruedas están próximas a bloquearse.
El sistema no necesariamente acorta la distancia de frenado pero sí ayuda a controlar el vehículo cuando usted frena bruscamente.

El sistema ABS ayuda a evitar que las ruedas se bloqueen. La computadora detecta el bloqueo inminente y reduce la presión de frenado hasta un nivel seguro para que usted pueda mantener el control del vehículo.

Si tiene sistema ABS sólo en el tractor o sólo en un eje, también tendrá mayor control sobre el vehículo al frenar.

Si sólo el remolque tiene sistema ABS, tendrá menos probabilidades de desplazarse lateralmente, pero si pierde el control de la dirección o el tractor empieza a plegarse, suelte el pedal de freno (cuando pueda hacerlo con seguridad) hasta que retome el control.

El procedimiento de frenado en vehículos de combinación de tractor con remolque equipados con ABS es idéntico al utilizado con los frenos tradicionales. Dicho de otra manera:

- Utilice la potencia de frenado que sea necesaria para detener el vehículo sin riesgos y mantenerlo bajo control.
- Frene siempre de la misma manera, independientemente de si el tractor, el remolque o ambas unidades cuentan con sistema ABS o no.
- A medida que reduzca la velocidad, esté atento al comportamiento del tractor y el remolque y, cuando sea seguro, vaya soltando el pedal de freno para mantener el vehículo bajo control.

Recuerde que si el sistema ABS no funciona, los frenos tradicionales sí lo harán. Conduzca normalmente, pero repare pronto el sistema.

El sistema ABS no le permite conducir a mayor velocidad, a una menor distancia de otros vehículos ni con menos cuidado.

6.4 - Acople y desacople

Es fundamental saber cómo acoplar y desacoplar correctamente y de forma segura los vehículos de combinación, ya que hacerlo de la manera incorrecta puede ser muy peligroso. A continuación se detallan los pasos generales para tareas de acople y desacople. Dado que hay diferencias según el tipo de equipo, usted debe aprender las características de dichas tareas que correspondan a los camiones que usted deberá manejar.

6.4.1 - Acople del tractor semirremolque

Paso 1. Inspeccione la quinta rueda

- Verifique que no haya piezas faltantes o dañadas.
- Verifique que el montaje al tractor sea seguro, que no haya grietas en la estructura, etc.
- Asegúrese de que el plato de la quinta rueda esté correctamente engrasado, ya que la falta de lubricación puede causar problemas en la dirección debido a la fricción entre el tractor y el remolque.
- Verifique que la quinta rueda esté en la posición correcta para el acople.

  ➢ Rueda inclinada hacia la parte trasera del tractor.
  ➢ Horquillas abiertas.
  ➢ Manija para quitar el cierre de seguridad en posición de cierre automático.
  ➢ Si usted tiene una quinta rueda corrediza, verifique que esté trabada.
  ➢ Asegúrese de que el pivote del remolque no esté doblado ni roto.

Paso 2. Inspeccione el área y ponga cuñas a las ruedas

- Asegúrese de que el área alrededor de su vehículo esté despejada.
- Verifique que las ruedas del remolque tengan cuñas o que los frenos de resorte estén puestos.
- Compruebe que la carga (si corresponde) esté correctamente amarrada para evitar el movimiento causado al acoplar el tractor con el remolque.

Paso 3. Coloque el tractor en la posición adecuada

- Ubique el camión directamente frente al remolque. (Nunca retroceda en ángulo bajo el remolque porque puede empujarlo hacia los lados y romper el tren de aterrizaje).
- Compruebe la posición utilizando los espejos exteriores, mirando hacia abajo a ambos lados del remolque.

Paso 4. Retroceda lentamente

- Retroceda hasta que la quinta rueda toque apenas el remolque.
- No golpee el remolque.

Paso 5. Asegure el tractor

- Ponga el freno de estacionamiento.
- Ponga la palanca de transmisión en punto muerto.

Paso 6. Revise la altura del remolque

- El remolque debe estar lo suficientemente bajo para que el tractor lo levante ligeramente cuando se meta en reversa debajo de él. Eleve o baje el remolque según sea necesario. (Si el remolque está demasiado bajo, el tractor puede golpear la parte delantera del remolque y dañarla, y si está demasiado alto es posible que no se acople correctamente).
- Verifique que el pivote y la quinta rueda estén alineados.

Paso 7. Conecte los ductos de aire al remolque

- Revise las juntas herméticas de los protectores y conecte el ducto de aire de emergencia del tractor al acople protector de emergencia del remolque.
- Revise las juntas herméticas de los protectores y conecte el ducto de aire de servicio del tractor al protector de servicio del remolque.
- Compruebe que los ductos de aire estén bien apoyados, de manera tal que no haya riesgo de que se aplasten o se prensen cuando el tractor retroceda para posicionarse debajo del remolque.

Paso 8. Suministre aire al remolque

- En la cabina, empuje hacia adentro la perilla de suministro de aire (*air supply*) o mueva el control de la válvula de protección del tractor de la posición de emergencia (*emergency*) a la posición normal (*normal*) para suministrar aire al sistema de frenos del remolque.
- Espere hasta que la presión de aire se normalice.
- Examine el sistema de frenos para corroborar que no hay líneas de aire entrecruzadas.

  ➢ Apague el motor para poder escuchar los frenos.
  ➢ Aplique y suelte los frenos del remolque y escuche el ruido de los frenos. Debería escuchar el movimiento de los frenos al aplicarlos y el escape de aire al soltarlos.
  ➢ Revise el indicador de presión del sistema de frenos de aire para detectar signos de pérdidas importantes de aire.

- Cuando esté seguro de que los frenos del remolque funcionan, ponga en marcha el motor.
- Asegúrese de que la presión de aire haya subido hasta el nivel normal.

Paso 9. Bloquee los frenos del remolque

- Jale hacia fuera la perilla de suministro de aire (*air supply*) o mueva el control de la válvula de protección del tractor de la posición normal (*normal*) a la de emergencia (*emergency*).

Paso 10. Retroceda para posicionarse debajo del remolque

- Utilice la marcha de reversa más baja.
- Mueva despacio en reversa el tractor hasta colocarlo debajo del remolque y evite golpear el pivote con demasiada fuerza.
- Cuando el pivote quede abrochado a la quinta rueda, pare.

Paso 11. Revise que la conexión sea segura

- Levante ligeramente del suelo el tren de aterrizaje del remolque.
- Haga avanzar suavemente el tractor con los frenos del remolque aún bloqueados para verificar que el remolque esté enganchado firmemente al tractor.

Paso 12. Asegure el vehículo

- Ponga la transmisión en punto muerto.
- Ponga los frenos de estacionamiento.
- Apague el motor y saque la llave para evitar que alguien mueva el camión mientras usted está debajo de él.

Paso 13. Inspeccione el acople

- Si es necesario, use una linterna de mano.
- Asegúrese de que no quede espacio entre el plato superior e inferior de la quinta rueda. Si queda espacio, algo está mal (tal vez el pivote esté por encima de las horquillas cerradas de la quinta rueda y el remolque se puede desprender fácilmente).
- Ubíquese debajo del remolque y mire la parte de atrás de la quinta rueda. Verifique que las horquillas de la quinta rueda se hayan cerrado alrededor de la espiga del pivote.
- Compruebe que la palanca de cierre esté en posición cerrada (*lock*).
- Compruebe que el pasador de seguridad esté sobre la palanca de cierre. (En algunos tipos de quintas ruedas se debe colocar el pasador manualmente.)
- Si el acople no está bien hecho, no maneje la unidad acoplada; hágala reparar.

Paso 14. Conecte el cordón eléctrico y revise los ductos de aire

- Enchufe el cordón eléctrico al remolque y sujete el retén de seguridad.
- Revise los dos ductos de aire y la línea de electricidad para detectar la presencia de daños.
- Asegúrese de que ni los ductos de aire ni las líneas eléctricas se golpeen contra las piezas móviles del vehículo.

Paso 15. Levante los soportes delanteros (tren de aterrizaje) del remolque

- Utilice una gradación de bajo engranaje (si su equipo la tiene) para comenzar a levantar el tren de aterrizaje. Cuando libere el vehículo de ese peso, cambie a la gradación de engranaje alto.
- Levante totalmente el tren de aterrizaje. (Nunca conduzca con el tren de aterrizaje parcialmente levantado porque puede encajarse en vías de ferrocarril u otros objetos.)
- Después de levantar el tren de aterrizaje, asegure la manivela.
- Cuando todo el peso del remolque esté apoyado sobre el tractor:

  ➢ verifique que haya suficiente espacio entre la parte trasera de la carrocería del tractor y el tren de aterrizaje (cuando el tractor dé una vuelta pronunciada, no debe golpear el tren de aterrizaje);
  ➢ verifique que haya suficiente espacio entre la parte superior de las llantas del tractor y la punta delantera del remolque.

Paso 16. Quite las cuñas de las ruedas del remolque

- Quite las cuñas y guárdelas en un lugar seguro.

6.4.2. - Cómo desacoplar un tractor semirremolque

Los siguientes pasos le ayudarán a realizar el desacople de manera segura.

Paso 1. Coloque la unidad en la posición adecuada

- Asegúrese de que la superficie del área de estacionamiento pueda soportar el peso del remolque.
- Posicione el tractor en línea con el remolque. (Salirse en ángulo puede dañar el tren de aterrizaje).

Paso 2. Alivie la presión de las horquillas de cierre

- Desconecte el suministro de aire del remolque para bloquear los frenos.
- Retroceda lentamente para aliviar la presión sobre las horquillas de cierre de la quinta rueda. (Esto le ayudará a soltar la palanca de cierre de la quinta rueda.)
- Ponga los frenos de estacionamiento mientras el tractor esté haciendo presión contra el pivote. (De esta forma la plataforma no presionará las horquillas de cierre).

Paso 3. Bloquee las ruedas del remolque

- Si el remolque no tiene frenos de resorte o si usted no está seguro de que los tenga, bloquee las ruedas del remolque con cuñas. (Tenga en cuenta que el tanque de aire podría perder el aire y soltar los frenos de emergencia. Y sin las cuñas puestas, el remolque podría moverse.)

Paso 4. Baje el tren de aterrizaje

- Si el remolque está vacío, baje el tren de aterrizaje hasta que haga contacto firme con el piso.
- Si el remolque está cargado, después de que el tren de aterrizaje quede firmemente apoyado en el suelo, gire la manivela unas vueltas en un engranaje bajo. Esto aliviará un poco el peso del tractor. (No levante el remolque de la quinta rueda). Esto le permitirá:

  ➢ desenganchar más fácilmente la quinta rueda;
  ➢ realizar el acople con mayor facilidad la próxima vez.

Paso 5. Desconecte los ductos de aire y el cable eléctrico

- Desconecte los ductos de aire del remolque. Conecte los protectores del ducto de aire a los acoples falsos que se encuentran en la parte posterior de la cabina, o acóplelos entre sí.
- Cuelgue el cable eléctrico con el enchufe hacia abajo para evitar que le entre humedad.
- Asegúrese de que los ductos estén bien sujetados para que no sufran daños mientras maneje el tractor.

Paso 6. Quítele el cierre a la quinta rueda

- Levante el cierre de la manija de desbloqueo.
- Coloque la manija en la posición abierta (*open*).
- Mantenga las piernas y los pies lejos de las ruedas traseras del tractor para evitar lesiones graves en caso de que el vehículo se mueva.

Paso 7. Separe parcialmente el tractor del remolque

- Haga avanzar el tractor hacia delante hasta que la quinta rueda salga de abajo del remolque.
- Pare cuando la estructura del tractor esté debajo del remolque (así evitará que el remolque se caiga si el tren de aterrizaje se hundiera o plegara.

Paso 8. Asegure el tractor

- Ponga el freno de estacionamiento.

- Ponga la transmisión en punto muerto.

Paso 9. Inspeccione los soportes del remolque

- Asegúrese de que el piso sostenga al remolque.
- Verifique que el tren de aterrizaje no esté dañado.

Paso 10. Separe el tractor del remolque

- Suelte los frenos de estacionamiento.
- Examine el área y haga avanzar el tractor hasta que se separe del remolque.

Apartados 6.3 y 6.4
Ponga a prueba sus conocimientos

1. ¿Qué podría suceder si el remolque está demasiado alto cuando usted trata de acoplarlo?
2. ¿Cuánto espacio debe quedar entre el plato superior e inferior de la quinta rueda luego del acople?
3. Debe fijarse en la parte posterior de la quinta rueda para verificar si está bien sujeta al pivote. ¿Verdadero o falso?
4. Para manejar es necesario levantar el tren de aterrizaje sólo hasta que se separe apenas del pavimento. ¿Verdadero o falso?
5. ¿Cómo sabe si su remolque está equipado con frenos antibloqueo?

Estas preguntas pueden aparecer en la prueba. Si no puede responderlas a todas, relea los apartados 6.3 y 6.4.

6.5 - Inspección de vehículos de combinación

Para inspeccionar un vehículo de combinación utilice el procedimiento básico de inspección de siete pasos detallado en la sección 2. En un vehículo de combinación hay más elementos para inspeccionar que en uno sencillo (por ejemplo, llantas, ruedas, luces, reflectores, etc.). Pero además, hay nuevos elementos para revisar, los cuales se detallan a continuación.

6.5.1 - Elementos adicionales para revisar durante una inspección visual alrededor del vehículo

Realice estas inspecciones, además de las detalladas en la sección 2:

Áreas del sistema de acople

- Examine los siguientes elementos de la quinta rueda (inferior):
  - Debe estar firmemente montada a la estructura.
  - No debe tener piezas faltantes ni dañadas.
  - Debe estar bien engrasada.
  - No debe haber espacio visible entre la placa superior e inferior de la quinta rueda.
  - Las horquillas deben cerrarse alrededor de la espiga, no del cabezal del pivote. *Ver la figura 6.8.*
  - El brazo de desconexión debe estar correctamente asentado y el pasador de seguridad o cierre, puesto.

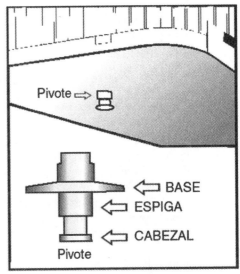

Figura 6.8

- Examine los siguientes elementos de la quinta rueda (superior).
  - ➤ El plato corredizo debe estar montado firmemente a la estructura del remolque.
  - ➤ El pivote no debe estar dañado.

- Examine los siguientes elementos de los ductos de aire y de las líneas de corriente al remolque.
  - ➤ El cordón eléctrico debe estar bien enchufado y asegurado.
  - ➤ Los ductos de aire deben estar debidamente conectados a los protectores, no deben tener fugas de aire y deben estar debidamente asegurados con suficiente holgura como para permitir virar.
  - ➤ Todas los ductos y cables deben estar sanos.

- Examine la quinta rueda corrediza.
  - ➤ La rueda corrediza no debe tener daños ni piezas faltantes.
  - ➤ Debe estar debidamente engrasada.
  - ➤ Las espigas de cierre deben estar correctamente sujetas en su lugar, y no debe faltar ninguna.
  - ➤ Si es activada por aire, no tiene que haber fugas de aire.
  - ➤ Verifique que la quinta rueda no esté muy adelante para evitar que la estructura del tractor golpee el tren de aterrizaje o que la cabina golpee contra el remolque en los giros.

Tren de aterrizaje

- Debe estar totalmente levantado, sin piezas faltantes, dobladas ni dañadas.
- La manivela debe estar en su lugar y asegurada.
- Si tiene mecanismo motorizado, no debe haber fugas de aire ni de líquidos.

6.5.2 – Revisión de los frenos de vehículos de combinación

Realice estas revisiones, además de las detalladas en la sección 5.3, Inspección de los sistemas de frenos de aire.

La siguiente sección explica cómo examinar los frenos de aire en vehículos de combinación. Realice la inspección de frenos de un remolque doble o triple como lo haría en cualquier vehículo de combinación.

Verifique que el aire pase a todos los remolques. Utilice el freno de estacionamiento del tractor o bloquee las ruedas con cuñas para inmovilizar el vehículo. Espere a que la presión se normalice y luego empuje hacia adentro la perilla roja de suministro de aire al remolque (*trailer air supply*). Esto enviará aire a los ductos (de suministro) de emergencia. Utilice el freno de mano del remolque para enviar aire al ducto de servicio. Diríjase a la parte trasera de la unidad y abra la válvula de cierre del ducto de emergencia que se encuentra en la parte posterior del último remolque. Debería escuchar aire saliendo, lo cual significa que todo el sistema está cargado. Cierre la válvula del ducto de emergencia y abra la válvula del ducto de servicio para verificar que la presión de servicio pase a todos los remolques, y luego cierre la válvula (para hacer esta prueba se supone que el freno de mano o el pedal de freno de servicio del remolque están puestos). Si usted NO escucha que el aire escapa de ambas líneas, verifique que las válvulas de cierre de los remolques y las plataformas estén en posición abierta (*OPEN*). Para que todos los frenos funcionen, TIENE que haber aire a lo largo de todo el ducto.

Pruebe la válvula de protección del tractor. Cargue el sistema de frenos de aire del remolque. Es decir, deje acumular la presión hasta el nivel normal y empuje hacia adentro la perilla de suministro de aire (*air supply*). Apague el motor. Pise y suelte el pedal de freno varias veces para reducir la presión de aire en los tanques. El control de suministro de aire del remolque (también denominado control de la válvula de protección del tractor) debe saltar (o pasar de la posición normal a la de emergencia [*emergency*]) cuando la presión de aire descienda a la escala de presión especificada por el fabricante. (Por lo general, entre 20 y 45 psi).

Si la válvula de protección del tractor no funciona correctamente, es posible que haya una fuga en la manguera de aire o en el freno del remolque, que esté drenando todo el aire del tractor. Esto puede hacer que se apliquen los frenos de emergencia del remolque y ocasionar una posible pérdida el control del vehículo.

Pruebe los frenos de emergencia del remolque. Cargue el sistema de frenos de aire del remolque y verifique que el remolque se mueva libremente. Luego pare y jale el control de suministro de aire del remolque (también llamado control de la válvula de protección del tractor o válvula de emergencia del remolque) o colóquelo en la posición de emergencia (*emergency*). Mueva suavemente el remolque con el tractor para comprobar que los frenos de emergencia del remolque estén puestos.

Pruebe los frenos de servicio del remolque. Compruebe si la presión de aire está en el nivel normal, suelte los frenos de estacionamiento, mueva el vehículo lentamente hacia delante y accione los frenos del remolque con el control manual (o válvula del trole), si lo tuviera. Debería sentir que los frenos se aplican, lo cual indica que los frenos del remolque están conectados y en funcionamiento. (Los frenos del remolque se deben probar con la válvula manual, pero se deben controlar durante la operación normal con el pedal de freno que aplica aire a los frenos de servicio de todas las ruedas).

Apartado 6.5
Ponga a prueba sus conocimientos

1. ¿Cuáles válvulas de cierre se deben estar abiertas y cuáles, cerradas?
2. ¿Cómo puede comprobar que el aire pase a todos los remolques?
3. ¿Cómo puede probar la válvula de protección del tractor?
4. ¿Cómo puede probar los frenos de emergencia del remolque?
5. ¿Cómo puede probar los frenos de servicio del remolque?

Estas preguntas pueden aparecer en la prueba. Si no puede responderlas a todas, relea el apartado 6.5.

SECCIÓN 7
DOBLES Y TRIPLES

Contenido de la sección

- **Remolque de dobles y triples**
- **Acople y desacople**
- **Inspección de dobles y triples**
- **Revisión de los frenos de aire en dobles y triples**

Esta sección contiene la información necesaria a fin de pasar la prueba de conocimientos para obtener la licencia de conductor comercial (LCC) y conducir vehículos con remolques dobles o triples de manera segura. Explica la importancia de conducir con mucha precaución cuando se lleva más de un remolque, la forma de acoplarlos y desacoplarlos correctamente y la manera de realizar una inspección cuidadosa de los dobles y triples. (Lea también las secciones 2, 5 y 6). Para poder conducir un equipo de dobles o triples, es obligatorio tener una licencia de conductor comercial clase "A" y una certificación para dobles/triples.

IMPORTANTE: *No se permite transitar con combinaciones de remolques triples en las carreteras de Nueva York. La certificación le permite llevar remolques triples sólo en aquellos estados donde la ley lo autorice.*

7.1 – Remolque de dobles y triples

Tome precauciones especiales cuando conduzca un vehículo con dos o tres remolques, ya que pueden presentarse más problemas. Además, los dobles o triples son menos estables que otros vehículos comerciales. A continuación se tratan algunos temas de interés.

7.1.1 - Evite que el remolque vuelque

Para evitar que los remolques vuelquen, debe maniobrar con cuidado y circular lentamente en curvas, rampas de entrada o salida, y también en las esquinas. La velocidad segura en una curva para un camión sencillo o para un vehículo de combinación con un solo remolque puede ser excesiva en el caso de un equipo de dobles o triples.

7.1.2 - Tenga cuidado con el efecto latigazo

Los dobles y triples tienen más probabilidades de volcar a causa del "efecto latigazo" que otros vehículos de combinación. Maniobre cuidadosamente cuando lleve remolques y tenga en cuenta que el último remolque de la combinación tiene más probabilidades de volcar. Si no comprende el efecto latigazo, lea el apartado 6.1.2 de este manual.

7.1.3 - Realice una inspección completa

Hay más piezas fundamentales para revisar en vehículos con dos o tres remolques. Revíselas a todas. Para ello, siga los procedimientos que se describen más adelante en esta sección.

7.1.4 – Vea lejos hacia adelante

Los dobles y los triples deben conducirse con mucho cuidado para evitar que vuelquen o se plieguen transversalmente. Por eso mire hacia delante tanto como sea posible para poder reducir la velocidad o cambiar de carril gradualmente cuando sea necesario.

7.1.5 – Maneje el espacio

Los dobles y triples ocupan más espacio que otros vehículos comerciales. No sólo son más largos sino que, además, necesitan más espacio porque no se los puede detener ni hacerlos virar bruscamente. Aumente la distancia que mantiene con el vehículo que va adelante (distancia de seguimiento) y asegúrese de tener suficiente espacio antes de entrar al tráfico o atravesarlo. Antes de cambiar de carril, verifique que ambos lados estén despejados.

7.1.6 - Condiciones desfavorables

Cuando conduzca dobles o triples con mal tiempo, carreteras resbalosas y en la montaña, debe ser especialmente cuidadoso y precavido. A diferencia de otros conductores, usted conducirá un vehículo de mayor longitud y con más ejes muertos para tirar con los ejes de potencia. Por lo tanto, hay más probabilidades de patinar o de perder tracción.

Aumente la distancia de seguimiento. Recuerde la regla de un segundo más uno al ir detrás de otros vehículos. Agregue un segundo por cada 10 pies (3 metros) de longitud de su vehículo. También deberá agregar un segundo cuando viaje a 40 mph (64 km/h) o más. Un vehículo de combinación de 100 pies (30 metros) de largo que viaja a 35 mph (56 km/h) necesita 10 segundos de distancia con el vehículo de adelante. A 45 mph (72 km/h), el mismo vehículo necesita 11 segundos.

Tome precauciones especiales en condiciones climáticas desfavorables. Debido a que las ruedas de tracción tiran vehículos de mayor longitud y con más ejes muertos, los dobles y triples pueden patinar y perder tracción con facilidad. En carreteras resbalosas deje mucho más espacio que el necesario en condiciones ideales. No utilice el freno de motor ni el retardador de velocidad, ya que pueden hacer que el vehículo pierda tracción. Recuerde la regla más importante al patinar: "restablecer la tracción de la llanta".

Tenga cuidado con los pliegues transversales. Si las ruedas de tracción de su tractor o las del remolque pierden tracción, el vehículo puede plegarse transversalmente. Cuando un juego de ruedas del remolque patina, éste se puede plegar y entonces usted debe restablecer la tracción de las llantas. Si no recuerda cómo retomar el control del vehículo al patinar, revise la sección 2.19.

Sea precavido al cambiar de carril. Además de maniobrar con cuidado, debe mirar con atención por los espejos después de hacer señales para cambiar de carril, después de haber comenzado el cambio y mientras lo completa. No cambie de carril cuando se encuentre cerca de rampas de entrada o salida, o de intersecciones.

Frene correctamente. Teniendo en cuenta que los dobles y triples son más largos y pesados, usted debe aplicar correctamente los frenos.

- En pendientes largas recuerde que debe avanzar con la lentitud necesaria como para que un frenado suave sea suficiente para evitar que la velocidad aumente. Nunca utilice sólo los frenos del remolque para controlar la velocidad.

- Recuerde que debe reducir la marcha hasta lograr una velocidad segura antes de tomar una curva, y luego debe acelerar levemente durante la curva.

- Cuando el vehículo esté vacío, recuerde que el bamboleo puede provocar una tracción deficiente y el bloqueo de las ruedas. Un camión vacío necesita más tiempo para parar que uno cargado.

- En situaciones de frenado de emergencia, use el método de frenado controlado o "a golpes" para detener el vehículo. Estos métodos le ayudarán a detener los dobles o triples en línea recta y evitar que se plieguen transversalmente. Si no recuerda los métodos de frenado controlado o "a golpes", revise la sección 2.17.2, Cómo detenerse con rapidez y seguridad.

- Recuerde que la velocidad aumenta la distancia de parada. Si la velocidad se duplica, la distancia de parada se incrementa cuatro veces. Se necesita el cuádruple de distancia para detenerse a 40 mph (64 km/h) que a 20 millas por hora (32 km/h).

7.1.7 - Estacionamiento del vehículo

Evite ingresar a un lugar donde luego deba maniobrar para salir. Tenga en cuenta cómo están organizados los sectores de estacionamiento para evitar que la salida sea lenta y complicada.

7.1.8 - Sistemas antibloqueo de frenos en plataformas de conversión

Las plataformas de conversión fabricadas a partir del 1º de marzo de 1998 deben contar con sistema de antibloqueo de frenos (ABS). Estas plataformas de conversión tienen una luz amarilla sobre el lado izquierdo.

7.2 – Acople y desacople

Es fundamental saber cómo acoplar y desacoplar correctamente y de forma segura los dobles y triples, ya que puede ser muy peligroso hacerlo de la manera incorrecta. A continuación se detallan los pasos para acoplar y desacoplar dobles y triples.

7.2.1 - Cómo acoplar remolques gemelos

Asegure el segundo remolque (trasero)

Si el segundo remolque no tiene frenos de resorte, conduzca el tractor hasta acercarlo al remolque, conecte el ducto de emergencia, cargue el tanque de aire del remolque y desconecte el ducto de emergencia. Esto activará los frenos de emergencia del remolque (si los reguladores están debidamente ajustados). Si tiene alguna duda respecto de los frenos, bloquee las ruedas.

PRECAUCIÓN: *Para manejar con el mayor nivel de seguridad en la carretera, el semirremolque con más carga debe ubicarse en la primera posición después del tractor y el que lleve la carga más ligera, atrás.*

El engranaje convertidor de una plataforma de conversión es un dispositivo de acople de uno o dos ejes con una quinta rueda, por medio del cual se puede acoplar un semirremolque a la parte posterior de una combinación de tractor con remolque, y formar un equipo doble.
Ver la figura 7.1.

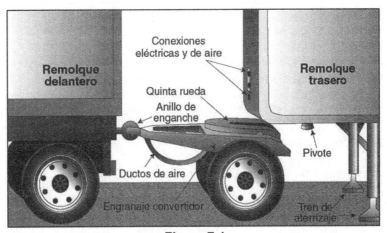

Figura 7.1

Posicione la plataforma de conversión delante del segundo remolque (trasero)

Suelte los frenos de la plataforma de conversión abriendo la llave de purga del tanque de aire. (O bien, si la plataforma tiene frenos de resorte, use el control de su freno de estacionamiento).

Si la distancia no es muy grande, haga rodar manualmente la plataforma para alinearla con el pivote.

O bien, use el tractor y el primer semirremolque para acercarla.

- Coloque la combinación tan cerca de la plataforma de conversión como sea posible.
- Mueva la plataforma hasta la parte trasera del primer semirremolque y acóplela a él.
- Cierre el gancho de seguridad.
- Asegure el sostén de la plataforma en posición levantada.
- Coloque la plataforma tan cerca de la parte delantera del segundo semirremolque como sea posible.
- Baje el sostén de la plataforma.
- Desenganche la plataforma de conversión del primer remolque.
- Haga rodar la plataforma de conversión para ubicarla delante del segundo remolque a fin de que esté en línea con el pivote.

Conecte la plataforma de conversión al remolque delantero

- Haga retroceder el primer semirremolque para ubicarlo delante de la lengüeta de la plataforma.
- Enganche la plataforma al remolque delantero.
  - ➢ Trabe el gancho de seguridad.
  - ➢ Asegure el sostén del engranaje de conversión en posición de levantado.

Conecte la plataforma de conversión al remolque trasero

- Verifique que los frenos del remolque estén bloqueados o que las ruedas estén bloqueadas con cuñas.
- Asegúrese de que el remolque esté a la altura adecuada. (Debe estar ligeramente más bajo que el centro de la quinta rueda, de manera que se eleve ligeramente cuando se empuje la plataforma para calzarla debajo del remolque).
- Haga retroceder la plataforma de conversión para que quede debajo del remolque trasero.
- Levante levemente del piso el tren de aterrizaje para prevenir daños en caso de que el remolque se moviera.
- Pruebe el acople jalando contra el pivote del segundo semirremolque.
- Realice una inspección visual del acople. (No debe haber espacio entre el plato superior e inferior de la quinta rueda. Las horquillas de seguridad deben estar cerradas sobre el pivote).
- Conecte las cadenas de seguridad, las mangueras de aire y los cordones de luz.
- Cierre la llave de purga del tanque de aire de la plataforma de conversión y las válvulas de cierre ubicadas en la parte posterior del segundo remolque (las de cierre de servicio y de emergencia).
- Abra las válvulas de cierre de la parte posterior del primer remolque (y de la plataforma de conversión, si las tuviera).
- Levante completamente el tren de aterrizaje.
- Cargue los frenos del remolque (empuje hacia adentro la perilla de suministro de aire [*air supply*]) y revise el aire de la parte trasera del segundo remolque abriendo el cierre del ducto de emergencia. Si no hay presión de aire, hay algún problema y los frenos no funcionarán.

7.2.2 - Cómo desacoplar remolques gemelos

Desacople el remolque trasero

- Estaciónese en línea recta sobre terreno firme y nivelado.
- Aplique los frenos de estacionamiento para inmovilizar el equipo.
- Bloquee con cuñas las ruedas del segundo remolque, si éste no tuviera frenos de resorte.
- Baje el tren de aterrizaje del segundo semirremolque lo suficiente como para quitar algo de peso de la plataforma de conversión.
- Cierre los interceptores de aire de la parte posterior del primer semirremolque (y de la plataforma si las tuviera).
- Desconecte todos los ductos de aire y las líneas de corriente de la plataforma, y asegúrelos.
- Suelte los frenos de la plataforma.
- Suelte el pasador de la quinta rueda de la plataforma de conversión.
- Haga avanzar lentamente el tractor, el primer semirremolque y la plataforma para sacar esta última de abajo del semirremolque trasero.

Desacople la plataforma de conversión

- Baje el tren de aterrizaje de la plataforma de conversión.
- Desconecte las cadenas de seguridad.
- Aplique los frenos de resorte del convertidor o bloquee las ruedas con cuñas.
- Suelte el gancho de seguridad del primer semirremolque.
- Avance lentamente hasta separarlo de la plataforma.

PRECAUCIÓN: Nunca saque el seguro del gancho de seguridad mientras la plataforma esté aún debajo del remolque trasero, ya que la barra de remolque de la plataforma podría saltar y ocasionar lesiones y dificultar mucho un nuevo acople.

7.2.3 – Acople y desacople de remolques triples

IMPORTANTE: Los remolques triples no están permitidos en el estado de Nueva York.

Acople el tractor/primer semirremolque al segundo/tercer remolque

- Acople el tractor al primer remolque siguiendo el método antes descrito para acoplar tractores semirremolques.
- Coloque la plataforma de conversión en la posición correcta y acople el primer remolque con el segundo usando el método para acoplar dobles. Ahora el equipo triple está completo.

Desacople la unidad de remolque triple

- Para desacoplar el tercer remolque saque la plataforma de conversión y luego desengánchela usando el método para desacoplar dobles.
- Desacople el resto del equipo como lo haría con cualquier combinación de doble, usando el método antes descrito.

7.2.4 - Acople y desacople de otras combinaciones

Los métodos descritos hasta ahora sirven para las combinaciones más comunes de tractor-remolque. Sin embargo, hay muchas otras formas de acoplar y desacoplar los distintos tipos de combinaciones que se usan de camión-remolque y tractor-remolque, y resultaría demasiado extenso explicarlas en este manual. Aprenda la forma correcta de acoplar los vehículos que vaya a manejar de acuerdo con las instrucciones del fabricante o el dueño.

7.3 - Inspección de dobles y triples

Para inspeccionar un vehículo de combinación utilice el procedimiento básico de siete pasos detallado en la sección 2.1.5. En un vehículo de combinación hay más elementos para inspeccionar que en uno sencillo. Muchos de estos elementos adicionales no son más que mayor cantidad de lo mimos que hay en un vehículo simple (por ejemplo, llantas, ruedas, luces, reflectores, etc.). Pero también hay nuevos elementos para revisar. Realice estas inspecciones además de las detalladas en el paso 5 de la sección 2.1.5, Haga una inspección visual.

Áreas del sistema de acople

- Revise los siguientes elementos de la quinta rueda (inferior):

  ➢ Debe estar firmemente fijada a la estructura.
  ➢ No debe tener piezas faltantes ni dañadas.
  ➢ Debe estar bien engrasada.
  ➢ No debe haber espacio visible entre el plato superior e inferior de la quinta rueda.
  ➢ Las horquillas deben cerrarse alrededor de la espiga, no del cabezal del pivote.

> ➤ El brazo de desconexión debe estar correctamente asentado y el pasador de seguridad o cierre, puesto.

- Examine los siguientes elementos de la quinta rueda (superior).

  > ➤ El plato corredizo debe estar montado firmemente a la estructura del remolque.
  > ➤ El pivote no debe estar dañado.

- Examine los siguientes elementos de los ductos de aire y de las líneas de corriente al remolque.

  > ➤ El cordón eléctrico debe estar bien enchufado y asegurado.
  > ➤ Los ductos de aire deben estar debidamente conectados a los protectores, no deben tener fugas de aire y deben estar debidamente asegurados con suficiente holgura como para permitir virar.
  > ➤ Todas los ductos y cables deben estar sanos.

- Examine la quinta rueda corrediza.

  > ➤ La rueda corrediza no debe tener daños ni piezas faltantes.
  > ➤ Debe estar debidamente engrasada.
  > ➤ Las espigas de cierre deben estar correctamente sujetas en su lugar, y no debe faltar ninguna.
  > ➤ Si es activada por aire, no tiene que haber fugas de aire.
  > ➤ Controle que la quinta rueda no esté muy adelante para evitar que la estructura del tractor golpee el tren de aterrizaje o que la cabina golpee contra el remolque al girar.

Tren de aterrizaje

- Debe estar totalmente levantado, sin piezas faltantes, dobladas ni dañadas.
- La manivela debe estar en su lugar y asegurada.
- Si tiene mecanismo motorizado, no debe haber fugas de aire ni de líquidos.

Remolques dobles y triples

- Válvulas de cierre (en la parte posterior de los remolques, en los ductos de servicio y de emergencia).

  > ➤ Parte posterior de los remolques delanteros: ABIERTAS (*OPEN*).
  > ➤ Parte posterior del último remolque: CERRADAS (*CLOSED*).
  > ➤ Válvula de drenaje del tanque de aire de la plataforma de conversión: CERRADA (*CLOSED*).

- Asegúrese de que los ductos de aire estén sujetados, y los protectores, debidamente conectados.
- Si transporta una llanta de repuesto en la unidad convertidora (plataforma), corrobore que esté bien sujetada.
- Asegúrese de que la argolla de la plataforma esté en su lugar en el gancho de seguridad de los remolques.
- Asegúrese de que el gancho de seguridad esté trabado.
- Las cadenas de seguridad deben estar sujetadas a los remolques.
- Asegúrese de que los cables de las luces estén firmemente enchufados en los tomacorrientes de los remolques.

7.4 – Revisión de los frenos de aire en dobles y triples

Revise los frenos de un remolque doble o triple como lo haría con cualquier vehículo de combinación. El apartado 6.5.2 explica cómo examinar los frenos de aire en vehículos de combinación. Además, en remolques dobles o triples también debe realizar las siguientes inspecciones.

7.4.1 – Inspecciones adicionales de los frenos de aire

Verifique que el aire pase a todos los remolques (remolques dobles y triples). Utilice el freno de estacionamiento del tractor y/o bloquee las ruedas con cuñas para inmovilizar el vehículo. Espere que la presión se normalice y luego empuje hacia adentro la perilla roja de suministro de aire al remolque (*trailer air supply*). Esto enviará aire a los ductos (de suministro) de emergencia. Utilice el freno de mano del remolque para enviar aire al ducto de servicio. Diríjase a la parte posterior de la unidad y abra la válvula de cierre del ducto de emergencia, que se encuentra en la parte posterior del último remolque. Debería escuchar aire saliendo, lo cual significa que todo el sistema está cargado. Cierre la válvula del ducto de emergencia y abra la válvula del ducto de servicio para verificar que la presión de servicio pase a todos los remolques, y luego cierre la válvula (para hacer esta prueba se supone que el freno de mano o el pedal de freno de servicio del remolque están puestos). Si usted NO escucha que el aire escapa de ambas líneas, verifique que las válvulas de cierre de los remolques y las plataformas estén en posición de abierta (*OPEN*). Para que todos los frenos funcionen, TIENE que haber aire a lo largo de todo el ducto.

Pruebe la válvula de protección del tractor. Cargue el sistema de frenos de aire del remolque. Es decir, deje acumular la presión hasta el nivel normal y empuje hacia adentro la perilla de suministro de aire (*air supply*). Apague el motor. Pise y suelte el pedal de freno varias veces para reducir la presión de aire en los tanques. El control de suministro de aire del remolque (también denominado control de la válvula de protección del tractor) debe saltar (o pasar de la posición normal a la de emergencia [*emergency*]) cuando la presión de aire descienda a la escala de presión especificada por el fabricante. (Por lo general, entre 20 y 45 psi).

Si la válvula de protección del tractor no funciona correctamente, es posible que haya una fuga en el ducto de aire o en el freno del remolque, que esté drenando todo el aire del tractor. Esto puede hacer que se apliquen los frenos de emergencia del remolque y ocasionar una posible pérdida el control del vehículo.

Pruebe los frenos de emergencia del remolque. Cargue el sistema de frenos de aire del remolque y verifique que el remolque se mueva libremente. Luego deténgase y jale el control de suministro de aire del remolque (también llamado control de la válvula de protección del tractor o válvula de emergencia del remolque) o colóquelo en la posición de emergencia (*emergency*). Empuje suavemente el remolque con el tractor para comprobar que los frenos de emergencia del remolque estén puestos.

Pruebe los frenos de servicio del remolque. Compruebe si la presión de aire está en el nivel normal, suelte los frenos de estacionamiento, mueva el vehículo lentamente hacia delante y accione los frenos del remolque con el control manual (o válvula de trole), si lo tuviera. Debería sentir que se aplican los frenos, lo cual indica que los frenos del remolque están conectados y funcionando. (Los frenos del remolque se deben probar con la válvula manual, pero se deben controlar durante la operación normal con el pedal de freno que aplica aire a los frenos de servicio de todas las ruedas).

Sección 7
Ponga a prueba sus conocimientos

1. ¿Qué es una plataforma de conversión?
2. ¿Las plataformas de conversión tienen frenos de resorte?
3. ¿Cuáles son los tres métodos que puede usar para asegurar el segundo remolque antes de realizar el acople?
4. ¿Cómo comprueba que el remolque esté a la altura adecuada antes de realizar el acople?
5. ¿Qué debe revisar cuando realiza una inspección visual del acople?
6. ¿Por qué debe sacar la plataforma de conversión de abajo del remolque antes de desconectarla del remolque que está delante de ella?
7. ¿Qué debe revisar cuando inspecciona la plataforma de conversión? ¿El gancho de seguridad?
8. ¿Las válvulas de cierre en la parte posterior del último remolque deben estar abiertas o cerradas? ¿Y las que están en el primer remolque en un equipo de dobles? ¿Y las que están en el remolque del medio en un equipo de triples?
9. ¿Cómo puede comprobar que el aire pase a todos los remolques?
10. ¿Cómo sabe si la plataforma de conversión está equipada con frenos antibloqueo?

Estas preguntas pueden aparecer en la prueba. Si no puede responderlas a todas, relea la sección 7.

SECCIÓN 8
VEHÍCULOS TANQUE

Contenido de la sección

- **Inspección de vehículos tanque**
- **Manejo de vehículos tanque**
- **Normas de seguridad para manejar**

Esta sección contiene la información necesaria para pasar la prueba de conocimientos a fin de obtener la licencia de conductor comercial (LCC) para manejar vehículos tanque. (Usted también debe leer las secciones 2, 5, 6 y 9). Se necesita una certificación para tanques a fin de manejar determinados vehículos que transportan líquidos o gases, sin que necesariamente el líquido o el gas sea un material peligroso. La certificación para tanques es obligatoria si opera un vehículo para el cual se exige una LCC clase A o B y quiere transportar un líquido o gas líquido en un tanque de carga acoplado de manera permanente con una capacidad superior a los 119 galones (450 litros), o en un tanque portátil con una capacidad superior a los 1,000 galones (3,785 litros). La certificación para tanques también es obligatoria para vehículos de clase C cuando se los utiliza para transportar materiales peligrosos en estado líquido o gaseoso en tanques con la capacidad descrita anteriormente.

8.1 – Inspección de vehículos tanque

Antes de cargar, descargar o manejar un camión tanque, inspeccione el vehículo para asegurarse de que es seguro para transportar líquidos o gases y para circular. Hay elementos especiales que es necesario revisar en los vehículos tanque. Existen distintos tipos y tamaños de vehículos tanque, y por eso debe leer el manual del operador del vehículo para asegurarse de que sabe cómo inspeccionar el suyo.

8.1.1 – Fugas

En todos los vehículos tanque, lo más importante es verificar que no haya fugas. Busque signos de fugas o derrames debajo y alrededor del vehículo. No transporte líquidos ni gases en un tanque con fugas porque estaría cometiendo un delito. Si eso sucediera, recibirá una citación judicial y no se le permitirá continuar manejando. Además, puede ser responsable de la limpieza de cualquier derrame. En general, verifique lo siguiente:

- Examine el cuerpo o la carcasa del tanque para detectar abolladuras o fugas.
- Inspeccione las válvulas de carga, descarga y cierre. Asegúrese de que las válvulas estén en la posición correcta antes de cargar, descargar o mover el vehículo.
- Verifique que no haya fugas en las tuberías, las conexiones y los ductos, especialmente en las uniones o juntas.
- Examine las tapas de las bocas y respiraderos. Asegúrese de que las tapas tengan las juntas correspondientes y de que cierren correctamente. Mantenga despejados los respiraderos para que funcionen adecuadamente.

8.1.2 – Revise el equipo para usos especiales

Revise el equipo de emergencia exigido para su vehículo. Averigüe qué tipo de equipo se le exige y asegúrese de tenerlo en buenas condiciones de funcionamiento. Si su vehículo tiene alguno de los siguientes equipos, asegúrese de que estén en perfecto estado:

- Equipos para recuperación de vapores
- Cables de masa y empalme
- Sistemas de cierre de emergencia
- Extinguidor de incendio incorporado

PRECAUCIÓN: *Nunca maneje un vehículo tanque con válvulas o tapas de bocas abiertas.*

8.2 – Manejo de vehículos tanque

Debido al centro de gravedad (CG) alto y al movimiento del líquido, el transporte de líquidos en tanques exige que el conductor tenga habilidades especiales. *Ver la figura 8.1.*

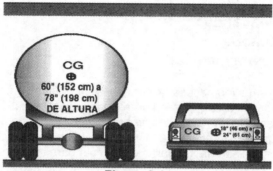

Figura 8.1

8.2.1 – Centro de gravedad alto

El centro de gravedad alto significa que buena parte del peso de la carga se transporta a mucha distancia (vertical) de la carretera. Esto hace que el vehículo transporte el mayor peso en la parte superior y pueda volcar con facilidad. Los camiones tanque que pueden volcar con más facilidad son aquéllos que transportan líquidos. Hay pruebas que indican que al tomar una curva, los camiones tanque pueden volcar aun circulando al límite de velocidad indicado. Por esta razón, tome las curvas de la carretera y las rampas de entrada y salida a una velocidad mucho más baja que la señalada.

8.2.2 – Peligro de oleaje

El oleaje del líquido se produce por el movimiento del líquido en tanques que no están totalmente llenos. Este movimiento puede producir efectos adversos en el manejo. Por ejemplo, si el vehículo se detiene, el líquido producirá un oleaje de adelante hacia atrás. Cuando la ola golpea un extremo del tanque tiende a empujar el camión en la dirección de la ola y si el camión se encuentra sobre una superficie resbalosa, como el hielo, la ola puede impulsarlo hacia una intersección, incluso si el camión está detenido. El conductor de un camión tanque que transporte líquidos debe familiarizarse con el manejo de este tipo de vehículos.

8.2.3 – Compuertas

Algunos tanques para líquidos están divididos en varios tanques más pequeños mediante compuertas. Al cargar y descargar los tanques más pequeños, el conductor debe prestar atención a la distribución del peso. No ponga demasiado peso en la parte delantera ni posterior del vehículo.

8.2.4 – Tanques con contrapuertas

Los tanques para líquidos provistos de contrapuertas tienen compuertas con agujeros que dejan pasar el líquido. Estas contrapuertas ayudan a controlar el oleaje del líquido hacia delante y hacia atrás. Sin embargo, aun así, puede producirse oleaje lateral, el cual puede causar un vuelco.

8.2.5 – Tanques de interior liso

Los camiones tanque sin contrapuertas (a veces llamados "de interior liso") que transportan líquido no tienen ningún elemento por dentro que reduzca el movimiento del líquido y, por lo tanto, el oleaje hacia delante y hacia atrás es muy fuerte. Por lo general, los tanques sin contrapuertas se utilizan para transportar productos alimenticios, por ejemplo, leche. (Las normas de sanidad prohíben el uso de contrapuertas porque dificultan la limpieza interior del tanque). Extreme sus precauciones cuando conduzca tanques sin contrapuertas; hágalo despacio y con precaución, especialmente al arrancar y parar.

8.2.6 – Merma

Un tanque de carga nunca debe estar completamente lleno. Los líquidos se expanden al calentarse, por lo que se debe dejar espacio para su expansión. Esto se denomina "merma". Debido a que los diferentes líquidos se expanden de distinta manera, necesitan distinta cantidad de merma disponible. Usted debe conocer cuánto espacio de merma necesitan los líquidos que transporta a granel.

8.2.7 – ¿Cuánto se debe cargar?

Las cargas completas de líquidos densos (por ejemplo, algunos ácidos) pueden exceder los límites de peso fijados por la ley. Por esa razón, es posible que en algunos casos usted deba llenar sólo parcialmente los tanques con líquidos pesados. La cantidad de líquido que se puede cargar en un tanque depende de:

- el volumen de la expansión del líquido durante el viaje;
- el peso del líquido;
- los límites de peso permitidos por la ley.

8.3 – Normas de seguridad para manejar

Para manejar vehículos tanque de manera segura usted debe seguir las normas de seguridad al respecto. Algunas de ellas se detallan a continuación.

8.3.1 – Manejar con precaución ·

Debido al centro de gravedad alto y al oleaje del líquido, debe arrancar, disminuir la velocidad y parar lentamente. También debe virar y cambiar de carril de la misma manera.

8.3.2 – Contener el oleaje

Ejerza una presión constante sobre los frenos y no los suelte de golpe cuando se detenga.

Frene con mucha anticipación a una parada y aumente la distancia de seguimiento.

Si debe detenerse bruscamente para evitar un choque, use el frenado controlado o "a golpes". Si no recuerda cómo frenar usando estos métodos, revise el apartado 2.17.2. También recuerde que si maniobra rápidamente cuando frena, el vehículo puede volcar.

8.3.3 – Curvas

Disminuya la velocidad antes de ingresar a una curva y luego acelere levemente durante su trayecto. Tenga en cuenta que la velocidad señalizada en una curva puede ser demasiado alta para un vehículo tanque.

8.3.4 – Distancia de parada

Tenga en cuenta la cantidad de espacio necesaria para detener su vehículo. Recuerde que en carreteras mojadas la distancia normal para detenerse se duplica. Los vehículos tanque vacíos pueden demorar más en parar que aquéllos que están llenos.

8.3.5 – Patinazos

No maniobre, acelere ni frene en exceso, ya que el vehículo puede patinar. Cuando maneje con remolques tanque, si las ruedas de tracción o las del remolque comienzan a patinar, el vehículo puede plegarse transversalmente. Con cualquier vehículo que comience a patinar usted debe tomar medidas para restablecer la tracción de las ruedas.

Sección 8
Ponga a prueba sus conocimientos

1. ¿En qué se diferencian las compuertas de las contrapuertas?
2. ¿Debe un vehículo tanque tomar las curvas y rampas de entrada o salida de las autopistas al límite de velocidad señalado?
3. ¿En qué se diferencia la conducción de vehículos tanque de interior liso de aquéllos que tienen contrapuertas?
4. ¿Cuáles son los tres factores que determinan cuánto líquido se puede cargar?
5. ¿Qué es la merma?
6. ¿Cómo puede usted contribuir a controlar el oleaje?
7. ¿Cuáles son las dos razones que exigen precauciones especiales al manejar un vehículo tanque?

Estas preguntas pueden aparecer en la prueba. Si no puede responderlas a todas, relea la sección 8.

SECCIÓN 9
MATERIALES PELIGROSOS

Contenido de la sección

- **Intención de los reglamentos**
- **Transporte de materiales peligrosos. ¿Quién hace cada cosa?**
- **Reglas de comunicación**
- **Carga y descarga**
- **Marcación, carga y descarga de empaques a granel**
- **Materiales peligrosos – Reglas para manejar y estacionarse**
- **Materiales peligrosos – Emergencias**
- **Glosario de materiales peligrosos**

Introducción

Los materiales peligrosos son productos que durante su transportación representan un riesgo para la salud, la seguridad y la propiedad. Para referirse a materiales peligrosos en inglés generalmente se usa la abreviatura HAZMAT que se puede ver en las señales de la carretera, o la abreviatura HM que aparece en los reglamentos gubernamentales. Los materiales peligrosos incluyen explosivos, varios tipos de gases, sólidos, líquidos inflamables y combustibles, entre otros. Debido a los riesgos que representan y a sus posibles consecuencias, todos los niveles de gobierno establecen sus reglas para la manipulación de materiales peligrosos.

El Reglamento de Materiales Peligrosos (HMR) se encuentra en las Secciones 100 a 185 del Título 49: Transporte, del Código de Regulaciones Federales (CFR). Estas reglas por lo general se citan de la siguiente forma: 49 CFR 100-185. La Tabla de Materiales Peligrosos del reglamento contiene una lista de estos elementos pero no los incluye a todos. Un material que no figura en la lista se clasifica como peligroso según sus características y el criterio del embarcador para determinar si entra o no en la definición de material peligroso que aparece en los reglamentos. Estos reglamentos exigen que los vehículos que transportan determinados tipos o cantidades de materiales peligrosos exhiban señales de advertencia con forma de rombo, colocadas en posición vertical sobre un vértice, llamadas rótulos.

Esta sección está diseñada para ayudarlo a comprender su papel y sus responsabilidades a la hora de transportar materiales peligrosos. Debido a que por su naturaleza los reglamentos gubernamentales cambian constantemente, es imposible garantizar la total precisión de la información brindada en esta sección. Es imprescindible que usted tenga una copia actualizada completa del reglamento, el cual incluye un glosario de términos. Averigüe dónde puede obtener una copia del reglamento para usarla en su trabajo. Puede obtener un ejemplar de las regulaciones federales (49 CFR) en distintas editoriales de publicaciones industriales. Las oficinas de la compañía o del sindicato también suelen tener copias de las reglas para uso de los conductores. Si tiene acceso a Internet, puede obtener las regulaciones federales en los siguientes sitios web:

- Para ver una versión electrónica (html), vaya a *http://ecfr.gpoaccess.gov,* que es un sitio de pruebas beta del Código de Regulaciones Federales, donde puede ver el Título 49 de los códigos de Transporte.
- Para comprar un ejemplar impreso, visite la Librería electrónica de la Imprenta del gobierno (*Government Printing Office Online Bookstore*) en *http://bookstore.gpo.gov.*

Requisitos para obtener la licencia

Usted debe obtener una licencia de conductor comercial (LCC) válida del estado de Nueva York con una certificación para materiales peligrosos antes de manejar vehículos de cualquier tamaño que se usen para transportar materiales para los que se exige la colocación de rótulos de materiales peligrosos o para transportar cualquier cantidad de los materiales enumerados como agentes selectos o toxinas en la Sección 73 del Título 42 del Código de Regulaciones Federales (Título 42: Salud Pública; Sección 73, Agentes Selectos y Toxinas).

El estado de Nueva York emite tres certificaciones para materiales peligrosos: Materiales peligrosos (H), Materiales peligrosos/Tanque (X) y Materiales peligrosos agrícolas (Z). La Sección 502(2) de la Ley de Vehículos y Tráfico del estado de Nueva York exige que las personas que soliciten una certificación para materiales peligrosos deben tener como mínimo 21 años de edad. A fin de poder obtener una certificación para materiales peligrosos, debe pasar la prueba de conocimientos sobre materiales peligrosos. Y para obtener las certificaciones H y X, debe someterse a una investigación de sus antecedentes realizada por el gobierno federal y estatal.

Autocertificación del tipo de conducción y certificación médica
A fin de obtener una certificación para materiales peligrosos, el conductor debe certificarse bajo un tipo de conducción No exceptuada (NI o NA) y proporcionar un Certificado de examinador médico del USDOT actualizado al DMV. Consulte las secciones 1.3.4 - 1.3.5 para obtener información acerca de la certificación del tipo de conducción y los Certificados de examinador médico.

Prueba escrita

Usted debe pasar una prueba escrita sobre los requisitos y las reglas federales para transportación de materiales peligrosos. El porcentaje necesario para aprobarla es del 80%. Para tomarla debe pagar un arancel. Si no pasa la prueba en el primer intento, puede volver a realizarla tantas veces como sea necesario hasta que la apruebe, pero deberá pagar el arancel cada vez que la realice.

En esta sección encontrará todo lo que necesita saber para pasar la prueba escrita. Sin embargo, esto es sólo el comienzo. La mayoría de los conductores necesitan saber mucho más en el trabajo. Para aprender más puede leer las reglas federales y estatales que rigen para materiales peligrosos o asistir a cursos de capacitación sobre este tipo de materiales. Los patrones, colegios universitarios y universidades así como varias otras asociaciones generalmente ofrecen estos cursos.

Renovaciones

Antes del vencimiento de la certificación para materiales peligrosos usted recibirá un aviso de renovación. Si desea renovar la certificación, de acuerdo con lo establecido por la ley federal y estatal, deberá volver a solicitarla para que se lleve a cabo una nueva investigación de antecedentes. Cada vez que renueve la certificación para materiales peligrosos se le tomarán las huellas digitales. Ver la Sección *"Requisitos para obtener la licencia. Investigación de antecedentes"* para obtener más información.

En ese momento no tendrá que realizar y pasar la prueba escrita de materiales peligrosos, pero sí deberá pagar y pasar la prueba escrita de conocimientos sobre materiales peligrosos *dentro de los dos años anteriores* a la renovación de su licencia de conductor comercial. Si no la aprueba antes del vencimiento de su licencia de conductor comercial, ésta será renovada sin la certificación para materiales peligrosos.

Investigación de antecedentes

El artículo 102 de la Ley Patriótica de los Estados Unidos de América (*USA Patriot Act*) y el artículo 501 (6) de la Ley de Vehículos y Tráfico del Estado de Nueva York exigen la verificación de antecedentes en base a las huellas digitales para los solicitantes de las certificaciones para materiales peligrosos H y X. Las investigaciones de antecedentes se realizan para determinar si una persona tiene antecedentes delictivos o representa una amenaza para la seguridad, que justifique la denegación de la autorización para transportar materiales peligrosos. A fin de iniciar el trámite para la investigación de antecedentes usted debe completar el formulario HAZ-44 de solicitud de certificación para materiales peligrosos, presentar constancia de domicilio y pagar los aranceles correspondientes. Luego se le tomarán las huellas digitales en un Proveedor de Servicios de Huellas Digitales autorizado. Todos los solicitantes de certificaciones para materiales peligrosos (tanto por primera vez y para la renovación) deben completar el formulario HAZ-600 y se les debe tomar las huellas digitales en uno de los centros designados de toma de huellas digitales ubicados en el estado de Nueva York (los servicios de huellas digitales ya no están disponibles en el Departamento de Vehículos Automotores (DMV). Para más información consulte en www.dmv.ny.gov/cdl.htm.

Si sus antecedentes no son aprobados, se le notificará que no reúne los requisitos para la certificación de materiales peligrosos. En dicha notificación encontrará información acerca de sus opciones de apelación según las leyes federales o estatales. Todas las inhabilitaciones entran en vigencia de inmediato.

Período de validez

Si pasa la prueba escrita de conocimientos y el gobierno federal y estatal aprueban sus antecedentes, se le otorgará una certificación H o X. Para la certificación de materiales peligrosos agrícolas (Z) se exige solamente una prueba escrita de conocimientos. La licencia de conductor comercial que reciba llevará en el anverso la leyenda "HazMat" (materiales peligrosos) y la fecha de vencimiento de la certificación. Si bien la licencia de conductor tiene validez por ocho (8) años, la certificación para materiales peligrosos tiene validez por cinco (5) años a partir de la fecha en que el Departamento de Vehículos Automotores (DMV) reciba la notificación de que sus antecedentes han sido aprobados. Llegado el momento usted recibirá por correo y por separado los avisos para la renovación.

Transferencias (reciprocidad)

Si usted es un nuevo residente del estado de Nueva York y desea transferir una licencia de conductor comercial con certificación para materiales peligrosos que obtuvo en el estado donde antes residía, debe presentar una solicitud para la certificación, pasar la prueba escrita de materiales peligrosos del estado de Nueva York, pagar todos los aranceles que correspondan y luego presentarse para que le tomen las huellas digitales en el estado de Nueva York con el fin de que se lleve a cabo la investigación de sus antecedentes.

Requisitos de capacitación permanente

El reglamento exige que todos los conductores que transporten materiales peligrosos reciban capacitación y sean evaluados. Su patrón o un representante autorizado está obligado a brindar esta capacitación y realizar la evaluación. Los patrones del rubro de materiales peligrosos tienen la obligación de llevar un registro de la capacitación por cada empleado que esté trabajando con materiales peligrosos, y deben mantener los registros por 90 días a partir de que el empleado deje de realizar esa tarea. El reglamento exige que los empleados que trabajen con materiales peligrosos reciban capacitación y sean evaluados como mínimo una vez cada tres años.

Al 24 de marzo de 2006 todos los conductores deberán haber recibido la capacitación sobre los riesgos que la transportación de materiales peligrosos representa para la seguridad. Esta capacitación debe incluir cómo reconocer posibles amenazas a la seguridad y cómo reaccionar ante ellas.

El reglamento también exige que los conductores reciban capacitación especial antes de transportar ciertas cantidades de gases inflamables o cantidades controladas de material radioactivo para rutas en carretera. Además, los conductores que transportan tanques de carga y tanques portátiles deben recibir capacitación especializada. El patrón de cada conductor, o su representante autorizado, debe ofrecer esa capacitación.

Requisitos especiales para el transporte

En algunas localidades se exigen permisos para transportar determinados explosivos o desechos peligrosos a granel. Los estados y condados también pueden exigir que los conductores transiten por rutas especiales cuando transportan materiales peligrosos. El gobierno federal puede requerir permisos o exenciones para cargas de materiales peligrosos especiales, como combustible de cohetes. Infórmese sobre los permisos, las exenciones y las rutas especiales en las zonas por donde usted maneja su vehículo.

9.1 – Intención de los reglamentos

9.1.1 – Contener el material

Transportar materiales peligrosos puede ser riesgoso. Las reglas tienen como objetivo protegerlo a usted, a los que lo rodean y al medio ambiente. Indican a los embarcadores cómo empacar los materiales de manera segura y a los conductores, cómo cargar, transportar y descargar dicho material. Éstas son las "reglas de contención".

9.1.2 – Comunicar el riesgo

Para comunicar el riesgo, los embarcadores deben advertir a los conductores y a las demás personas sobre los peligros del material. El reglamento exige que los embarcadores coloquen etiquetas de advertencia de peligro en los paquetes y que proporcionen los documentos de embarque, la información sobre respuesta a emergencias y los rótulos correspondientes. Estos elementos advierten sobre los riesgos al embarcador, al transportista y al conductor.

9.1.3 – Garantizar conductores y equipos seguros

A fin de obtener una certificación para materiales peligrosos con una licencia de conductor comercial, usted debe pasar una prueba escrita sobre transporte de materiales peligrosos. Para aprobarla, usted debe saber:

- identificar los materiales peligrosos;
- cargarlos de manera segura y salvaguardarlos;
- rotular correctamente su vehículo de acuerdo con las reglas;
- transportar los embarques con seguridad.

Aprenda las reglas y cúmplalas. Ello reduce el riesgo de lesiones causadas por materiales peligrosos. Tomar atajos violando las reglas es riesgoso. Las personas que no cumplan con el reglamento pueden ser multadas y encarceladas.

Inspeccione su vehículo antes y durante cada viaje. Los oficiales de policía pueden pararlo para inspeccionar el vehículo. También pueden revisar sus documentos de embarque, los rótulos del vehículo y la certificación para materiales peligrosos de su licencia de conductor como así también comprobar su conocimiento sobre materiales peligrosos.

9.2 – Transporte de materiales peligrosos. ¿Quién hace cada cosa?

9.2.1 – El embarcador

- Envía productos de un lugar a otro en camiones o por ferrocarril, barco o avión.
- Se basa en el reglamento de materiales peligrosos para determinar las siguientes características del producto:

  - ➢ Nombre apropiado del envío
  - ➢ Clase de riesgo
  - ➢ Número de identificación
  - ➢ Grupo de empaque
  - ➢ Empaque adecuado
  - ➢ Marcas y etiquetas adecuadas
  - ➢ Rótulos correctos

- Debe empacar, marcar y rotular los materiales; preparar los documentos de embarque, proveer información sobre respuestas a emergencias y proporcionar los rótulos.

- Debe certificar en los documentos de embarque que el cargamento ha sido preparado de acuerdo con las reglas (salvo que usted lleve tanques de carga provistos por usted o su patrón).

9.2.2 – El transportista

- Lleva el embarque desde el embarcador hasta el destino.
- Antes de partir, verifica que el embarcador haya descrito, marcado, rotulado y preparado el embarque debidamente.
- Rechaza embarques inapropiados.
- Notifica accidentes e incidentes que involucren materiales peligrosos a la agencia gubernamental correspondiente.

9.2.3 – El conductor

- Verifica que el embarcador haya identificado, marcado y rotulado correctamente los materiales peligrosos.

- Rechaza paquetes y embarques con fugas.
- Rotula el vehículo cuando lo carga, si corresponde.
- Transporta el embarque en forma segura y sin demoras.
- Respeta todas las reglas especiales que rigen para el transporte de materiales peligrosos.
- Guarda en el lugar adecuado todos los documentos de embarque del material peligroso y la información sobre respuestas a emergencias.

9.3 – Reglas de comunicación

9.3.1 – Definiciones

Cuando se habla de materiales peligrosos, ciertas palabras y frases tienen significados especiales, algunos de los cuales difieren de los usados habitualmente. Las palabras y frases que se muestran en esta sección pueden formar parte de su prueba. Los significados de otras palabras importantes están en el glosario que se encuentra al final de la sección 9.

La clase de peligro de un material indica el riesgo que representa. Hay nueve clases distintas de riesgos. Los tipos de materiales incluidos en estas nueve clases se muestran en la *figura 9.1*.

Un documento de embarque describe los materiales peligrosos transportados. Las órdenes de embarque, los conocimientos de embarque y los manifiestos son todos documentos de embarque. La *figura 9.6* es un ejemplo de un documento de embarque.

Después de un accidente o de un derrame o fuga de material peligroso es posible que usted esté lesionado o imposibilitado para informar los riesgos del material que transporta. Los bomberos y la policía pueden evitar mayores daños o lesiones en el lugar si saben qué tipo de material peligroso usted está transportando. Su vida y la de otras personas pueden depender de que se encuentren rápidamente los documentos de embarque de materiales peligrosos. Por esa razón las normas exigen que:

- los embarcadores describan correctamente los materiales peligrosos e incluyan un teléfono para responder a emergencias en los documentos de embarque; excepto según lo dispuesto en el 49CFR604(c).

- El conductor de un vehículo que contenga materiales peligrosos debe asegurarse de que el documento de embarque esté inmediatamente disponible y sea reconocible para las autoridades ante un accidente o inspección. El documento de embarque estará adecuadamente etiquetado y colocado en la parte superior de los otros documentos de embarque o en el bolsillo de la puerta del conductor. La información de respuesta a una emergencia deberá acompañar los documentos de embarque y se mantendrá en la misma forma que estos.

- los conductores lleven los documentos de embarque de materiales peligrosos:
  - en una bolsa, en la puerta del conductor;

Tabla de Materiales Peligrosos			
Clase	División	Nombre de la clase o división	Ejemplos
1	1.1 1.2 1.3 1.4 1.5 1.6	Explosivos	Dinamita Bengalas Fuegos artificiales Municiones Agentes explosivos Dispositivos explosivos
2	2.1 2.2 2.3	Gases inflamables Gases no inflamables Gases venenosos o tóxicos	Propano Helio Flúor, comprimido
3	-	Líquidos inflamables Líquidos combustibles	Gasolina Fueloil
4	4.1 4.2 4.3	Sólidos inflamables Combustión espontánea Peligroso al mojarse	Picrato de amonio, húmedo Fósforo blanco Sodio
5	5.1 5.2	Oxidantes Peróxidos orgánicos	Nitrato de amonio Peróxido de metil etil cetona
6	6.1 6.2	Veneno (riesgo de inhalación) Sustancias infecciosas	Cianuro de potasio Virus ántrax
7	-	Material radioactivo	Uranio
8	-	Corrosivos	Líquido para baterías
9	-	Cargas peligrosas varias	Bifeniles policlorinados (PCB)
ORM-D		OMR - D (Otros materiales regulados- Domésticos)	Saborizantes para alimentos, medicamentos

Figura 9.1

> ➢ a la vista y al alcance con el cinturón de seguridad abrochado mientras va manejando; o
> ➢ en el asiento del conductor si se baja del vehículo.

9.3.2 – Etiquetas de los paquetes

Los embarcadores colocan etiquetas de advertencia de peligro en forma de rombo en la mayoría de los paquetes que contienen materiales peligrosos. Estas etiquetas sirven para advertir a los demás sobre el riesgo. Si la etiqueta romboidal no entra en el paquete, los embarcadores lo ponen en un marbete. Por ejemplo, los cilindros de gas comprimido sobre los que no se puede colocar una etiqueta llevarán un marbete o una calcomanía. Las etiquetas son semejantes a los ejemplos que se muestran en la *figura 9.2*.

**Ejemplos de rótulos de materiales peligrosos
Figura 9.2**

9.3.3 – Lista de productos regulados

Rótulos. Los rótulos se utilizan para advertir a los demás sobre la presencia de una carga de materiales peligrosos. Son señales que se ponen en el exterior del vehículo y de los paquetes a granel para identificar la clase de riesgo de la carga. Un vehículo rotulado debe tener como mínimo 4 rótulos idénticos colocados al frente, a ambos lados y en la parte trasera del vehículo. *Ver la figura 9.3.* Los rótulos deben ser legibles desde las cuatro direcciones. Miden como mínimo 10.8 pulgadas cuadradas y se colocan en posición vertical sobre uno de los vértices formando un rombo. Los tanques de carga y otros empaques a granel muestran el número de identificación de su contenido en rótulos o carteles anaranjados o en cuadrados blancos del mismo tamaño que los rótulos que se colocan en posición vertical sobre uno de sus vértices.

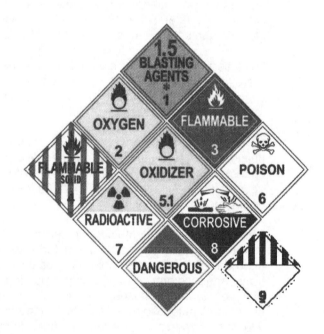

El número de identificación es un código de cuatro dígitos que los servicios de primera respuesta a emergencias utilizan para identificar los materiales peligrosos. Este número puede ser utilizado para identificar más de una sustancia química, y está precedido por las letras "NA" o "UN". La Guía de Respuesta a Emergencias (ERG) del Departamento de Transporte de los Estados Unidos enumera las sustancias químicas y sus números de identificación asignados.

Hay tres listas principales utilizadas por embarcadores, transportistas y conductores para identificar materiales peligrosos. Antes de transportar un material, busque el nombre en las tres listas, ya que algunos están en todas las listas y otros sólo en una. Revise siempre las siguientes listas:

- Sección 172.101, Tabla de Materiales Peligrosos.
- Apéndice A de la Sección 172.101, Lista de Sustancias Peligrosas y Cantidades Reportables.
- Apéndice B de la Sección 172.101, Lista de Contaminantes Marítimos.

La Tabla de Materiales Peligrosos. La *figura 9.4* muestra parte de la Tabla de Materiales Peligrosos. La columna 1 indica el modo de embarque en el que influye el ítem y demás información relacionada con la descripción del embarque. Las cinco columnas siguientes muestran el nombre de embarque de cada material, la clase o división de riesgo, el número de identificación, el grupo de empaque y las etiquetas requeridas.

En la columna 1 de la tabla pueden aparecer seis símbolos distintos.

(+) Muestra el nombre del embarque correspondiente, la clase de riesgo y el grupo de empaque que se debe utilizar, aun cuando el material no esté comprendido en la definición de la clase de riesgo.

(A) Significa que el material peligroso descrito en la columna 2 está sujeto al reglamento de materiales peligrosos sólo cuando se ofrece o se pretende que sea transportado por aire, a menos que sea una sustancia peligrosa o un desecho peligroso.

(W) Significa que el material peligroso descrito en la columna 2 está sujeto al reglamento de materiales peligrosos sólo cuando se ofrece o se pretende que sea transportado por agua, a menos que sea una sustancia peligrosa, un desecho peligroso o un contaminante marítimo.

(D) Significa que el nombre adecuado del embarque es apropiado para describir los materiales para transporte nacional, pero puede no serlo para el transporte internacional.

(I) Identifica el nombre del embarque correspondiente utilizado para describir materiales para transporte internacional. Se puede utilizar un nombre de embarque diferente sólo cuando se trata de transporte nacional.

(G) Significa que el material peligroso detallado en la columna 2 es un nombre de embarque genérico que debe estar acompañado del nombre técnico en los documentos de embarque. El nombre técnico es la sustancia química específica que hace que el producto sea una sustancia peligrosa.

49 CFR 172.101: Tabla de Materiales Peligrosos									
Símbolos	Descripción de los materiales peligrosos y nombres de embarque apropiados	Clases o divisiones de riesgos	Número de identificación	PG (Grupo de empaque)	Códigos de las etiquetas	Disposiciones especiales (172.1010	Empaque (173.***)		
							Excepciones	No a granel	A granel
(1)	(2)	(3)	(4)	(5)	(6)	(7)	(8A)	(8B)	(8C)
A	Acetaldehído, amoníaco	9	UN1841	III	9	IB8, IP6	155	204	240

Figura 9.4 Una muestra de la tabla de materiales peligrosos

La columna 2 detalla los nombres de embarque correspondientes y las descripciones de los materiales regulados. Los ítems están ordenados alfabéticamente para que se puedan encontrar más fácilmente. La tabla muestra los nombres de embarque apropiados en tipografía normal. Los documentos de embarque deben contener los nombres de embarque correctos. Los nombres que aparecen en *cursiva* no son nombres de embarque correctos.

La columna 3 muestra la clase o división de riesgo del material o la palabra "Prohibido" (*Forbidden*). Nunca transporte materiales clasificados como prohibidos. Usted debe colocar los rótulos de embarque según la cantidad y la clase de riesgo del material transportado. Estará en condiciones de decidir qué rótulos utilizar si conoce estos tres puntos:

- Clase de peligro del material
- Cantidad que se embarca
- Cantidad de todos los materiales peligrosos de todas las clases que hay en su vehículo

La columna 4 detalla el número de identificación para cada nombre de embarque correspondiente. Los números de identificación están precedidos por las letras "UN" o "NA". Las letras "NA" corresponden a los nombres de embarque apropiados que se usan solamente dentro de los Estados Unidos y para el transporte desde y hacia Canadá. El número de identificación debe figurar en el documento de embarque como parte de la descripción del embarque y también en cada paquete. Debe figurar además en los tanques de carga y en otros empaques a granel. La policía y los bomberos utilizan este número para identificar rápidamente los materiales peligrosos.

La columna 5 muestra el grupo de empaque (en números romanos) que corresponde a cada material (un PG no está asignado a los materiales en las clases 2 y 7, de la División 6.2, y ORM-D). Los números del grupo de empaque se corresponden con el grado de peligro que presenta el material: I = grave, II = medio, y III = mínimo.

La columna 6 muestra las etiquetas de advertencia de peligro que los embarcadores deben colocar en los paquetes que contienen materiales peligrosos. En algunos productos es obligatorio colocar más de una etiqueta debido a que presentan dos tipos de riesgo.

La columna 7 detalla los códigos para las disposiciones (especiales) adicionales que rigen para estos materiales. Cuando hay un ítem en esta columna, debe buscar información específica en el reglamento federal (el significado y los requisitos de las disposiciones especiales están expuestos en 49 CFR 172.102). Los números 1-6 de esta columna indican que el material peligroso es una sustancia con riesgo de inhalación tóxica (PIH). Hay requisitos especiales para los documentos de embarque, las marcas y los rótulos de los materiales con peligro de inhalación tóxica (PIH).

La columna 8 está dividida en tres partes y muestra los números de la sección en 49 CFR 173 que informa los requisitos de empaque para cada material peligroso.

[Importante: Las columnas 9 y 10 no rigen para el transporte por carretera.]

Apéndice A de la Sección 172.101 del Título 49 del Código de Regulaciones Federales – Lista de Sustancias Peligrosas y Cantidades Reportables. El Departamento de Transporte (DOT) y la Agencia de Protección Ambiental (EPA) necesitan recibir información sobre todo derrame de las sustancias peligrosas detalladas en el Apéndice A del 49 CFR 172.101, la Lista de Sustancias Peligrosas y Cantidades Reportables. El Apéndice A está dividido en dos tablas: Tabla 1: Sustancias Peligrosas distintas de los Radionucleidos, y Tabla 2: Radionucleidos. La Figura 9.5 muestra un ejemplo de la lista de la Tabla 1. La columna 2 muestra la cantidad reportable (RQ, por sus siglas en inglés) de cada producto en libras (y kilogramos). Un material cumple con la definición de RQ si aparece en el Apéndice, y cada paquete del material que se envía cumple o excede la cantidad descrita en la tabla para ese material. La RQ no se determina mediante el peso bruto de todo el embarque, sólo el peso "por paquete". Cuando se transporta una cantidad reportable o mayor en un solo paquete de estos materiales, el embarcador debe indicar las letras RQ en los documentos de embarque y

Apéndice A, Tabla 1 - Sustancias Peligrosas distintas de los Radionucleidos	
Sustancias peligrosas	**Cantidad reportable (RQ) en libras (kilogramos)**
Fenil mercaptan @	100 (45.4)
Acetato fenilmercúrico	100 (45.4)
N-feniltiourea	100 (45.4)
Forato	10 (4.54)
Fosgeno	10 (4.54) *
Fosfina	100 (45.4)
Ácido fosfórico	5000 (2270)
Ácido fosfórico, dietil 4-nitrofenil éster	100 (45.4)
Ácido fosfórico, sal (2:3) de plomo (2+)	10 (4.54)
@ Indica que el nombre fue agregado por PHMSA porque (1) el nombre es sinónimo de una sustancia peligrosa específica y (2) el nombre aparece en la Tabla de materiales peligrosos como designación apropiada de embarque.	

Figura 9.5 Una muestra de la Tabla 1, Apéndice A, lista de sustancias peligrosas y cantidades reportables

en el paquete. Estas letras pueden figurar antes o después de la descripción básica.
Usted o su patrón deben declarar todo derrame de una cantidad reportable de estos materiales.

Si las palabras "INHALATION HAZARD" (Riesgo de inhalación) figuran en los documentos de embarque o en el paquete, las reglas exigen la colocación de rótulos con la inscripción "POISON INHALATION HAZARD" (Riesgo de inhalación tóxica) o "POISON GAS" (Gas tóxico) según corresponda. Estos rótulos se deben usar además de otros que puedan ser obligatorios de acuerdo con la clase de riesgo del producto. Asegúrese de que el rótulo con la clase de riesgo y el rótulo con la inscripción "POISON INHALATION HAZARD", estén siempre visibles aun cuando transporte cantidades pequeñas.

**Apéndice B de la Sección 172.101 del Título 49 del Código de Regulaciones Federales.
Contaminantes marítimos**

El apéndice B es un listado de sustancias químicas tóxicas para la vida marítima. En el caso de transporte en carreteras, esta lista se utiliza solamente para sustancias químicas transportadas en contenedores a granel. La indicación de contaminante marítimo no es requerida en un paquete/vehículo que lleve una etiqueta o rótulo especificado en las subsecciones E o F de la sección 172.

Todos los paquetes a granel que contengan un contaminante marítimo deben exhibir la marca correspondiente (un triángulo blanco con un pez y una "X" que lo atraviesa). Esta marca, que no es un rótulo, también se debe exhibir en el exterior del vehículo. Además, se debe colocar una anotación en los documentos de embarque cerca de la descripción del material con las palabras "Marine Pollutant" (Contaminante marítimo).

9.3.4 – El documento de embarque

El documento de embarque que se muestra en la figura 9.6 describe un embarque. El documento de embarque de materiales peligrosos debe incluir lo siguiente:

- Números de páginas, si el documento tiene más de una página. En la primera página debe figurar la cantidad total de páginas. Por ejemplo, "Página 1 de 4".
- La descripción correcta de cada material peligroso del embarque.
- Una certificación del embarcador, firmada por el transportista, en la que diga que el embarque se preparó de acuerdo con el reglamento. Sólo el documento de embarque original necesita una certificación. Las copias o reimpresiones no la necesitan.

9.3.5- La descripción del artículo

Cuando el documento de embarque describe productos tanto peligrosos como no peligrosos, los materiales peligrosos deben detallarse en una de las siguientes maneras:

- Describirse primero
- Imprimirse en un color contrastante en el original, o resaltarse en la copia,
- Identificarse con una "X" puesta antes del nombre del embarque en una columna titulada "HM" (materiales peligrosos). Si el paquete contiene una cantidad reportable, se pueden utilizar las letras "RQ" (cantidad reportable) en lugar de la "X".

La descripción básica de un material peligroso debe incluir, en este orden, el número de identificación, el nombre apropiado de embarque, la clase o división de riesgo, y el grupo de empaque (si fuese necesario). El grupo de empaque se muestra en números romanos y puede estar precedido por las letras "PG" (Grupo de empaque).

El número de identificación, el nombre apropiado de embarque y la clase de riesgo no deben abreviarse, a menos que el Reglamento de Materiales Peligrosos lo permita específicamente. El ítem del documento de embarque para una sustancia peligrosa también debe incluir lo siguiente:

- La cantidad total y la unidad de medida
- El número y tipo de cada paquete.
- Las letras RQ, si es una cantidad reportable
- Si figuran las letras RQ, el nombre de la sustancia peligrosa
- Para todos los materiales marcados con la letra "G" (Genéricos) en la columna 1 de la Tabla de Materiales Peligrosos, el nombre técnico del material peligroso.
- Se debe indicar Riesgo de inhalación tóxica si se determina mediante un ítem en la columna 7 (Disposiciones especiales) de la Tabla de Materiales Peligrosos. Cuando la columna 7 se refiere a una disposición especial para un material peligroso, el significado y los requisitos de dicha disposición especial se explican en 49 CFR 172.102.

La cantidad total debe aparecer antes o después de la descripción básica. El tipo de empaque y la unidad de medida pueden abreviarse. Por ejemplo:

10 ctns. Pintura, 3, UN1263, PG II, 500 lbs (227 kg).

El embarcador de desechos peligrosos debe colocar la palabra "WASTE" (Desechos) antes del nombre apropiado de embarque correspondiente al material en el documento de embarque (manifiesto de desechos peligrosos). Por ejemplo:

Waste Acetona (Residuos de acetona), 3, UN1090, PG II.

Un material no peligroso posiblemente no se describa usando una clase de riesgo o un número de identificación.

Documento de embarque				
PARA:	ABC Corporation 88 Valley Street Ciudad XX, VA	**DE:**	DEF Corporation 55 Mountain Street Ciudad XXX, CO	Página 1 de 2
Cantidad	HM		Descripción	Peso
1 cilindro	RQ^1		Fosgeno^2, 2.3^3, UN1076^4 Riesgo de inhalación tóxica, Zona A^5	25 libras (11 kg)

Por el presente se certifica que los materiales citados están correctamente clasificados, descritos, empacados, marcados y etiquetados, y se encuentran en condiciones apropiadas para su transporte de acuerdo con los reglamentos vigentes del Departamento de Transporte de los Estados Unidos.

Embarcador: Por: Fecha:	DEF Corporation Smith 15 de octubre de 2003	Transportista: Por: Fecha:	Safety First

Instrucciones especiales: Contacto para responder a emergencias durante las 24 horas, John Smith 1-800-555-5555

Figura 9.6

Explicaciones de los elementos del modelo de documento de embarque en la Figura 9.6:

1- "RQ" significa que se trata de una cantidad reportable.
2 - Fosgeno es el nombre apropiado del embarque que figura en la columna 2 de la Tabla de Materiales Peligrosos [HMT].
3 - 2.3 es la clase de riesgo que figura en la columna 3 de la HMT.
4 - Un1076 es el número de identificación que figura en la columna 4 de la HMT.
5 - Se debe indicar "Riesgo de inhalación tóxica" si asi se determina en la columna 7 de la HTM.

Los documentos de embarque también deben incluir un número de teléfono para respuesta a emergencias. Dicho número es responsabilidad del embarcador. Los servicios de emergencias podrán utilizar ese teléfono para obtener información acerca de cualquier material peligroso involucrado en un derrame o incendio. Debería verificar el reglamento para determinar cuándo se debe incluir en los documentos de embarque un número de teléfono para respuesta a una emergencia

Los embarcadores también deben proporcionar al transportista información sobre respuestas a emergencias para cada material peligroso embarcado. Dicha información se debe poder utilizar fuera del vehículo motorizado y debe indicar la manera segura de actuar en caso de incidentes en los que esté involucrado el material peligroso. Debe incluir información sobre el nombre del embarque de los materiales peligrosos, los riesgos que presentan para la salud, los riesgos de provocar un incendio o una explosión, y las primeras medidas que se deben tomar ante un derrame, incendio o fuga de esos materiales.

Esta información puede estar incluida en el documento de embarque o en algún otro documento que contenga la descripción básica y el nombre técnico del material peligroso. También puede figurar en otras publicaciones, como por ejemplo la Guía de Respuesta a Emergencias. Los transportistas pueden colaborar con los embarcadores colocando una Guía de Respuesta a Emergencias en cada vehículo que transporte materiales peligrosos. El conductor debe proporcionar la información de respuesta a emergencias a toda autoridad federal, local o estatal que responda a un incidente relacionado con materiales peligrosos o que lo esté investigando.

49 CFR 172.604 requiere que la información de respuesta a emergencias en el documento de embarque sea prominente, fácilmente identificable y claramente visible a través de métodos como el resaltado o impresión en un color diferente o de fuente más grande/diferente. El documento de embarque debe incluir un número de teléfono para respuesta a emergencias, incluso el área de codificación internacional adecuada de números de teléfono fuera de los Estados Unidos. Si el embarcador es también el proveedor de respuesta a emergencias, este debe proporcionar un nombre de contacto en el documento de embarque. Si el embarcador utiliza un proveedor de información de respuesta a emergencias (ERIP, por sus siglas en inglés), el documento de embarque debe identificar quién está registrado en el ERIP, por el nombre o número de contrato. Esta información debe estar inmediatamente antes, después, por encima o por debajo del número de teléfono para respuesta a emergencias. § 172.604 (c) requiere que las personas que preparan los documentos de embarque para el transporte continuo incluyan la información requerida y, en caso de asumir la responsabilidad de proporcionar información de respuesta a emergencias ellos mismos, deben cumplir con todos los requisitos de § 172.604.

9.3.6 – Certificación del embarcador

Cuando el embarcador empaca materiales peligrosos, debe certificar que el paquete ha sido preparado de acuerdo con los reglamentos pertinentes. La certificación firmada por el embarcador aparece en el documento de embarque original. Las únicas excepciones rigen para el caso de un embarcador que sea un transportista privado que lleve sus propios productos y cuando el paquete ha sido entregado por el transportista (por ejemplo, un tanque de carga). A menos que un paquete sea claramente inseguro o no cumpla con los requisitos del reglamento de materiales peligrosos, usted puede aceptar la certificación del embarcador referida al empaque adecuado. Algunos transportistas tienen reglas adicionales para el transporte de materiales peligrosos. Cuando acepte embarques, siga las reglas de su patrón.

9.3.7 – Marcas y etiquetas de los paquetes

Los embarcadores imprimen las marcas exigidas directamente sobre el paquete, sobre una etiqueta pegada o sobre un marbete. Una marca importante del paquete es el nombre del material peligroso, que es el mismo nombre que figura en el documento de embarque. Los requisitos para colocar marcas varían según el tamaño del paquete y el material que se transporta. Cuando se requiera, el embarcador colocará lo siguiente en el paquete:

- Nombre y dirección del embarcador o consignatario
- Nombre de embarque y número de identificación del material peligroso
- Etiquetas exigidas

Es conveniente revisar que el documento de embarque coincida con las marcas y las etiquetas. Siempre asegúrese de que el embarcador incluya la descripción básica correcta en el documento de embarque y verifique que los paquetes tengan las etiquetas correspondientes. Si usted no está familiarizado con el material, solicite al embarcador que se comunique con su oficina.

Si las reglas así lo exigen, el embarcador deberá colocar RQ (cantidad reportable), MARINE POLLUTANT (contaminante marítimo), BIOHAZARD (riesgo biológico), HOT (caliente) o INHALATION HAZARD (riesgo de inhalación) en el paquete. Los paquetes con recipientes que contienen líquidos también tendrán marcas de orientación con flechas que indiquen la posición vertical correcta. Las flechas de orientación deben ir siempre hacia arriba durante el transporte. Las etiquetas utilizadas siempre reflejan la clase de riesgo del producto. Si un paquete necesita más de una etiqueta, estas deben ir juntas y cerca del nombre apropiado de embarque.

9.3.8 – Cómo reconocer los materiales peligrosos

Aprenda a reconocer embarques de materiales peligrosos. Para averiguar si en el embarque hay materiales peligrosos, verifique si el documento de embarque:

- cuenta con un ítem con el nombre apropiado de embarque, la clase de riesgo y el número de identificación;
- tiene un ítem resaltado, o marcado con una X o con las letras RQ en la columna de materiales peligrosos.

Otros indicios de materiales peligrosos:

- ¿A qué se dedica el embarcador? ¿Es comerciante de pinturas? ¿Proveedor de sustancias químicas? ¿Vende insumos científicos? ¿Es proveedor de pesticidas o de productos agrícolas? ¿Comercia explosivos, municiones o fuegos artificiales?
- ¿Hay tanques con etiquetas en forma de rombo o rótulos en el negocio?
- ¿Qué tipo de paquete se está embarcando? Por lo general, para el transporte de materiales peligrosos se usan cilindros y tambores (barriles).
- ¿Tiene el paquete una etiqueta de clase de riesgo, un nombre apropiado de embarque o un número de identificación?
- ¿Hay alguna indicación de precaución para manipularlo?

9.3.9 – Manifiesto de desechos peligrosos

Cuando transporta desechos peligrosos, usted debe firmar y llevar en el vehículo un Manifiesto Uniforme de Desechos Peligrosos en el cual deben figurar el destino y el nombre y número de registro en la Agencia de Protección Ambiental (EPA) de los embarcadores y transportistas. Los embarcadores deben preparar, fechar y firmar el manifiesto. Cuando transporte desechos, considere al manifiesto como un documento de embarque. Sólo debe entregarle el embarque de desechos a otro transportista registrado o a las instalaciones para tratamiento. Cada transportista que lleve el embarque debe firmar el manifiesto. Luego de entregar el embarque, conserve su copia del manifiesto. Cada copia debe tener todas las firmas y fechas necesarias, incluidas las de la persona a quien usted entregó los desechos.

9.3.10 – Rotulación

Antes de manejar el vehículo, coloque los rótulos adecuados. Sólo está permitido movilizar un vehículo indebidamente rotulado en casos de emergencia, para proteger la vida o la propiedad.

Los rótulos deben estar en ambos lados y en ambos extremos del vehículo. Cada rótulo debe:

- verse fácilmente desde la dirección hacia la que apunta;
- estar colocado de modo que las palabras o los números estén nivelados y se lean de izquierda a derecha;
- estar colocado a tres pulgadas (8 cm) como mínimo de cualquier otra marca;
- estar alejado de accesorios o dispositivos, como escaleras, puertas o lonas;
- estar limpio y sano de modo que el color, la forma y el mensaje se vean con facilidad;
- estar colocado sobre un fondo de un color contrastante;

  Además de esto:

- Está prohibido el uso de rótulos con inscripciones como "Drive Safely" (Conduzca con precaución) o frases similares.
- El rótulo delantero puede estar colocado en la parte delantera del tractor o del remolque.

Para decidir qué rótulos usar, usted debe saber:

- la clase de riesgo de los materiales;
- la cantidad de materiales peligrosos embarcados;
- el peso total de todas las clases de materiales peligrosos que transporta en su vehículo.

9.3.11 – Tabla de rótulos

Existen dos tablas de rótulos: la tabla 1 y la tabla 2. La tabla 1 muestra los materiales que requieren rótulos, independientemente de la cantidad transportada. *Ver la figura 9.7.*

Salvo para empaques a granel, las clases de riesgo de la tabla 2 necesitan rótulos sólo cuando la cantidad

Tabla 1 de rótulos	
• Cualquier cantidad	
SI EL VEHÍCULO CONTIENE CUALQUIER CANTIDAD DE...	**ROTÚLELO COMO...**
1.1 Explosivos	"Explosives 1.1" (Explosivos 1.1)
1.2 Explosivos	"Explosives 1.2" (Explosivos 1.2)
1.3 Explosivos	"Explosives 1.3" (Explosivos 1.3)
2.3 Gases tóxicos o venenosos	"Poison Gas" (Gas tóxico)
4.3 Peligroso al mojarse	"Dangerous When Wet" (Peligroso al mojarse)
5.2 (Peróxido orgánico, Tipo B, líquido o sólido, de temperatura controlada)	"Organic Peroxide" (Peróxido orgánico)
6.1 (Riesgo de inhalación, zonas A o B únicamente)	"Poison" (Veneno)
7. (Material radioactivo etiqueta amarilla III únicamente)	"Radioactive" (Material radioactivo)

Figura 9.7

total transportada sea de 1,001 libras (454 kilos) o más, incluido el paquete. Sume las cantidades de todos los documentos de embarque para todos los productos de la tabla 2 que lleve a bordo. *Ver la figura 9.8.*

Puede usar rótulos con la leyenda "DANGEROUS" (Peligroso) en lugar de rótulos separados para cada clase de peligro de la tabla 2 en los siguientes casos:

- Cuando tenga carga no a granel de dos o más categorías de clase de riesgo te la tabla 2 que requiera rótulos distintos, y
- cuando la carga no supere las 2,205 libras (1,000 kilos) o más de peso bruto total de material de cualquier clase de riesgo de la tabla 2, en un solo lugar. (Para este material debe usar el rótulo específico.)
- Si tiene una clase secundaria de riesgo de inhalación tóxica o de gas tóxico usted DEBE colocar

Tabla 2 de rótulos	
• 1,001 libras (454 kilos) o más	
Categoría de material (Número y descripción adicional de la clase o división de riesgo, según corresponda)	**Nombre del rótulo**
1.4 Explosivos	"Explosives 1.4" (Explosivos 1.4)
1.5 Explosivos	"Explosives 1.5" (Explosivos 1.5)
1.6 Explosivos	"Explosives 1.6" (Explosivos 1.6)
2.1 Gases inflamables	"Flammable Gas" (Gas Inflamable)
2.2 Gases no inflamables	"Non-Flammable Gas" (Gas no inflamable)
3 Líquidos inflamables	"Flammable" (Inflamable)
Líquidos combustibles	"Combustible" (Combustible)*
4.1 Sólidos inflamables	"Flammable Solid" (Sólidos inflamables)
4.2 Combustión espontánea	"Spontaneously Combustible" (Combustión espontánea)
5.1 Oxidantes	"Oxidizer" (Oxidante)
5.2 (que no sea peróxido orgánico, Tipo B, líquido o sólido, de temperatura controlada)	Organic Peroxide (Peróxido orgánico)
6.1 (que no sea de inhalación, zonas A o B)	"Poison" (Veneno)
6.2 Sustancias infecciosas	(Ninguno)
8 Corrosivos	"Corrosive" (Corrosivo)
9. Cargas peligrosas varias	Clase 9**
Otros materiales regulados, clase D (ORM-D)	(Ninguno)

* Se puede utilizar "FLAMMABLE" (Inflamable) en lugar de "COMBUSTIBLE" (Combustible) en un tanque de carga o tanque portátil.

** No se requiere rótulo de clase 9 para transporte nacional.

Figura 9.8

rótulos para el riesgo principal y para el secundario, independientemente de la cantidad.
- El rótulo "Peligroso" es optativo, no obligatorio. Siempre puede colocar rótulos con el nombre del material.

Si las palabras INHALATION HAZARD (Riesgo de inhalación) aparecen en el documento de embarque o en el paquete, usted debe exhibir rótulos con la leyenda POISON INHALATION HAZARD (Riesgo de inhalación tóxica) o POISON GAS (Gas tóxico) además de cualquier otro rótulo requerido por la clase de riesgo del producto. La excepción de las 1,000 libras (454 kilos) no rige para estos materiales.

No es necesario utilizar rótulos de "EXPLOSIVES 1.5" (Explosivos 1.5) u "OXIDIZER" (Oxidante) si el vehículo contiene explosivos de las divisiones 1.1 ó 1.2 y tiene colocados los rótulos con las leyendas "EXPLOSIVES 1.1" (Explosivos 1.1) o "EXPLOSIVES 1.2" (Explosivos 1.2). Tampoco es necesario utilizar el rótulo "Division 2.2 NON-FLAMMABLE GAS" (Gas no inflamable, División 2.2) en un vehículo que tiene colocados rótulos con la leyenda "2.1 FLAMMABLE GAS" (Gas Inflamable 2.1) o "Division 2.2 OXYGEN" (Oxígeno, División 2.2) para oxígeno.

Los materiales con un riesgo de peligro secundario al mojarse deben tener colocado un rótulo con la leyenda "DANGEROUS WHEN WET" (Peligroso al mojarse) además de cualquier otro rótulo requerido por la clase de riesgo del producto. La excepción de las 1,000 libras (454 kilos) para rotulación no rige en estos materiales.

Los rótulos que se utilizan para identificar clases de riesgo principales y secundarias de un material deben exhibir el número de clase o división de riesgo en el ángulo inferior del rótulo. Los materiales con un riesgo secundario de "tóxico por inhalación" **deben** mostrar el rótulo Poison INHALATION HAZARD (Riesgo de inhalación tóxica) además de cualquier otro rótulo requerido. Los rótulos de riesgo secundario colocados de manera permanente que no tengan el número de clase de riesgo se pueden utilizar siempre y cuando cumplan con las especificaciones de color.

Se pueden colocar rótulos para indicar materiales peligrosos incluso cuando no sea obligatorio hacerlo, siempre y cuando el rótulo identifique el riesgo del material que se transporta.

Un empaque a granel es un recipiente simple con capacidad para 119 galones (450 litros) o más. Tanto el empaque a granel como el vehículo que lo transporta deben estar rotulados aunque contengan sólo el desecho de un material peligroso. Algunos empaques a granel sólo deben estar rotulados en dos lados opuestos o pueden tener etiquetas. Todos los demás empaques a granel deben tener rótulos en los cuatro lados.

Apartados 9.1, 9.2 y 9.3
Ponga a prueba sus conocimientos

1. Los embarcadores realizan el empaque a fin de (llene el espacio en blanco) el material.
2. Los conductores rotulan sus vehículos para (llene el espacio en blanco) el riesgo.
3. ¿Cuáles son las tres cosas que necesita saber para decidir qué rótulos (si corresponde) debe utilizar?
4. El número de identificación de materiales peligrosos debe figurar en (llene el espacio en blanco) y en (llene el espacio en blanco). El número de identificación también debe figurar en tanques de carga y en otros empaques a granel.
5. ¿Dónde debe llevar los documentos de embarque que describen materiales peligrosos?

Estas preguntas pueden aparecer en la prueba. Si no puede responderlas a todas, relea los apartados 9.1, 9.2 y 9.3.

9.4 – Carga y descarga

Haga todo lo que sea posible para proteger los recipientes de materiales peligrosos. No use herramientas que puedan dañar los recipientes o alguna otra clase de empaque durante la carga. No utilice ganchos.

9.4.1 – Requisitos generales de carga

Antes de cargar o descargar, coloque el freno de estacionamiento. Asegúrese de que el vehículo esté inmovilizado.

Muchos productos se tornan más peligrosos cuando están expuestos al calor. Cargue los materiales peligrosos lejos de fuentes de calor.

Preste atención a signos de daños o fugas en los contenedores. ¡LAS FUGAS ANUNCIAN PROBLEMAS! No transporte paquetes con fugas, ya que según el material que se esté transportando, usted, su camión u otras personas podrían correr peligro. Es ilegal mover un vehículo que tenga una fuga de materiales peligrosos.

Los contenedores de materiales peligrosos se deben amarrar para prevenir el movimiento de los paquetes durante su transporte.

No fumar. Cuando cargue o descargue materiales peligrosos, aleje las fuentes de fuego. No permita que se fume cerca del vehículo ni de materiales de las siguientes clases:

- Clase 1 (Explosivos)
- Clase 2.1 (Gases inflamables)
- Clase 3 (Líquidos inflamables)
- Clase 4 (Sólidos inflamables)
- Clase 5 (Oxidantes)

Asegure la carga para evitar que se mueva. Amarre los recipientes para que no se caigan, se resbalen ni reboten durante el transporte. Tenga mucho cuidado cuando cargue recipientes que tengan válvulas o algún otro dispositivo. Todos los paquetes de materiales peligrosos deben estar asegurados durante el transporte.

No abra ningún paquete después de cargarlo ni pase materiales peligrosos de un paquete a otro durante el viaje. Puede vaciar un tanque de carga pero no vaciar ningún otro paquete mientras esté en el vehículo.

Reglas para calentadores de carga. Cuando el vehículo está equipado con calentadores de carga, hay normas especiales para cargar los siguientes materiales:

- Clase 1 (Explosivos)
- Clase 2.1 (Gases inflamables)
- Clase 3 (Líquidos inflamables)

Las normas por lo general prohíben el uso de calentadores de carga, incluidas las unidades automáticas de aire acondicionado o calentador de carga. A menos que conozca todas las reglas pertinentes, no cargue los productos antes mencionados en un espacio para carga en el que haya un calentador.

Use espacio cerrado para carga. No puede llevar una carga que sobresalga por los lados o por la parte trasera del vehículo de los siguientes materiales:

- Clase 1 (Explosivos)
- Clase 4 (Sólidos inflamables)
- Clase 5 (Oxidantes)

Debe cargar estos materiales peligrosos en un espacio de carga cerrado, a menos que todos los paquetes:

- sean resistentes al fuego y al agua;
- estén cubiertos con una lona impermeable y resistente al fuego.

Precauciones para riesgos específicos

Materiales de clase 1 (Explosivos). Apague el motor antes de cargar o descargar cualquier tipo de explosivos, y después revise el espacio de carga. Usted:

- Debe desactivar los calentadores de cargas. Debe desconectar las fuentes de energía del calentador y drenar los tanques de combustible del calentador.
- Debe asegurarse de que no haya puntas afiladas que puedan dañar la carga. Debe verificar si hay pernos, tornillos, clavos, tableros laterales o tablones del piso rotos.
- Usar un revestimiento para el piso con explosivos de la División 1.1, 1.2 ó 1.3. Los pisos deben ser compactos y el revestimiento debe ser de un material no metálico ni ferroso.

Tome precauciones especiales para proteger los explosivos. Nunca use ganchos ni otras herramientas de metal. Nunca deje caer, haga rodar ni arroje los paquetes de explosivos; protéjalos de otras cargas que podrían dañarlos.

No traslade un explosivo de la División 1.1, 1.2 ó 1.3 de un vehículo a otro en una carretera pública, excepto en caso de emergencia. Si por razones de seguridad debe trasladar el material, coloque tres triángulos reflectores bidireccionales de emergencia. Usted tiene la obligación de advertir a los demás usuarios de la carretera.

Nunca transporte paquetes de explosivos que estén dañados ni acepte un paquete con manchas de humedad o de aceite.

No transporte explosivos de la División 1.1 ó 1.2 en combinaciones de vehículos si:

- hay un tanque de carga marcado o rotulado en la combinación;
- el otro vehículo de la combinación contiene:

  - División 1.1 A (Explosivos iniciadores);
  - Materiales de paquetes de la clase 7 (Material radioactivo), etiquetados "Yellow III" (Amarillo III);
  - Materiales de la División 2.3 (Gases tóxicos) o de la División 6.1 (Venenos);
  - Materiales peligrosos en un tanque portátil, en un tanque que se ajuste a las especificaciones 106A ó 110 A del Departamento de Transporte.

Materiales de clase 4 (Sólidos inflamables) y clase 5 (Oxidantes). Los materiales de la clase 4 son sólidos que reaccionan (y producen fuego y explosión) ante el agua, el calor y el aire, e incluso en forma espontánea.

Los materiales de las clases 4 y 5 deben estar en un lugar completamente cerrado dentro del vehículo o cubiertos de manera segura, y, dado que estos materiales se tornan inestables y peligrosos al mojarse, deben mantenerse secos cuando estén en tránsito y durante el proceso de carga y descarga. Los materiales susceptibles de combustión espontánea o aumento de temperatura se deben transportar en vehículos con ventilación suficiente.

Materiales de clase 8 (Materiales corrosivos). Si la carga se realiza a mano, cargue los recipientes frágiles de líquido corrosivo de a uno y manténgalos con el lado correcto hacia arriba. No los deje caer ni los haga rodar y cárguelos en una superficie nivelada. Apile los garrafones sólo si las hileras inferiores pueden soportar con seguridad el peso de las superiores.

No cargue ácido nítrico encima de ningún otro producto.

Cargue las baterías (acumuladores) cargadas de modo que el líquido no se derrame, y manténgalas con el lado correcto hacia arriba. Asegúrese de que otras cargas no vayan a caerse sobre las baterías ni produzcan un cortocircuito.

Nunca cargue líquidos corrosivos encima o al lado de los siguientes materiales:

- División 1.4 (Explosivos C)
- División 4.1 (Sólidos inflamables)
- División 4.3 (Materiales que se tornan peligrosos al mojarse)
- Clase 5 (Oxidantes)

- División 2.3, zona B (Gases tóxicos)

Nunca cargue líquidos corrosivos con los siguientes materiales:

- Divisiones 1.1 ó 1.2 (Explosivos A)
- Divisiones 1.2 ó 1.3 (Explosivos B)
- División 1.5 (Agentes explosivos)
- División 2.3, zona A ((Gases tóxicos)
- División 4.2 ((Materiales de combustión espontánea)
- División 6.1, PGI (Grupo de empaque I), zona A (Líquidos tóxicos)

Clase 2 (Gases comprimidos) incluidos líquidos criogénicos. Si el vehículo no está provisto de estantes para los cilindros, el piso del espacio de carga debe ser plano. Coloque los cilindros:

- en posición vertical;
- en estantes fijos del vehículo o en cajas que eviten que se volteen.

Los cilindros se pueden cargar en posición horizontal (acostados) si tienen la válvula de descarga en el espacio para el vapor.

Materiales de las divisiones 2.3 (Gas tóxico) o 6.1 (Veneno). Nunca transporte estos materiales en recipientes con interconexiones. Nunca cargue un paquete rotulado "POISON" (Veneno) o "POISON INHALATION HAZARD" (Riesgo de inhalación tóxica) en la cabina del conductor o en el compartimiento para dormir, ni junto con productos alimenticios para el consumo humano o animal. Hay reglas especiales para cargar y descargar materiales de clase 2 en tanques de carga. Usted debe recibir capacitación especial para hacerlo.

Materiales de clase 7 (Materiales radioactivos). Algunos paquetes de materiales de clase 7 (radioactivos) llevan un número llamado "índice de transporte". El embarcador etiqueta estos paquetes con las leyendas "Radioactive II" (Radioactivo II) o "Radioactive III" (Radioactivo III) y anota el índice de transporte del paquete en la etiqueta. La radiación rodea cada paquete y pasa a todos los otros que se encuentren cerca. Para solucionar este problema, existe un control para la cantidad de paquetes que puede cargar juntos. También se controla su proximidad con personas, animales y películas sin revelar. El índice de transporte señala el grado de control necesario durante el transporte. El índice total de transporte de todos los paquetes cargados en un vehículo no debe superar los 50. Separación de material radioactivo, Tabla A (*figura 9.9*) que se encuentra más adelante muestra las reglas que rigen para cada índice de transporte. También muestra la distancia que se debe dejar entre los materiales de clase 7 (radioactivos) y personas, animales o películas. Por ejemplo, no puede colocar un paquete con un índice de transporte de 1.1 a una distancia menor de dos pies (60 cm) de las personas o de las paredes del espacio de carga. No coloque paquetes de materiales radioactivos etiquetados con la leyenda "yellow - II" (amarillo II) o "yellow - III" (amarillo III) cerca de personas, animales ni películas por un tiempo mayor que el indicado en la *figura 9.9*.

Separación de material radioactivo
Tabla A

ÍNDICE TOTAL DE TRANSPORTE	DISTANCIA MÍNIMA EN PIES CON LA PELÍCULA SIN REVELAR					PARA PERSONAS O DIVISIONES DE CARGA
	0-2 horas	2-4 horas	4-8 horas	8-12 horas	Más de 12 horas	
Ninguno	0	0	0	0	0	0
0.1 a 1.0	1	2	3	4	5	1
1.1 a 5.0	3	4	6	8	11	2
5.1 a 10.0	4	6	9	11	15	3
10.1 a 20.0	5	8	12	16	22	4
20.1 a 30.0	7	10	15	20	29	5
30.1 a 40.0	8	11	17	22	33	6
40.1 a 50.0	9	12	19	24	36	

Figura 9.9

Cargas mixtas. Las reglas exigen que algunos productos se carguen por separado, es decir, no puede cargarlos juntos en el mismo espacio de carga. La *figura 9.10* enumera algunos ejemplos. El reglamento (Tabla para Materiales Peligrosos) menciona otros materiales que se deben mantener separados.

Tabla de materiales que no se cargan juntos

No cargue	En el mismo vehículo junto con
División 6.1 ó 2.3 (Materiales etiquetados como Veneno o Riesgo de inhalación tóxica)	Alimentos para seres humanos o animales, a menos que el paquete tóxico esté sobreempacado de la forma aprobada. Comestible es todo lo que se ingiere. El enjuague bucal, la pasta dentífrica y las cremas para la piel no son comestibles.
División 2.3 (Gases tóxicos de la zona A) o División 6.1 (líquidos tóxicos, PGI, zona A).	Explosivos de la División 1.1, 1.2, 1.3 , División 5.1 (Oxidantes), Clase 3 ((Líquidos inflamables), Clase 8 (Líquidos corrosivos), División 5.2 (Peróxidos orgánicos), División 1.5 (Agentes explosivos) División 2.1 (Gases inflamables), Clase 4 (Sólidos inflamables).
Baterías (acumuladores) cargadas.	Explosivos de la División 1.1
Clase 1 (Cartuchos detonantes).	Cualquier otro explosivo, a menos que se transporte en paquetes o recipientes autorizados.
División 6.1 (Cianuros o compuestos de cianuro).	Ácidos, materiales corrosivos u otros materiales ácidos que puedan liberar ácido cianhídrico. Por ejemplo: Cianuros, inorgánicos, N.E.O.M. Cianuro de plata Cianuro de sodio
Ácido nítrico (clase 8)	Otros materiales, a menos que el ácido nítrico no esté encima de ningún otro material.

Figura 9.10

Apartado 9.4
Ponga a prueba sus conocimientos

1. ¿Cuáles son las clases de riesgos cerca de las cuales no debe fumar?
2. ¿Cuáles son las tres clases de riesgos que no se deben cargar en un remolque que tenga una unidad de calefacción o aire acondicionado?
3. ¿El revestimiento del piso que se exige para materiales de la División 1.1. ó 1.2 debe ser de acero inoxidable?
4. En la plataforma del embarcador se le entrega un documento por 100 envases de cartón de ácido para baterías. Usted ya tiene 100 libras (45 kilos) de cianuro de plata a bordo. ¿Qué precauciones debe tomar?
5. Mencione una clase de riesgo que use índices de transporte a fin de determinar la cantidad que se puede cargar en un solo vehículo.

Estas preguntas pueden aparecer en la prueba. Si no puede responderlas a todas, relea el apartado 9.4.

9.5 – Marcación, carga y descarga de empaques a granel

En el glosario al final de esta sección se encuentra el significado de las palabras "a granel". Los tanques de carga son recipientes para carga a granel, fijados a un vehículo en forma permanente. Los tanques de carga permanecen en el vehículo cuando se los carga o descarga. Los tanques portátiles son recipientes para carga a granel que no están fijados al vehículo en forma permanente. El producto se carga o descarga con los tanques portátiles fuera del vehículo. Luego, los tanques portátiles se colocan en el vehículo para su transporte. Se usan muchas clases de tanques de carga. Los más comunes son los MC306 para líquidos y los MC331 para gases.

9.5.1 – Marcas

Es obligatorio exhibir el número de identificación de los materiales peligrosos que se transportan en tanques portátiles, tanques de carga y en otros empaques a granel (como camiones basculantes). Los números de identificación aparecen en la columna 4 de la Tabla de Materiales Peligrosos. Las reglas exigen números negros de 100 mm (3.9 pulgadas) en rótulos o paneles anaranjados o, si el uso de rótulos no es obligatorio, en un fondo blanco en forma de rombo. Los tanques de carga de especificación deben mostrar marcas con las fechas de nueva prueba.

Además, los tanques portátiles deben mostrar el nombre del propietario o arrendatario y exhibir el nombre de embarque del contenido en dos lados opuestos. Las letras del nombre de embarque deben ser de dos pulgadas (5 cm) de alto como mínimo en los tanques portátiles con capacidad para más de 1000 galones (3800 litros), y de una pulgada de alto (2.5 cm) en tanques portátiles con capacidad para menos de 1000 galones. El número de identificación debe aparecer en cada lado y en cada extremo de un tanque portátil u otros empaques a granel con capacidad para 1000 galones (3800 litros) o más, y en dos lados opuestos si el tanque portátil tiene una capacidad menor. Los números de identificación deben permanecer visibles cuando el tanque portátil esté en el vehículo. De lo contrario, usted debe exhibir el número de identificación en ambos lados y en ambos extremos del vehículo automotor.

Los recipientes intermedios para graneles (IBC) son paquetes a granel pero no se exige que lleven el nombre del propietario ni del embarque.

9.5.2 – Carga de los tanques

La persona responsable de la carga y descarga de un tanque debe asegurarse de que una persona calificada esté siempre vigilando. Esta persona debe:

- estar alerta;
- poder ver claramente el tanque de carga;
- estar dentro de una distancia de 25 pies (7.5 metros) del tanque;
- conocer los riesgos de los materiales involucrados;
- conocer los procedimientos que se deben seguir ante una emergencia;
- estar autorizada y en condiciones de mover el tanque de carga.

Hay reglas especiales para el tratamiento de tanques que transportan propano y amoníaco anhidro.

Cierre todos los registros y válvulas antes de mover un tanque cargado con materiales peligrosos, independientemente de lo pequeña que pueda ser la cantidad que lleve o cuán corta sea la distancia. Los registros y válvulas deben estar cerrados para evitar fugas. *De acuerdo con lo establecido en la Sección 173.29 del Título 49 del Código de Regulaciones Federales (CFR), es ilegal mover un tanque de carga con válvulas o tapas abiertas, a menos que esté vacío.*

9.5.3 – Líquidos inflamables

Apague el motor antes de cargar o descargar cualquier líquido inflamable y sólo póngalo en marcha si lo necesita para hacer funcionar una bomba. Conecte correctamente la línea de tierra del tanque antes de abrir el orificio de de carga, y mantenga la línea de tierra hasta después de haber cerrado el orificio de carga.

9.5.4 – Gas comprimido

Mantenga cerradas las válvulas de descarga de líquidos de los tanques de gas comprimido excepto durante la carga o descarga. A menos que el motor active una bomba para traslado del producto, apáguelo cuando esté cargando o descargando. Si usa el motor, apáguelo después de pasar el producto y antes de desconectar la manguera. Desprenda todas las conexiones de carga y descarga antes de acoplar, desacoplar o mover un tanque de carga. Cuando los remolques y semirremolques estén desacoplados de la unidad motriz, siempre bloquéelos con cuñas a fin de inmovilizarlos.

Apartado 9.5
Ponga a prueba sus conocimientos

1. ¿Qué es un tanque de carga?
2. ¿En qué se diferencia un tanque portátil de uno de carga?
3. El motor activa una bomba que se usa para trasladar el gas comprimido. ¿Debe apagar el motor antes o después de desconectar las mangueras una vez terminado el traslado?

Estas preguntas pueden aparecer en la prueba. Si no puede responderlas a todas, relea el apartado 9.5.

9.6 – Materiales peligrosos – Reglas para manejar y estacionarse

9.6.1 – Estacionamiento con explosivos de la División 1.1, 1.2 ó 1.3

Nunca estacione con explosivos de la División 1.1, 1.2 ó 1.3 dentro de una distancia de cinco pies (1.5 metros) de la zona de circulación de la carretera. A menos que sea necesario hacerlo por breves períodos para la operación del vehículo (por ejemplo, carga de combustible), no estacione a una distancia menor de 300 pies (90 metros) de:

- un puente, un túnel o un edificio;
- un lugar donde se reúna gente;
- un fuego abierto.

Si debe estacionar para desempeñar su trabajo, hágalo sólo por poco tiempo.

No estacione en propiedad privada a menos que el propietario haya sido advertido del peligro. Siempre debe haber alguien vigilando el vehículo estacionado. Puede permitir que otra persona lo vigile en su lugar solamente si su vehículo está:

- en la propiedad del embarcador;
- en la propiedad del transportista;
- en la propiedad del consignatario.

Usted puede dejar el vehículo sin vigilancia solo cuando éste se encuentre en un refugio seguro, es decir, un lugar aprobado para estacionar camiones cargados con explosivos. Las autoridades locales son por lo general las que designan los refugios seguros autorizados.

9.6.2 – Estacionamiento de un vehículo rotulado que no transporte explosivos de la División 1.1, 1.2 ó 1.3

Puede estacionar un vehículo rotulado (que no lleve explosivos) a una distancia de 5 pies (1.5 metros) de la zona de circulación de la carretera sólo si su trabajo así lo requiere y sólo por un breve período. Siempre debe haber alguien vigilando el vehículo cuando esté estacionado en una carretera pública o en el arcén. Nunca deje el remolque desacoplado y con materiales peligrosos en una vía pública. No estacione a menos de 300 pies (90 metros) de fuego abierto.

9.6.3 – Vigilancia de vehículos estacionados

La persona que vigila un vehículo rotulado debe:

- permanecer en el vehículo, despierta y fuera del compartimiento para dormir o fuera del vehículo en un radio de 100 pies (30 metros), donde pueda verlo claramente;
- conocer los riesgos de los materiales transportados;

- saber qué hacer en caso de emergencias;
- estar en condiciones de mover el vehículo, si fuese necesario.

9.6.4 – ¡No use cohetes luminosos!

Si sufre una avería es posible que deba detenerse y usar señales para advertir que su vehículo está detenido. Use triángulos reflectantes o luces eléctricas rojas. Nunca use señales de fuego como cohetes luminosos o mechas cuando esté cerca de:

- un tanque utilizado para transportar líquidos inflamables de clase 3 o gases inflamables de la División 2.1, independientemente de si está cargado o vacío;
- un vehículo cargado con explosivos de la División 1.1, 1.2 ó 1.3

9.6.5 – Restricciones de rutas

Algunos estados y condados exigen permisos para transportar materiales o desechos peligrosos y pueden limitar las rutas que estos vehículos de transporte deben utilizar. Las reglas locales para las rutas y permisos cambian con frecuencia. Es su responsabilidad como conductor averiguar si necesita permisos o si debe utilizar rutas especiales. Asegúrese de tener toda la documentación necesaria antes de salir.

Si trabaja para un transportista, consulte con la central sobre permisos o restricciones de rutas. Si usted es camionero independiente y está planeando usar una ruta nueva, averigüe en las dependencias estatales el lugar adonde desea viajar, ya que algunas localidades prohíben el transporte de materiales peligrosos por túneles, puentes u otras vías. Verifique siempre esta información antes de iniciar el viaje.

Siempre que maneje un vehículo rotulado, evite circular por áreas densamente pobladas, muchedumbres, túneles, calles estrechas y callejones. Tome otras rutas aunque sea poco práctico, salvo que no haya otro camino. Nunca maneje un vehículo rotulado cerca de fuegos abiertos, a menos que pueda pasar sin detenerse y sin riesgos.

Si transporta explosivos de la División 1.1, 1.2 ó 1.3, debe contar con un plan de ruta por escrito y seguirlo. Los transportistas preparan el plan de ruta con anticipación y le entregan una copia al conductor. Usted puede programar su propia ruta si recoge los explosivos en un lugar que no sea la terminal de su patrón. Trace su plan con anticipación y lleve una copia mientras vaya transportando los explosivos. Entregue embarques de explosivos solamente a personas autorizadas o déjelos en recintos bajo llave diseñados para almacenar explosivos.

El transportista debe elegir la ruta más segura para transportar material radioactivo rotulado. Después de elegir la ruta debe darle al conductor toda la información relacionada con los materiales radioactivos y enseñarle el plan de ruta.

9.6.6 – No fume

No fume dentro de un radio de 25 pies (7.60 metros) de un tanque rotulado de líquidos inflamables de clase 3 o gases de la División 2.1. Tampoco fume ni lleve un cigarrillo, un cigarro puro o una pipa encendidos dentro de un radio de 25 pies (7.60 metros) de distancia de cualquier vehículo que contenga materiales:

- Clase 1 (Explosivos)
- Case 3 (Líquidos inflamables)
- Clase 4 (Sólidos inflamables)
- Clase 4.2 (Combustión espontánea)

9.6.7 – Cargue combustible con el motor apagado

Apague el motor antes de cargar combustible en un vehículo automotor que contenga materiales peligrosos. Siempre debe haber alguien vigilando la boquilla y controlando el paso del combustible.

9.6.8 – *Extinguidor de incendios de 10 B:C*

La unidad motriz de los vehículos rotulados debe tener un extinguidor de incendios con una clase UL de 10 B:C o más.

9.6.9 – *Revise las llantas*

Asegúrese de que las llantas estén debidamente infladas. Revise los vehículos rotulados con llantas duales al comienzo de cada viaje y cuando estacione. Cada vez que pare debe revisar las llantas con un medidor de presión, que es la única forma confiable de hacerlo.

No maneje con una llanta que tenga una fuga o esté desinflada salvo hasta el lugar seguro más cercano donde pueda hacerla arreglar. Si tiene una llanta recalentada, sáquela y colóquela a una distancia segura del vehículo. No vuelva a manejar hasta solucionar la causa del recalentamiento. Recuerde seguir las reglas sobre estacionamiento y vigilancia de vehículos rotulados. Estas reglas rigen incluso para revisar, reparar o cambiar llantas.

9.6.10 – *Dónde llevar los documentos de embarque y la información de respuestas a emergencias*

No acepte un embarque de materiales peligrosos sin un documento de embarque debidamente preparado. Un documento de embarque para materiales peligrosos siempre debe poder reconocerse con facilidad y se debe mantener en un lugar donde otras personas puedan encontrarlo rápidamente después de un choque.

- Distinga claramente los documentos de embarque para materiales peligrosos de otros documentos o papeles identificándolos o colocándolos sobre los demás papeles.
- Cuando esté detrás del volante, mantenga los documentos de embarque donde pueda alcanzarlos (sin necesidad de quitarse el cinturón de seguridad) o en una bolsa de la puerta del conductor. Los documentos deben ser fácilmente visibles para alguien que entre a la cabina.
- Cuando no esté manejando, deje los documentos de embarque en la bolsa de la puerta del conductor o sobre el asiento del conductor.
- La información sobre respuestas a emergencias se debe guardar en el mismo lugar que el documento de embarque.
-

9.6.11 – *Documentos para explosivos de la División 1.1, 1.2 ó 1.3.*

El transportista debe entregarle a todo conductor que transporte explosivos de la División 1.1, 1.2 ó 1.3 una copia de la Sección 397 de las Regulaciones Federales de Seguridad para Transportistas Motorizados (FMCSR) y también las instrucciones escritas sobre qué hacer ante una demora o un accidente. Las instrucciones escritas deberán incluir:

- los nombres y números telefónicos de las personas de contacto (incluidos los agentes transportistas o embarcadores);
- la naturaleza de los explosivos transportados;
- las precauciones que se deben tomar ante emergencias tales como incendios, accidentes o fugas.

Los conductores deben firmar un recibo por estos documentos.
Mientras maneje debe tener en su poder y estar familiarizado con lo siguiente:

- Documentos de embarque
- Instrucciones escritas para emergencias
- Plan de ruta por escrito
- Copia de la Sección 397 de los FMCSR

9.6.12 – Equipo para cloro

Un conductor que transporta cloro en tanques de carga tiene la obligación de llevar en el vehículo una máscara antigás aprobada. También debe tener un equipo de emergencia para controlar fugas en los conectores de la placa de recubrimiento de la bóveda en el tanque de carga.

9.6.13 – Pare antes de cruces de vías de ferrocarril

Pare antes de cruzar una vía de ferrocarril si su vehículo:

- está rotulado;
- transporta cloro, independientemente de la cantidad;
- tiene tanques de carga para transportar materiales peligrosos, sea que estén llenos o vacíos.

Debe parar a una distancia de entre 15 y 50 pies (4.60 y 15 metros) antes de la vías de ferrocarril más próximas y cruzar sólo cuando esté seguro de que no se aproxima ningún tren. No cambie de marcha mientras cruza las vías.

9.7 – Materiales peligrosos – Emergencias

9.7.1 – Guía de Respuesta a Emergencias (ERG)

El Departamento de Transporte tiene una guía para los bomberos, la policía y los trabajadores de la industria con indicaciones sobre cómo protegerse a sí mismos y al público de los riesgos de los materiales peligrosos. La guía contiene un índice por nombre de embarque y por número de identificación del material peligroso. El personal de emergencia busca estos datos en el documento de embarque, por lo que es de vital importancia que el nombre de embarque, el número de identificación, la etiqueta y los rótulos sean correctos.

9.7.2 – Choques e incidentes

En su calidad de conductor profesional, su tarea en el lugar de un choque o incidente es la siguiente:

- Mantener a la gente alejada del área del accidente.
- Limitar la diseminación del material, sólo si puede hacerlo de manera segura.
- Comunicar el peligro de los materiales peligrosos al personal de respuesta a emergencias.
- Proporcionar los documentos de embarque y la información de respuesta a emergencias a los servicios de emergencias.

Utilice esta lista de verificación:

- Verificar si su compañero de trabajo se encuentra bien.
- Llevar consigo los documentos de embarque.
- Mantener alejada a la gente, en dirección contraria al viento.
- Advertir a otros acerca del peligro.
- Llamar para pedir ayuda.
- Seguir las instrucciones de su patrón.

9.7.3 – Incendios

Podría suceder que tenga que controlar incendios menores del camión durante el viaje. Sin embargo, salvo que haya recibido capacitación y tenga el equipo para hacerlo en forma segura, no intente extinguir incendios de materiales peligrosos, ya que esto requiere capacitación especial y ropa de protección adecuada.

Si descubre un incendio, llame para pedir ayuda. Puede utilizar el extinguidor de incendios para evitar que un incendio menor del camión se extienda a la carga hasta que lleguen los bomberos. Antes de abrir las puertas del remolque, tóquelas para ver si están calientes. Si lo están, es posible que tenga un incendio en la carga y no debe abrirlas, ya que esta acción dejaría entrar aire y avivaría el fuego. Sin aire, muchos incendios no pasan de ser un rescoldo, mientras llegan los bomberos, y así causan menos daño. Si su carga ya se está ardiendo, no es seguro intentar combatir el fuego. Conserve los documentos de embarque en su poder para dárselos al personal de emergencia tan pronto como llegue. Advierta del peligro a terceros y manténgalos alejados.

Si descubre una fuga en la carga, identifique el material peligroso que está perdiendo con la información que figura en los documentos de embarque, las etiquetas o la localización del paquete. No toque ningún material que se esté derramando. Mucha gente se lesiona al tocar materiales peligrosos. No trate de identificar el material o encontrar la fuente de una fuga por el olor. Los gases tóxicos pueden destruirle el sentido del olfato, lesionarlo o incuso matarlo, aunque no tengan olor. Nunca coma, beba ni fume cerca de una fuga o un derrame.

Si hay un derrame de materiales peligrosos proveniente de su vehículo, no mueva el vehículo más de lo que sea necesario para la seguridad. Puede sacarlo de la carretera y alejarlo de lugares donde haya gente reunida si esto contribuye a la seguridad, pero muévalo sólo si puede hacerlo sin peligro para usted o para terceros.

Si el vehículo está perdiendo materiales peligrosos nunca continúe manejando para encontrar un teléfono, una parada de camiones, ayuda ni se detenga por ningún otro motivo. Recuerde que el transportista tendrá que pagar por la limpieza de estacionamientos, carreteras y alcantarillas de desagües contaminadas. Dado que el costo es enorme, no es conveniente dejar un largo reguero de contaminación. Si su vehículo está perdiendo materiales peligrosos:

- estaciónelo;
- proteja el área;
- permanezca en el lugar:
- envíe a otra persona a que pida ayuda.

Cuando mande a otra persona a buscar ayuda, proporciónele:

- una descripción de la emergencia;
- su ubicación exacta y la dirección en que viaja;
- su nombre, el nombre del transportista y el de la población o ciudad donde se encuentra su terminal;
- el nombre apropiado del embarque, la clase de riesgo y el número de identificación del material peligroso, si los conoce.

Ésta es mucha información para que alguien pueda recordarla, por lo que es conveniente proporcionársela por escrito a la persona que enviará en busca de ayuda. El equipo de respuesta a emergencias debe conocer esta información para poder encontrarlo a usted y hacerse cargo de la situación. Es posible que deban recorrer varias millas para llegar hasta donde usted está. Esta información les ayudará a llevar el equipo adecuado de una sola vez, para no tener que volver a buscarlo.

Nunca mueva el vehículo si hacerlo causaría contaminación o dañaría el vehículo. Manténgase contra el viento y lejos de áreas de descanso, paradas de camiones, restaurantes y locales comerciales. Nunca trate de volver a empacar recipientes que tengan fugas. Tampoco trate de reparar fugas, a menos que haya recibido capacitación y tenga el equipo para hacerlo en forma segura. Llame a su despachador o a su supervisor para pedir instrucciones y, si es necesario, para que envíe el personal de emergencia.

9.7.4 – Respuestas a riesgos específicos

Clase 1 (Explosivos). Si su vehículo se descompone o interviene en un accidente mientras está transportando explosivos, advierta a otros sobre el peligro. Mantenga alejados a los curiosos. No permita que se fume o haya un fuego abierto cerca del vehículo. Si hay un incendio, advierta a todos sobre el peligro de explosión.

Retire todos los explosivos antes de separar los vehículos involucrados en un choque. Coloque los explosivos a 200 pies (60 metros) como mínimo de los vehículos y edificios habitados. Manténgase a una distancia segura.

Clase 2 (Gases comprimidos). Si hay fugas de gas comprimido en su vehículo, advierta a otros sobre el peligro. Permita que sólo aquellas personas encargadas de retirar la sustancia peligrosa o los escombros se acerquen. Si ocurre un accidente en el que está involucrada la carga de gas comprimido, debe notificar al embarcador.

A menos que esté abasteciendo combustible a maquinarias utilizadas en construcciones o mantenimiento de la carretera, no transfiera gas comprimido inflamable de un tanque a otro en una carretera pública.

Clase 3 (Líquidos inflamables). Si está transportando un líquido inflamable y tiene un accidente o su vehículo se descompone, evite que se junten curiosos. Adviértale a la gente sobre el peligro, y no permita que fumen.

Nunca transporte un tanque de carga con fugas a más distancia de la necesaria para llegar a un lugar seguro. Sálgase del camino si puede hacerlo de manera segura. No pase el líquido inflamable de un vehículo a otro en un camino público excepto en casos de emergencia.

Clase 4 (Sólidos inflamables) y Clase 5 (Materiales oxidantes). Si un sólido inflamable o un material oxidante se derrama, alerte a otros sobre el peligro de incendio. No abra paquetes de sólidos inflamables en los que haya algún rescoldo de fuego. Retírelos del vehículo si puede hacerlo de manera segura. También retire los paquetes sanos si eso disminuye el riesgo de incendio.

Clase 6 (Materiales tóxicos y sustancias infecciosas). Es su responsabilidad protegerse y proteger a otras personas y bienes de cualquier daño. Recuerde que muchos productos clasificados como tóxicos también son inflamables. Si considera que un gas tóxico de la División 2.3 o un material tóxico de la División 6.1 pueden ser inflamables, tome las precauciones adicionales necesarias apropiadas para líquidos o gases inflamables. No permita que alguien fume, encienda una llama descubierta o realice tareas de soldadura. Advierta a otros sobre el peligro de incendio, de inhalar vapores o de entrar en contacto con la sustancia tóxica.

Un vehículo que tenga una fuga de gases tóxicos de la División 2.3 o de sustancias tóxicas de la División 6.1 debe inspeccionarse para detectar la presencia de desechos tóxicos antes de ser usado nuevamente.

Si un paquete con sustancias infecciosas de la División 6.2 resulta dañado al manipularlo o transportarlo, usted debe ponerse en contacto de inmediato con su supervisor. No acepte paquetes dañados o con signos de fugas.

Clase 7 (Materiales radioactivos). Si hay un paquete roto o con fugas de material radioactivo, informe a su despachador o a su supervisor tan pronto como sea posible. Si hay un derrame o si un recipiente interno podría estar dañado, no toque ni inhale el material. Tampoco utilice el vehículo hasta que se haya limpiado y haya sido revisado con un medidor para reconocimiento.

Clase 8 (Materiales corrosivos). Si se produce una fuga o un derrame de materiales corrosivos durante el transporte, tome precauciones para evitar daños o lesiones mayores al manipular los recipientes. Las partes del vehículo que han estado expuestas a un líquido corrosivo se deben lavar bien con agua. Después de descargar el material, lave el interior del vehículo lo más pronto posible antes de volver a cargarlo.

Si continuar transportando un tanque de carga con una fuga es inseguro, sálgase del camino. Si puede hacerlo con seguridad, trate de contener el líquido que esté escurriendo del vehículo. Aleje a los curiosos del líquido y sus vapores, y haga todo lo posible por evitar lesiones a terceros o a usted mismo.

9.7.5 – Notificación obligatoria

El Centro Nacional de Respuesta (*National Response Center)* ayuda a coordinar la respuesta a emergencias relacionadas con riesgos químicos. Es un recurso para la policía y los bomberos, que mantiene una línea telefónica gratuita (que se detalla a continuación) durante las 24 horas. Usted o su patrón tienen obligación de llamar por teléfono cuando como resultado directo de un incidente con materiales peligrosos ocurra algunas de las siguientes situaciones:

- Muera alguna persona.
- Un herido necesite ser hospitalizado.
- Los daños a la propiedad estimados excedan la suma de $50,000.
- Haya gente evacuada por más de una hora.
- Una o más instalaciones o arterias principales para el transporte queden clausuradas por una hora o más.
- Se produzca un incendio, una rotura, un derrame o una posible contaminación con sustancias radioactivas.
- Se produzca un incendio, una rotura, un derrame o una posible contaminación que involucre una carga de agentes etiológicos (bacterias o toxinas).
- Exista una situación de naturaleza tal que, a juicio del transportista, deba ser informada (por ejemplo, peligro constante para la vida en la escena de un incidente).

Centro Nacional de Respuesta 1 (800) 424-8802

Las personas que llamen por teléfono al Centro Nacional de Respuesta deben estar preparadas para proporcionar la siguiente información:

- Nombre
- Nombre y dirección del transportista para el que trabajan
- Número telefónico al que se lo puede localizar
- Fecha, hora y lugar del incidente
- Gravedad de las lesiones, si las hubiere
- Clase, nombre y cantidad de materiales peligrosos involucrados, si dispone de esa información
- Tipo de incidente y la forma en que haya intervenido el material peligroso involucrado, y si en el lugar de los hechos sigue habiendo algún peligro para la vida

Si hubo de por medio una cantidad reportable de una sustancia peligrosa, la persona que llame debe dar el nombre del embarcador y la cantidad de sustancia peligrosa derramada.

Esté preparado para proporcionarle a su patrón la información requerida. Los transportistas deben redactar informes detallados dentro de los treinta días de ocurrido el incidente.

Centro de Emergencia para Transportación Química (CHEMTREC) 1 (800) 424-9300

El Centro de Emergencia para Transportación Química (*Chemical Transportation Emergency Center*, CHEMTREC) situado en Washington también tiene una línea telefónica para llamadas gratuitas durante las 24 horas. Este centro fue creado para proporcionar información técnica acerca de las propiedades físicas de los materiales peligrosos al personal de emergencia. El Centro Nacional de Respuesta y CHEMTREC están en estrecha comunicación, de modo que si usted llama a uno de ellos, ese centro le informará al otro sobre el problema cuando sea oportuno.

Apartados 9.6 y 9.7
Ponga a prueba sus conocimientos

1. Si su remolque rotulado tiene llantas duales, ¿con qué frecuencia debe revisarlas?
2. ¿Qué es un refugio seguro?
3. ¿A qué distancia de la zona de circulación de un camino puede estacionarse si transporta materiales de la División 1.2 ó 1.3?
4. ¿A qué distancia de un puente, túnel o edificio puede estacionarse con esa misma carga?
5. ¿Qué tipo de extinguidor de incendios deben llevar los vehículos rotulados?

6. Usted está transportando 100 libras (45 kilos) de materiales de la División 4.3 (peligrosos al mojarse). ¿Necesita parar antes de cruzar las vías del ferrocarril?
7. En un área de descanso al lado del camino usted descubre que su embarque de materiales peligrosos tiene una pequeña fuga. No hay un teléfono cerca. ¿Qué debe hacer?
8. ¿Qué es la Guía de Respuesta a Emergencias?

Estas preguntas pueden aparecer en la prueba. Si no puede responderlas a todas, relea los apartados 9.6 y 9.7.

9.8 – Glosario de materiales peligrosos

Este glosario presenta definiciones de ciertos términos usados en esta sección. Puede encontrar el glosario completo de términos en las Reglas Federales sobre Materiales Peligrosos (Sección 171.8 del Título 49 del Código de Regulaciones Federales). Usted debe tener una copia actualizada de estas reglas.

Importante:	*El contenido de este glosario no será evaluado.*

Sección 171.8. Definiciones y abreviaturas.

Empaque a granel: empaque que no sea un barco ni una barcaza, incluido un vehículo de transporte o recipiente de carga en el que se cargan materiales peligrosos sin recipiente intermedio y que tiene:

- una capacidad máxima mayor que 450 litros (119 galones) como receptáculo para líquidos;
- una masa neta máxima mayor que 400 kilos (882 libras) o una capacidad máxima mayor que 450 litros (119 galones) como receptáculo para sólidos; o
- una capacidad para agua mayor que 454 kilos (1000 libras) como receptáculo para gases según la definición que figura en la Sección 173.115.

Tanque de carga: empaque a granel que:

- es un tanque destinado principalmente al transporte de líquidos o gases e incluye dispositivos, refuerzos, accesorios y cierres (ver "tanque" en las secciones 178.345-1(c), 178.337-1 ó 178.338 del Título 49 del CFR, según corresponda);
- está acoplado en forma permanente o forma parte de un vehículo automotor o no está acoplado en forma permanente pero que, debido a su tamaño, construcción o unión a un vehículo automotor, se carga o descarga sin quitarse de dicho vehículo; y
- no está fabricado de acuerdo con las especificaciones para cilindros, tanques portátiles, carros-tanque o unidades múltiples de carros-tanque.

Transportista: persona que se ocupa del transporte de pasajeros o de bienes por:
- tierra o agua, como transportista común, contratista o privado;
- aeronave civil.

Consignatario: empresa o persona a la que se entrega un embarque.

División: subdivisión de una clase de riesgo.

EPA: Agencia de Protección Ambiental de los Estados Unidos.

FMCSR: Reglamentos Federales de Seguridad para Transportistas Motorizados (*Federal Motor Carrier Safety Regulations*).

Recipiente de carga: recipiente reutilizable que tiene un volumen de 64 pies cúbicos (1.81 metros cúbicos) o más, diseñado y fabricado para ser levantado con su contenido intacto y destinado principalmente a contener paquetes (individuales) durante el transporte.

Tanque de combustible: tipo de tanque que no es un tanque de carga y se utiliza para transportar líquidos combustibles o inflamables o gas comprimido con el objeto de abastecer combustible para el funcionamiento del vehículo de transporte al que está acoplado, o para hacer funcionar otro equipo del vehículo de transporte.

Peso bruto o masa bruta: peso de un empaque más el peso del su contenido.

Clase de peligro: categoría de peligro asignada a un material peligroso de acuerdo con los criterios para definirla que figuran en la Sección 173 y con las disposiciones de la tabla de la Sección 172.101. Un material puede cumplir con los criterios de definición para más de una clase de riesgos pero se asigna solamente a una de ellas. Los materiales peligrosos se dividen en nueve clases principales de riesgos y en categorías adicionales para artículos de consumo y líquidos combustibles. Las clases de materiales peligrosos están detalladas en la *figura 9.11*.

Materiales peligrosos: sustancia o material definido por la Secretaría de Transporte como susceptible de presentar un riesgo alto para la salud, la seguridad y la propiedad al ser transportado comercialmente. El término incluye sustancias peligrosas, desechos peligrosos, contaminantes marítimos, materiales de altas temperaturas y materiales designados como peligrosos en la Tabla de Materiales Peligrosos de la Sección 172.101, y los materiales que cumplen con los criterios de definición para las clases y divisiones de riesgos de la Sección 173, subcapítulo c de este capítulo.

Sustancia peligrosa: material, incluidas sus mezclas y soluciones, que:
- figura en el apéndice A de la Sección 172.101;
- se encuentra en una cantidad, en cada paquete, que equivale o excede la cantidad reportable que figura en el Apéndice A de la Sección 172.101; y
- si se encuentra en una mezcla o solución:
  - ➤ para radionúclidos, se ajusta a lo establecido en el párrafo 7 del Apéndice A de la Sección 172.101;
  - ➤ que no sean radionúclidos, está en una

Definiciones de la clase de riesgos Tabla B		
Clase	Nombre de la clase	Ejemplo
1	Explosivos	Municiones, dinamita, fuegos artificiales
2	Gases	Propano, oxígeno, helio
3	Líquidos inflamables	Gasolina, acetona
4	Sólidos inflamables	Fósforos, mechas
5	Oxidantes	Nitrato amónico, peróxido de hidrógeno
6	Sustancias tóxicas	Pesticidas, arsénico
7	Material radioactivo	Uranio, plutonio
8	Corrosivos	Ácido clorhídrico, ácido para baterías
9	Cargas peligrosas varias	Formaldehído, asbestos
Ninguna	OMR - D (otros materiales regulados, domésticos)	Rocío fijador para el cabello o carbón
Ninguna	Líquidos combustibles	Fueloil, líquido para encendedores

Figura 9.11

concentración por peso que equivale o excede la concentración correspondiente a la cantidad reportable del material, según se muestra en la *figura 9.12*.

Concentraciones de la sustancia peligrosa		
Cantidad reportable en libras (kilos)	Concentración por peso	
	Porcentaje	PPM
5,000 (2,270)	10	100,000
1,000 (454)	2	20,000
100 (45.4)	0.2	2,000
10 (4.54)	0.02	200
1 (0.454)	0.002	20

Figura 9.12

Esta definición no rige para productos del petróleo que sean lubricantes o combustibles (ver la Sección 300.6 del Título 40 del CRF).

Desechos peligrosos: a los fines de este capítulo, este término designa todo material que está sujeto a los Requisitos del Manifiesto de Desechos Peligrosos (*Hazardous Waste Manifest Requirements*) de la Agencia de Protección Ambiental de los Estados Unidos, especificados en la Sección 262 del Título 40 del CRF.

Recipiente intermedio para graneles (IBC): empaque portátil rígido o flexible, que no sea un cilindro o tanque portátil, diseñado para manipulación mecánica. Las normas para recipientes intermedios para graneles fabricados en los Estados Unidos están establecidas en las subsecciones N y O de la Sección 178.

Cantidad limitada: cantidad máxima de material peligroso para la que puede haber excepciones específicas de etiquetado o empaquetado.

Marca: El nombre descriptivo, número de identificación, instrucciones, precauciones, peso, especificación o marcas de la ONU o combinaciones de ellas exigidas por las disposiciones de este subcapítulo para el empaque exterior de los materiales peligrosos.

Mezcla: Una material que tiene más de un compuesto o elemento químico.

Nombre del contenido: El nombre apropiado de embarque especificado en la Sección 172.101.

Empaque no a granel: empaque que tiene:

- una capacidad máxima de 450 litros (119 galones) o menos como receptáculo para líquidos;
- una masa neta máxima de 400 kilos (882 libras) o menos y una capacidad máxima de 450 litros (119 galones) como receptáculo para sólidos; o una capacidad de 454 kilos (1000 libras) de agua o menos como receptáculo para gases según la definición que figura en 49 CFR de la Sección 173.115

N.E.O.M.: no especificado de otra manera.

Merma: cantidad que le falta a un empaque para estar completamente lleno de líquido, y que generalmente se expresa en porcentaje de volumen.

Tanque portátil: empaque a granel (excepto si es un cilindro con 1,000 libras (454 kilos) o menos de agua de capacidad) diseñado principalmente para ser cargado en un vehículo o en un barco de transporte, o acoplado temporalmente a ellos y equipado con patines, soportes o accesorios para facilitar la manipulación del tanque por medios mecánicos. No incluye tanque de carga, carro-tanque, unidades múltiples de carros-tanque ni remolque para transportar cilindros 3AX, 3AAX o 3T.

Nombre apropiado de embarque: nombre del material peligroso en letra redonda (no cursiva) en la Sección 172.101.

PHMSA - la Administración de Seguridad de Materiales Peligrosos y Tuberías, Departamento de Transporte de los EE. UU., Washington, DC 20590.

P.s.i o psi: libras por pulgada cuadrada.

P.s.i.a o psia: libras por pulgada cuadrada absoluta.

Cantidad reportable (RQ): cantidad especificada en la columna 2 del Apéndice de la Sección 172.101 para cualquier material identificado en la columna 1 del Apéndice.

RSPA: la Administración de Investigación y Programas Especiales (*Research and Special Programs Administration*) del Departamento de Transporte de los Estados Unidos es ahora la PHMSA (ver arriba).

Certificación del embarcador: en un documento de embarque, declaración firmada por el embarcador, en la que afirma haber preparado debidamente el embarque de acuerdo con lo dispuesto por la ley. Por ejemplo:

"Por el presente se certifica que los materiales antes detallados están correctamente clasificados, descritos, empacados, marcados y etiquetados, y se encuentran en condiciones apropiadas para su transporte de acuerdo con los reglamentos vigentes del Departamento de Transporte de los Estados Unidos." o

"Por el presente declaro que el contenido de este envío está descrito en forma completa y precisa, con el nombre de embarque apropiado, está clasificado, empacado, marcado y etiquetado/rotulado, y que se encuentra en todos los aspectos en condiciones adecuadas para su transporte por *, de acuerdo con los reglamentos gubernamentales nacionales e internacionales vigentes."

aquí pueden insertarse palabras que indiquen la forma de transporte (ferrocarril, avión, vehículo automotor, navío)

Documento de embarque: una orden de embarque, conocimiento de embarque, manifiesto o alguna otra clase de documento de embarque con fines similares, y que contenga la información exigida por las Secciones 172.202, 172.203 y 172.204.

Nombre técnico: nombre químico reconocido o nombre microbiológico usado actualmente en manuales, publicaciones y textos científicos y técnicos.

Vehículo de transporte: vehículo para transportar carga, tal como automóvil, camioneta, tractor, camión, semirremolque, carro-tanque o vagón de ferrocarril usado para el transporte de carga en una u otra forma. Cada unidad de transporte de carga (remolque, vagón de ferrocarril, etc.) se considera un vehículo de transporte separado.

Empaque estándar de la UN (ONU): empaque con especificaciones que se ajustan a las normas de las recomendaciones de la Organización de las Naciones Unidas.

UN: *United Nations* (Organización de las Naciones Unidas, ONU).

SECCIÓN 10
AUTOBÚS ESCOLAR

Contenido de la sección

- **Zonas peligrosas y uso de los espejos**
- **Ascenso y descenso de pasajeros**
- **Salida de emergencia y evacuación**
- **Cruces de vías de ferrocarril**

- **Trato con los estudiantes**
- **Sistema antibloqueo de frenos (ABS)**
- **Situaciones especiales de seguridad**

La sección 19-A de la Ley de Vehículos y Tráfico del Estado de Nueva York exige a los conductores de autobuses escolares contar con una licencia de conductor comercial (LCC). Los conductores de autobuses escolares que manejan un vehículo diseñado para transportar 15 pasajeros o más, aparte del conductor, deben tener una certificación para el transporte de pasajeros, además de una certificación para "autobuses escolares". Para obtener dicha certificación, deberán pasar una prueba de conocimientos que estará basada en la información de esta guía. Es probable que también deban pasar una prueba de aptitud correspondiente al tipo de autobús escolar que conducen o piensan conducir.

La sección 19-A exige que los conductores de autobuses escolares se hagan un examen médico cada dos años y obtener un formulario de examen médico firmado y fechado. Según la sección 19-A, sólo un doctor en medicina (MD), osteopatía (OD), un enfermero certificado con práctica médica (NP) o un asistente médico autorizado (PA) pueden realizar y firmar el formulario de examen médico del conductor de autobús. Si un asistente médico (PA) o un enfermero de práctica avanzada (APN) realizan el examen, el formulario también debe estar firmado por un médico supervisor o que haya colaborado. Los formularios de examen médico federales con las firmas de examinadores médicos que no se atengan a este requisito no se aceptan para los fines de la sección 19-A. El Departamento de Educación del estado de Nueva York (DEE) tiene requisitos adicionales en cuanto a la frecuencia de los exámenes médicos realizados para conductores de autobuses escolares *(vea la sección 1.5 para los detalles)*. Debe comunicarse con el DEE si necesita más información sobre sus requisitos.

Esta sección NO BRINDA información sobre todos los requisitos estatales y federales que usted debe cumplir a fin de poder conducir un autobús escolar. Es responsabilidad del interesado familiarizarse con todas las leyes, reglamentos y procedimientos afines a autobuses escolares en el estado de Nueva York y en el distrito escolar correspondiente.

10.1 – Zonas peligrosas y uso de los espejos

10.1.1 – Zonas peligrosas

Las zonas peligrosas son todas las áreas exteriores del autobús que abarcan un máximo de 15 pies (4.5 metros) desde cualquier punto del vehículo. Es en esta franja donde los niños corren el mayor riesgo de ser atropellados, ya sea por otro vehículo o por el propio autobús. Además, la franja que está junto al lado izquierdo del autobús es siempre peligrosa debido al tránsito de vehículos. En la figura 10.1 se indican estas zonas peligrosas.

10.1.2 – Orientación correcta de los espejos

Una de las claves de la conducción segura del autobús escolar es la correcta orientación y utilización de todos los espejos. Es fundamental que los conductores observen la zona de peligro alrededor del autobús para detectar la presencia de estudiantes, vehículos en circulación y otros objetos. <u>Verifique la orientación</u>

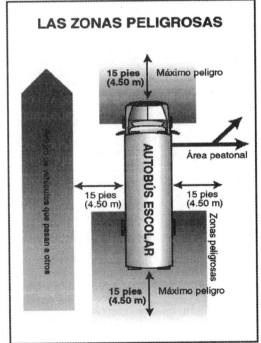

LAS ZONAS PELIGROSAS

15 pies (4.50 m) — Máximo peligro

Área peatonal

15 pies (4.50 m)   15 pies (4.50 m)

15 pies (4.50 m) — Máximo peligro

Figura 10.1

de cada espejo antes de poner en marcha el autobús escolar a fin de tener el máximo campo visual, según los requisitos al respecto estipulados en la Norma Federal para la Seguridad de los Vehículos Automotores Nº 111, "Sistemas de espejos" (*Federal Motor Vehicle Safety Standard No. 111, "Mirror Systems"*). De ser necesario, pida a otra persona que los posicione mientras usted se asegura de poder observar todas las áreas alrededor del autobús.

10.1.3 – *Espejos exteriores laterales planos*

Estos espejos están colocados en las esquinas laterales delanteras del autobús, enfrente o junto al parabrisas. Se utilizan para observar el tráfico, verificar los espacios libres a los lados del autobús y detectar la presencia de estudiantes a los lados y detrás del vehículo. Existe un punto ciego por debajo y en frente de cada espejo y otro detrás del parachoques trasero. El que está detrás del autobús se extiende entre los 50 y 150 pies y puede medir hasta 400 pies (122 metros), según el largo y el ancho del vehículo.

Asegúrese de que estén orientados de manera tal de permitirle ver:

- 200 pies (61 metros) detrás del autobús, lo cual equivale a 4 autobuses uno detrás del otro;
- a los lados del autobús;
- las llantas traseras tocando el suelo y 6 pulgadas (15 centímetros) de pavimento al frente de las llantas traseras;

En la figura 10.2 se indica cómo se deben orientar los espejos exteriores laterales planos.

10.1.4 – *Espejos exteriores laterales convexos*

El autobús puede estar equipado con espejos convexos por debajo de los espejos laterales planos. Los espejos convexos se utilizan para obtener una perspectiva panorámica a los lados del autobús. Estos espejos ofrecen un panorama del tránsito, de los espacios libres y los estudiantes a los lados del autobús, pero no reflejan fielmente sus tamaños ni la distancia que existe entre ellos y el autobús.

Asegúrese de que estén orientados de manera tal de permitirle ver:

- el borde lateral completo del autobús hasta los soportes de los espejos;
- las llantas laterales delanteras y traseras tocando el suelo;
- por lo menos un carril de tránsito a uno de los lados del autobús.

En la figura 10.3 se indica cómo se deben orientar los espejos exteriores laterales convexos.

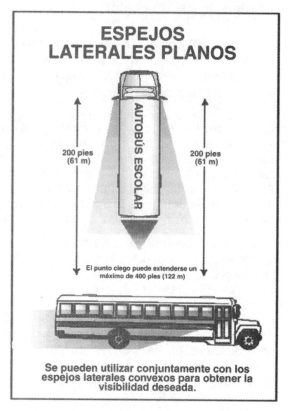

Figura 10.2

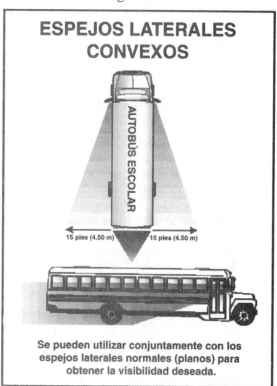

Figura 10.3

10.1.5 – Espejos exteriores laterales de visión transversal

Estos espejos están colocados en las esquinas laterales delanteras del autobús y se utilizan para ver las "zonas de peligro" que están en frente del autobús pero fuera del campo visual directo, y para ver a los lados del vehículo; abarcan también la puerta de servicio y las llantas delanteras. Estos espejos ofrecen un panorama de las personas y objetos pero no reflejan fielmente sus tamaños ni la distancia que existe entre ellos y el autobús. Es responsabilidad del conductor asegurarse de que estén correctamente orientados.

Asegúrese de que estén orientados de manera tal de permitirle ver:

- toda el área que está frente al autobús, desde el parachoques delantero a nivel del piso hasta el punto que se pueda detectar mediante la visión directa. La visión directa y la visión especular (con los espejos) deben superponerse;
- las llantas laterales delanteras tocando el suelo;
- el área desde el frente del autobús hasta la puerta de servicio.

El conductor debe mirar estos espejos y los espejos planos y convexos en un orden lógico para asegurarse de que no haya ningún niño ni objeto en las zonas de peligro.

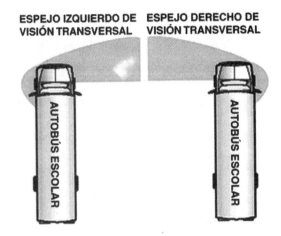

ESPEJO IZQUIERDO DE VISIÓN TRANSVERSAL **ESPEJO DERECHO DE VISIÓN TRANSVERSAL**

Figura 10.4a   **Figura 10.4b**

Las figuras 10.4a y 10.4b ilustran cómo se deben orientar los espejos laterales de visión transversal.

10.1.6 – Espejo retrovisor interno

Este espejo está ubicado por encima del parabrisas en la zona del conductor y se utiliza para supervisar la actividad de los pasajeros dentro del vehículo. Puede brindar visibilidad limitada en la parte trasera del autobús si éste está equipado con una puerta trasera de emergencia con parabrisas. Justo detrás del asiento del conductor hay un punto ciego, y hay otro de mayor tamaño que comienza en el parachoques trasero y que se puede prolongar por 400 pies (122 metros) o más detrás del autobús. Para detectar vehículos que se acercan a esta zona ciega e ingresan en ella, debe utilizar los espejos exteriores laterales.

Asegúrese de que estén orientados de manera tal de permitirle ver:

- la parte superior de la ventana trasera en la parte superior del espejo;
- todos los pasajeros, incluidas las cabezas de los alumnos que están detrás de usted.

10.2 – Ascenso y descenso de pasajeros

Todos los años se registran más muertes de alumnos al subir y bajar de autobuses escolares que al viajar en el interior del vehículo. De allí la importancia de <u>saber qué hacer antes, durante y después del ascenso y descenso de alumnos.</u> Esta sección explica los procedimientos tendientes a evitar situaciones de riesgo que pudieran causar lesiones y muertes en tales circunstancias.

10.2.1 – Procedimientos al llegar a la parada

Cada distrito escolar establece sus propios recorridos y paradas oficiales antes de darlos a conocer. Si usted desea introducir cambios en las paradas, debe primero obtener la autorización correspondiente de las autoridades competentes.

Al llegar a la parada, debe acercarse con sumo cuidado, ya que por su naturaleza, esta situación es muy exigente para el conductor. Es fundamental que usted comprenda y cumpla con todas las disposiciones y leyes locales y estatales que rigen el arribo a la parada de autobús, entre ellas el correcto uso de los espejos, las luces intermitentes y, si corresponde, el brazo articulado de indicación de detención y el brazo de control de cruce.

Cuando **se esté aproximando a la parada**, el conductor debe:

- aproximarse con precaución y a baja velocidad;
- estar atento para detectar transeúntes, tránsito vehicular y otros objetos mientras esté llegando a la parada y después de hacerlo;
- mirar todos los espejos continuamente;
- activar las luces intermitentes color ámbar por lo menos 300 pies (90 metros) antes de que el autobús se detenga;
- mirar continuamente los espejos para detectar la presencia de alumnos, tránsito vehicular y otros objetos en las zonas de peligro;

Cuando **detenga el autobús**, el conductor debe

- detener el autobús por completo en el lado derecho de la calzada, con el parachoques delantero a una distancia mínima de 10 pies (3 metros) de los alumnos que están en la parada; esto obliga a los estudiantes a caminar hacia el autobús, lo cual ofrece un mejor panorama de sus movimientos;
- poner la marcha en posición de estacionamiento (*park*) o, si el vehículo no la tiene, poner punto muerto (*neutral*), y aplicar el freno de estacionamiento cada vez que se detenga el autobús;
- activar la señal de emergencia (las luces rojas intermitentes que iluminan alternativamente) cuando el tránsito vehicular se encuentre a una distancia segura del autobús escolar y asegurar que el brazo de detención esté extendido;
- realizar una inspección visual final para cerciorase de que el tráfico se haya detenido antes de abrir la puerta del todo, e indicarles a los alumnos que se acerquen al autobús.

10.2.2 – Procedimientos de ascenso de pasajeros

- Realice una detención segura, según se describe en la sección 10.2.1.
- Los alumnos deben esperar en la parada designada, mirando en dirección al autobús.
- Los pasajeros deben subir al autobús sólo cuando así lo indique el conductor.
- Pídales a los alumnos que ocupen primero las filas del medio.
- Mire por todos los espejos continuamente.
- Cuente la cantidad de alumnos en la parada y asegúrese de que todos hayan subido al autobús. De ser posible, aprenda los nombres de los alumnos que estarán en cada parada. Si falta algún alumno, pregúnteles a los demás dónde puede estar.
- Pídales a los alumnos que suban al autobús lentamente y en una sola fila, y que usen el pasamanos. Cuando el ingreso de pasajeros se produzca en la oscuridad, la luz de techo debe estar encendida.
- Antes de arrancar, aguarde hasta que los alumnos se hayan sentado, estén mirando hacia delante y, si se trata de la ciudad de Nueva York, tengan abrochados los cinturones de seguridad.
- Mire por todos los espejos. Asegúrese de que no venga nadie corriendo para tomar el autobús.

- Si falta algún alumno que pudiera estar afuera, tome todas las medidas de seguridad correspondientes, apague el motor, saque la llave, ponga el freno de estacionamiento y búsquelo en las inmediaciones y por debajo del autobús.
- Cuando todos los alumnos hayan subido, prepárese para partir:

  - ➢ Cierre la puerta.
  - ➢ Ponga la marcha correspondiente.
  - ➢ Saque el freno de estacionamiento.
  - ➢ Apague las luces intermitentes rojas.
  - ➢ Vuelva a verificar todos los espejos.

- Cuando sea seguro hacerlo, emprenda la marcha y siga su ruta.

El procedimiento de ascenso de pasajeros es básicamente el mismo siempre, pero ocasionalmente pueden presentarse algunas diferencias. Durante el ascenso de alumnos en el predio de la escuela, usted debe:

- apagar el interruptor de encendido o colocarlo en la posición de accesorios (*accessory*) si hiciera falta para encender las luces rojas de ascenso de pasajeros;
- permanecer sentado para supervisar el ingreso de los pasajeros. Si debiera abandonar la cabina del conductor ante alguna emergencia o para ayudar a algún alumno, retire la llave de encendido.

10.2.3 – *Procedimientos de descenso de pasajeros durante el recorrido*

- Detenga el autobús de manera segura en las paradas designadas, según se describe en la sección 10.2.1.
- Pídales a los alumnos que permanezcan sentados hasta que se les indique que bajen.
- Mire por todos los espejos.
- Cuente la cantidad de alumnos que vayan bajando para confirmar la ubicación de cada uno de ellos antes de partir de la parada.
- Pídales que se bajen y que se alejen por lo menos 15 pies (5 metros) del costado del autobús para poder verlos a todos claramente.
- Mire por todos los espejos nuevamente. Asegúrese de que no haya alumnos cerca del autobús ni volviendo al vehículo.
- Si falta algún alumno que pudiera estar afuera, tome todas las medidas de seguridad correspondientes y búsquelo en las inmediaciones y por debajo del autobús.
- Cuando todos los alumnos hayan descendido, prepárese para partir:

  - ➢ Cierre la puerta.
  - ➢ Ponga la marcha correspondiente.
  - ➢ Saque el freno de estacionamiento.
  - ➢ Apague las luces intermitentes rojas.
  - ➢ Mire por todos los espejos nuevamente.

- Cuando sea seguro hacerlo, emprenda la marcha y siga su ruta.

Importante: Si se ha pasado de la parada para dejar a un alumno, **no retroceda**. Siga los procedimientos locales del caso.

Procedimientos adicionales para alumnos que deban cruzar la calle

Usted debe comprender perfectamente lo que deben hacer los estudiantes al bajar y cruzar la calle en frente del autobús. Además, el conductor debe prever que los alumnos no siempre hacen lo que deberían.

- Cuando un alumno tenga que cruzar la calle, deberá seguir estos procedimientos:

  - Antes de bajar, el alumno debe mirar a lo largo del costado derecho del autobús para detectar vehículos que pudieran intentar pasar por allí.
  - Alejarse aproximadamente 15 pies (5 metros) del costado del autobús para que usted pueda verlo.
  - Caminar una distancia de 10 pies (3 metros) frente a la esquina derecha del parachoques, pero manteniéndose alejado del frente del autobús.
  - Detenerse en el borde derecho de la calzada. Usted debe poder ver claramente los pies del alumno.

- Cuando llegue al borde de la calzada, el alumno debe:

  - detenerse y mirar en todas las direcciones, y asegurarse de que no pasen vehículos y que sea seguro cruzar;
  - ver si aún están encendidas las luces intermitentes rojas del autobús;
  - establecer contacto visual con el conductor;
  - antes de cruzar, esperar hasta que usted le haga la señal universal de cruzar.

- Cuando haga la señal, el alumno debe:

  - cruzar a una distancia de por lo menos 10 pies (3 metros) frente al autobús, que le permita a usted verlo;
  - caminar hacia el borde izquierdo del autobús, detenerse y establecer contacto visual con usted;
  - volver, en caso de que usted le haya hecho la señal universal de peligro;
  - cruzar la calzada, en caso de que usted le haya hecho la señal universal de cruzar;
  - mirar en ambas direcciones y asegurarse de que no transiten vehículos;
  - cruzar la calzada mirando en todas las direcciones.

Importante: Es fundamental que el conductor utilice las señales universales de cruzar y de peligro, sabiendo que los demás automovilistas detenidos en la misma zona pueden interpretar incorrectamente una señal manual o de otro tipo que usted le dé al estudiante.

10.2.4 – Procedimientos de descenso de pasajeros en la escuela

Las leyes y disposiciones locales y estatales que rigen el descenso de alumnos en las escuelas, especialmente en situaciones donde tales actividades se desarrollan en el estacionamiento de la institución o en otra zona fuera del tránsito vehicular, generalmente varían respecto a las que afectan al descenso de pasajeros en paradas del recorrido del autobús escolar. Es importante que el conductor del autobús comprenda y cumpla con las disposiciones y leyes locales y estatales. Los procedimientos descritos a continuación tienen por objeto brindar pautas generales.

Al realizar el descenso de pasajeros en una escuela, siga estos procedimientos:

- Realice una detención segura del autobús en las paradas designadas, según se describe en la sección 10.2.1.
- Apague el interruptor de encendido o colóquelo en la posición de accesorios (*accessory*) si hiciera falta para encender las luces rojas de ascenso de pasajeros.

- Permanezca sentado para supervisar el descenso de pasajeros. Si tuviera que abandonar la cabina del conductor ante alguna emergencia o para ayudar a algún alumno, retire la llave de encendido.
- Pídales a los alumnos que permanezcan sentados hasta que se les indique que bajen.
- Pídales a los alumnos que bajen despacio y en orden.
- Vigile a los alumnos a medida que bajen del autobús para asegurarse de que se retiren rápidamente de la zona de descenso.
- Realice una inspección visual dentro del autobús para ver si hay algún alumno dormido o escondido u objetos olvidados.
- Mire por todos los espejos. Asegúrese de que no haya alumnos volviendo al autobús.
- Si falta algún alumno que pudiera estar afuera y todas las medidas de seguridad correspondientes han sido implementadas, búsquelo en las inmediaciones y por debajo del autobús.
- Cuando todos los alumnos hayan descendido, prepárese para partir:
  - Cierre la puerta.
  - Ponga en marcha el motor.
  - Pise el freno de servicio.
  - Ponga la marcha correspondiente.
  - Saque el freno de estacionamiento.
  - Apague las luces intermitentes rojas.
  - Mire por todos los espejos nuevamente.
- Cuando sea posible proceder sin riesgos, parta del área de descenso de pasajeros.

10.2.5 – Peligros especiales durante el ascenso y descenso de pasajeros

Objetos perdidos u olvidados. Concéntrese siempre en el momento en que los alumnos se acercan al autobús y preste particular atención si alguno desaparece repentinamente.

A veces, a un alumno se le puede caer algo cerca del autobús mientras suben o bajan pasajeros, y al detenerse o volver para levantarlo puede desaparecer del campo visual del conductor en un momento muy peligroso.

Los alumnos deben ser instruidos para dejar cualquier objeto que se les haya caído donde esté, ir a un lugar seguro fuera de las zonas de peligro y atraer la atención del conductor para recién entonces buscar el objeto en cuestión.

Atascamientos en el pasamanos. Hay alumnos que al salir del autobús han resultado lesionados o incluso han perdido la vida cuando se les atascó la ropa, accesorios o alguna parte del cuerpo en el pasamanos o la puerta. Por tal motivo, vigile cuidadosamente la salida de los alumnos para cerciorarse de que estén a un lugar seguro a una distancia de por lo menos 15 pies (5 metros) del autobús antes de partir.

10.2.6 – Inspección posterior al viaje

Una vez finalizado el recorrido o la excursión escolar, debe realizar una inspección del autobús.

Recorra el interior del vehículo y las zonas aledañas en busca de:

- objetos olvidados;
- alumnos dormidos;
- puertas y ventanillas abiertas;
- problemas mecánicos u operativos que pudiera sufrir el autobús; preste particular atención a aquellos dispositivos propios de los autobuses escolares: sistemas de espejos, luces intermitentes de advertencia y brazos de señalización de detención.

- daños o vandalismo.

Ante cualquier problema o situación especial que se presente, eleve inmediatamente el informe correspondiente al supervisor o autoridad escolar competente.

10.3 – Salida de emergencia y evacuación

Las situaciones de emergencia se presentan repentinamente, en cualquier lugar y a cualquier persona. Puede tratarse de un choque, un autobús parado sobre un cruce de vías de ferrocarril o intersección de alta velocidad, un incendio de origen eléctrico en el gabinete del motor, una emergencia médica sufrida por algún pasajero, etc. Saber qué hacer antes, durante y después de una evacuación de emergencia puede representar la diferencia entre la vida y la muerte.

10.3.1 – Planificación para emergencias

Esté preparado y planifique de antemano. Estudie el recorrido y los alumnos que ha de transportar a fin de determinar con antelación cómo evacuará el autobús ante cada uno de los tipos de peligros que pudiera enfrentar. De ser posible, disponga que dos alumnos responsables y de mayor edad que el resto brinden asistencia en cada salida de emergencia. Enséñeles cómo deben ayudar a que otros alumnos salgan del autobús. Disponga que otro alumno se encargue de conducir al resto a un lugar seguro después de la evacuación. No obstante, debe anticipar que tal vez no haya ningún alumno responsable y mayor que el resto en el autobús justo en el momento de una emergencia. Por tal razón, es importante explicar los procedimientos de evacuación a todos los alumnos, por ejemplo, dónde y cómo se utilizan las diversas salidas de emergencia y la importancia de escuchar y seguir todas las instrucciones del conductor. Usted debe practicar estos procedimientos durante los tres simulacros anuales de emergencias del autobús escolar.

10.3.2 – Procedimientos de evacuación

Decidir si es necesario evacuar el autobús

La primera y más importante consideración es saber reconocer una situación de riesgo. Si hay tiempo suficiente, antes de tomar la decisión de evacuar a los pasajeros, los conductores de autobuses escolares deben comunicarse con la central para explicar la situación.

Como regla general, la permanencia de los alumnos en el autobús garantiza un mayor control y seguridad durante situaciones de emergencia o de peligro inminente, siempre y cuando esto no los exponga a lesiones o riesgos innecesarios. Recuerde que la decisión de evacuar el autobús se debe tomar a tiempo.

La decisión de evacuar debe tomarse después de haber tenido en cuenta lo siguiente:

- ¿Existe un incendio o riesgos de que se produzca uno?
- ¿Huele una fuga de combustible?
- ¿Existe la posibilidad de que el autobús sea embestido por otros vehículos?
- ¿Está el autobús en el recorrido de un tornado o de la creciente de un río u otro cauce?
- ¿Se ha detectado la caída de cables del tendido eléctrico?
- ¿Evacuar a los alumnos los expondría al tránsito de vehículos a altas velocidades, condiciones climáticas extremas o entornos peligrosos como, por ejemplo, cables de alta tensión caídos?
- ¿El traslado de los alumnos complicaría fracturas, lesiones de cuello y espalda u otro tipo de lesiones?
- ¿Se está ante la presencia del derrame de un material peligroso? A veces es más seguro permanecer en el autobús para evitar el contacto con tales materiales.

Evacuaciones obligatorias. El conductor está obligado a realizar una evacuación cuando:

- el autobús se está incendiando o existen riesgos de incendio;
- se ha recibido notificación de la existencia de una bomba en el interior del vehículo;

- el autobús se paró sobre un cruce de vías de ferrocarril o en sus inmediaciones;
- la posición del autobús puede modificarse y provocar mayores peligros;
- existe el riesgo inminente de un choque;
- se produjo un derrame de materiales peligrosos.

Procedimientos generales. Una vez que haya decidido que la evacuación redundará en mayor seguridad, proceda según lo explicado a continuación.

- Determine el mejor tipo de evacuación:
  - ➤ Evacuación por puerta frontal, trasera o lateral, o una combinación de cualquiera de ellas
  - ➤ Evacuación por el techo o las ventanillas

- Asegure el autobús:
  - ➤ Ponga la marcha de estacionamiento (*park*) o, si el vehículo no la tiene, ponga punto muerto (*n*).
  - ➤ Coloque el freno de estacionamiento.
  - ➤ Apague el motor.
  - ➤ Retire la llave de encendido.
  - ➤ Active las luces intermitentes de advertencia.

- Notifique a la central el lugar donde realizará la evacuación, la situación y el tipo de asistencia que necesita, A MENOS QUE SE TRATE DE UNA BOMBA, en cuyo caso NO DEBE utilizar la radio del autobús ni teléfonos celulares. Adviérteles a los alumnos acerca de no utilizar teléfonos celulares cuando exista una amenaza de bomba.
- Saque el micrófono de la radio o teléfono por la ventanilla del conductor para usarlo en otro momento, si es que funciona correctamente y no hay amenazas de bombas.
- Si no tuviera radio o estuviera rota, o hubiera una bomba, solicítele a algún lugareño o automovilista que pida ayuda. Si no hubiera otra alternativa, pídaselo a dos alumnos responsables y mayores que el resto.
- Dé la orden de evacuar.
- Evacue a los alumnos del autobús.
  - ➤ No mueva a alumnos que pudieran haber sufrido lesiones en el cuello o la columna, a menos que sus vidas corran peligro.
  - ➤ Para evitar perjuicios mayores, las víctimas de lesiones en el cuello o la columna deben ser trasladadas mediante procedimientos especiales.

- Disponga que un alumno se encargue de conducir al resto a un lugar seguro.
  - ➤ Un "lugar seguro" para los alumnos debe estar a un mínimo de 100 pies (30 metros) de la calle en dirección de los vehículos que vienen en sentido contrario. Esta distancia los mantendrá al resguardo de objetos que pudieran salir despedidos como resultado de un choque entre otros vehículos y el autobús.
  - ➤ En caso de incendio, instruya a los alumnos para que caminen en contra del viento.
  - ➤ Llévelos tan lejos de vías de ferrocarril como sea posible y en dirección contraria a la que pudieran llevar los trenes.
  - ➤ Hágalos transitar en contra del viento hacia una distancia mínima de 300 pies (90 metros) si existen riesgos derivados del derrame de materiales peligrosos.

- Si el autobús está en el recorrido directo de un tornado y se da la orden de evacuar, pero no existe en la zona otro tipo de refugio o edificación, conduzca a los alumnos a alguna zanja o alcantarilla cercana. Luego, indíqueles que se recuesten boca abajo con las manos sobre la cabeza. Deben estar a una distancia suficiente como para que el autobús no vuelque sobre ellos. Evite áreas propensas a inundaciones. Inspeccione todo el autobús para asegurarse de que no quede ningún alumno en su interior. Retire el equipo de emergencias.

- Únase a los alumnos que están esperándolo, cuéntelos y verifique que estén resguardados.
- Disponga un sistema de protección en la escena del incidente. Coloque dispositivos de alerta según sea necesario y pertinente.
- Prepare toda la información que le puedan solicitar los servicios de emergencias.

10.4 – Cruces de vías de ferrocarril

10.4.1 – Tipos de cruces de vías de ferrocarril

Cruces pasivos. Este tipo de cruce no tiene ningún dispositivo de control de tránsito. En este caso, debe detenerse y seguir los procedimientos correspondientes. No obstante, usted es, en última instancia, quien deberá decidir seguir adelante o no. Debe saber reconocer este tipo de cruce, fijarse si hay trenes que transiten las vías y decidir si tiene suficiente espacio como para pasarlo sin riesgos. Los cruces pasivos tienen señales de advertencia redondas de color amarillo, marcas en el pavimento y señales de cruce de ferrocarril.

Pasos activos. Este tipo de cruce posee un dispositivo de control instalado para regular el tránsito. Puede estar equipado con luces intermitentes rojas solas, luces intermitentes rojas con campanas o luces intermitentes rojas con campanas y barreras.

10.4.2 – Dispositivos y señales de advertencia.

Señales de advertencia anticipada. La señal de advertencia redonda de color negro sobre fondo amarillo está ubicada antes de un cruce público de vías de ferrocarril e indica a los conductores que deben reducir la velocidad, mirar y escuchar si viene el tren y estar preparados para detenerse antes de las vías en caso de que el tren estuviera por pasar. *Ver la figura 10.5.*

Figura 10.5

Marcas en el pavimento. Indican lo mismo que la señal de advertencia anticipada. Se trata de una "X" con las letras "RR" y una marca de "no pasar" pintada en carreteras de dos carriles. *Ver la figura 10.6.*

En estas carreteras también hay una señal que indica la prohibición de pasar a otros vehículos. Antes de las vías, puede haber una línea blanca de detención pintada en el pavimento. Cuando el autobús esté detenido frente al cruce de vías de ferrocarril, debe posicionarse detrás de esta línea.

Figura 10.6

Señales de cruce de ferrocarril. Esta señal indica un cruce pasivo y exige paso al tren. Cuando la carretera pasa por encima de más de un par de vías, especifica la cantidad correspondiente. *Ver la figura 10.7.*

Figura 10.7

Luces intermitentes rojas de señalización. En muchos cruces, la señal de cruce de vías de ferrocarril cuenta con luces intermitentes rojas y campanas. Cuando las luces intermitentes se encienden, usted debe detenerse de inmediato, ya que significa que está por pasar el tren y debe darle paso. Si hay más de un par de vías, asegúrese de que el tren no se aproxime por ninguna de ellas antes de cruzar. *Ver la figura 10.8.*

Barreras. Muchos cruces de vías de ferrocarril activos tienen barreras con luces intermitentes rojas y campanas. Deténgase cuando se enciendan las luces intermitentes y antes de que baje la barrera. No inicie la marcha hasta tanto haya subido la barrera y las luces intermitentes se hayan apagado. Cruce sólo cuando sea seguro hacerlo. Si la barrera permanece baja luego de que haya pasado el tren, no la esquive. Llame a la central. *Ver la figura 10.8.*

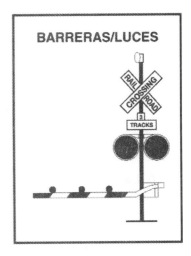

Figura 10.8

10.4.3 – Procedimientos recomendados

El estado de Nueva York tiene disposiciones y leyes que rigen cómo deben proceder los autobuses escolares en cruces de vías de ferrocarril. Es importante que usted las entienda y cumpla con ellas. En términos generales, los autobuses escolares deben detenerse en todos los cruces de vías de ferrocarril, y usted se debe asegurar de que sea seguro cruzar antes de hacerlo.

El autobús escolar es uno de los vehículos más seguros en la carretera. No obstante, lleva todas las de perder cuando choca con un tren. Debido a su tamaño y peso, el tren no puede detenerse rápidamente. Además, los trenes no tienen ruta de escape: deben seguir por las vías. Para evitar colisiones con un tren, siga los siguientes procedimientos recomendados.

- **Al llegar al cruce:**
  - ➢ reduzca la velocidad y pruebe los frenos; en un vehículo con transmisión manual, debe colocar una marcha baja;
  - ➢ encienda las luces intermitentes de señalización de peligro aproximadamente 200 pies (60 metros) antes de llegar al cruce; asegúrese de hacer notar sus intenciones al resto de los automovilistas;
  - ➢ mire a los alrededores y fíjese si vienen vehículos detrás del suyo;
  - ➢ de ser posible, permanezca en el borde derecho de la calzada;
  - ➢ anticipe una ruta de escape en caso de que fallen los frenos o haya problemas detrás del autobús.

- **En el cruce:**
  - ➢ deténgase a una distancia mínima de 15 pies (5 metros) y máxima de 50 pies (15 metros), en el punto en que tenga el mejor panorama de las vías;
  - ➢ ponga la marcha de estacionamiento (*park*) o, si el vehículo no la tiene, ponga punto muerto (*neutral*) y pise el freno de servicio o aplique el freno de estacionamiento;
  - ➢ apague todas las radios y dispositivos ruidosos y pida a los pasajeros que permanezcan en silencio;
  - ➢ abra la puerta de servicio y la ventanilla del conductor; mire y escuche si viene el tren.

- **Durante el cruce:**
  - ➢ cierre la puerta de servicio antes de cruzar;
  - ➢ antes de avanzar, mire las señales nuevamente;

> si se trata de un sistema múltiple de vías, deténgase antes de la primera de ellas; cuando esté seguro de que no viene el tren en ninguna vía, crúcelas a todas hasta que las haya pasado por completo;

> cruce en una marcha baja y no cambie de marcha hasta haber pasado las vías por completo;

> si la barrera se baja cuando ya ha empezado a cruzar, pase de todas maneras, aun si debe derribarla;

> cuando haya cruzado completamente todas las vías, apague las luces intermitentes de señalización de peligro, encienda el interruptor maestro de la radio y restablezca el funcionamiento de todos los dispositivos que hubiera apagado.

10.4.4 – Situaciones especiales

El autobús se detiene o queda atascado en las vías. Si se presenta esta situación, ordene la evacuación inmediata del autobús y de las vías. Traslade a todos los pasajeros lejos del autobús en dirección opuesta a la del tren y lejos de las vías.

Personal policial en el cruce. Si hay personal policial en el cruce, obedezca sus instrucciones. Si no hay personal policial y usted cree que hay desperfectos en el sistema de señalización, comuníquese con la central para informar la situación y solicitar instrucciones al respecto.

Vías fuera del campo visual. Planee el recorrido de manera de contar con el mayor campo visual posible en los cruces de vías de ferrocarril. No intente cruzar las vías a menos que pueda ver lo suficiente como para estar seguro de que no viene el tren. Proceda con particular precaución en los cruces "pasivos". Incluso si hubiera señales de vías activas que autoricen el cruce, usted debe escuchar y mirar para asegurarse de que sea seguro hacerlo.

Zonas de contención. Si el autobús no cabe, ¡no entre! Sepa cuál es la longitud del autobús y el tamaño de la zona de contención en los cruces de vías de ferrocarril que están en el recorrido habitual o de actividades escolares específicas. Al acercarse a un cruce que tenga una señal de alto (STOP) del otro lado, preste atención para darse cuenta de cuánto espacio hay. En estos casos, asegúrese de que el autobús tenga suficiente espacio de contención para cruzar las vías por completo. Como regla general, sume 15 pies (5 metros) a la longitud del autobús para calcular una zona de contención aceptable.

10.5 – Trato con los estudiantes

10.5.1 – No preste atención a problemas en el autobús durante el ascenso y descenso de pasajeros

Para llevar y traer alumnos de manera segura y puntual, debe concentrarse en la tarea de manejar.

El ascenso y descenso de pasajeros exige toda su atención así que concentre su atención en lo que sucede fuera del autobús.

Si hay alguna situación de mala conducta dentro del autobús, espere a que los alumnos que están bajando hayan terminado de hacerlo y estén a una distancia prudente. De ser necesario, estacione el autobús para tratar el problema.

10.5.2 – Actitud ante problemas serios

Consejos para enfrentar problemas serios:

- Siga los procedimientos que la escuela establece para disciplinar a los alumnos o negarles que suban al autobús.

- Detenga el autobús. Estacione en un lugar seguro fuera de la ruta, como por ejemplo, un estacionamiento o entrada de vehículos.

- Inmovilice el autobús y lleve la llave de encendido si abandona su asiento.

- Póngase de pie y hable con los alumnos indisciplinados. Utilice un tono amable, pero firme. Recuérdeles a los alumnos involucrados cuál es el comportamiento que se espera de ellos. No demuestre ira, pero hágales notar que está hablando en serio.

- Si hiciera falta cambiar a esos alumnos de asiento, ordéneles que se sienten cerca de usted.

- <u>Nunca baje a un alumno del autobús en un lugar que no sea la escuela o la parada que le corresponde.</u> Si cree que la situación es tan grave que le impide conducir con seguridad, tal vez sea conveniente llamar al personal directivo de la escuela o a la policía para que busquen al alumno. A la hora de solicitar asistencia, siga siempre los procedimientos locales.

10.6 – Sistemas antibloqueo de frenos (ABS)

10.6.1 – Vehículos que deben contar con sistemas ABS

El Departamento de Transporte exige sistemas ABS en los siguientes casos:

- Vehículos equipados con frenos de aire (camiones, autobuses, remolques y plataformas de conversión) fabricados a partir del 1 de marzo de 1998.

- Autobuses y camiones equipados con frenos hidráulicos con un peso bruto estimado del vehículo de 10,000 libras (4,536 kilos) o más fabricados a partir del 1 de marzo de 1999.

Muchos autobuses fabricados antes de estas fechas han sido equipados por los propietarios con sistemas ABS de frenos. Si el autobús escolar está equipado con este sistema, usted podrá ver una luz amarilla en el tablero, que sirve para indicar desperfectos en el sistema.

10.6.2 – De qué manera lo ayuda el sistema ABS

Cuando frena bruscamente en superficies resbalosas a bordo de un vehículo sin ABS, las ruedas de dirección se pueden bloquear y usted podría perder el control del vehículo. Cuando las otras llantas se bloquean, el vehículo puede patinar o incluso virar en trompo.

El sistema ABS de frenos contribuye a evitar el bloqueo de las llantas y mantener el control del vehículo. Con el sistema ABS, tal vez no pueda frenar en una distancia menor que con el sistema tradicional, pero sí debería poder maniobrar y esquivar obstáculos mientras frena, y evitar patinar como consecuencia del frenado excesivo.

10.6.3 – Cómo frenar con el sistema ABS

El procedimiento de frenado en vehículos equipados con ABS es idéntico al utilizado con los frenos tradicionales. Dicho de otra manera:

- Utilice la potencia de frenado que sea necesaria para detener el vehículo sin riesgos y mantenerlo bajo control.

- Frene siempre de la misma manera, independientemente de si el vehículo cuenta con sistema ABS o no. Ante una situación de frenado brusco y repentino, no obstante, si el vehículo está equipado con ABS no bombee el pedal de freno.

- A medida que disminuya la velocidad, vigile el comportamiento del autobús y, cuando sea seguro, vaya soltando el pedal de freno para mantener el vehículo bajo control.

10.6.4 – Cómo frenar si el sistema ABS no funciona

- Aun cuando el sistema ABS no funcionara, las prestaciones normales de frenado permanecerán intactas. Conduzca y frene como siempre lo ha hecho.

- Los vehículos con ABS tienen un indicador amarillo en el tablero que indica desperfectos de funcionamiento. Este indicador se encuentra en el panel de instrumentos del autobús.

- En los vehículos nuevos, este indicador se enciende momentáneamente durante el arranque para verificar que la lámpara funcione, y luego se apaga rápidamente. En los sistemas más viejos, el indicador puede permanecer encendido hasta tanto el vehículo supere las 5 millas (8 km) por hora.

- Si el indicador permanece encendido luego de la verificación de funcionamiento de la lámpara y se enciende durante el recorrido, tal vez haya perdido control antibloqueo en una o más ruedas.
- Recuerde que si el sistema ABS no funciona, los frenos tradicionales sí lo harán. Conduzca normalmente y haga revisar el sistema ABS tan pronto como sea posible.

10.6.5 – Recordatorios sobre seguridad

- El sistema ABS no compensa malos hábitos de conducción, entre ellos manejar a una velocidad excesiva o con imprudencia, o dejar poco espacio entre los vehículos.
- El sistema ABS no evita patinazos en las curvas ni patinazos ocasionados por aceleración excesiva; sólo bloqueos de ruedas producidos por el frenado.
- El sistema ABS *no* necesariamente acorta la distancia de parada, aunque puede ayudar a mantener el control del vehículo.
- El sistema ABS *no* aumenta ni disminuye la potencia final de parada; es sólo un complemento de los frenos normales, pero no los sustituye.
- El sistema ABS no exige cambios en la forma normal de frenar. En situaciones normales, el vehículo se detendrá como siempre lo ha hecho. El ABS se activa sólo si, debido a una frenada brusca, las ruedas se bloquearían de no tenerlo.
- El sistema ABS no sustituye a frenos en mal estado o deteriorados.
- *Recuerde:* el mejor componente de seguridad de un vehículo es un conductor prudente.
- *Recuerde:* conduzca de manera tal de no tener que usar jamás el sistema ABS.
- *Recuerde:* si lo necesita, el sistema ABS puede ayudarle a evitar accidentes graves.

10.7 – Observaciones especiales de seguridad

10.7.1 – Luces estroboscópicas

Algunos autobuses escolares están equipados con luces estroboscópicas blancas de techo. Si el suyo las trae, debe utilizarlas en situaciones de baja visibilidad, es decir, si no puede ver claramente en alguna de las cuatro direcciones. Las condiciones de visibilidad pueden ser ligera o extremadamente limitadas. En este último caso, es imposible ver. Sea cual fuere el caso, es su responsabilidad comprender y cumplir con todas las disposiciones locales y estatales que rigen la utilización de estas luces.

10.7.2 – Conducción con vientos huracanados

Los vientos de alta velocidad afectan la conducción normal del autobús escolar, ya que la superficie lateral del autobús se comporta como la vela de un barco: cuando el viento sopla muy fuerte, puede empujarlo hacia los lados, sacarlo de la ruta o, en condiciones extremas, volcarlo.

Si se encuentra en situaciones de este tipo:
- tome firmemente el volante con las dos manos y trate de anticipar ráfagas;
- reduzca la velocidad para disminuir el efecto del viento o salga de la ruta y espere a que las condiciones climáticas mejoren;
- comuníquese con la central para que le indiquen cómo proceder.

10.7.3 – Marcha atrás

Aconsejamos enfáticamente no retroceder con el autobús escolar. Sólo debe hacerlo cuando no exista ninguna otra forma de mover el vehículo. Jamás retroceda en un autobús escolar si hay alumnos afuera del vehículo. Esta maniobra es peligrosa y aumenta los riesgos de colisiones.

No obstante, si no tiene alternativas y debe hacerlo, siga estos procedimientos:

- Disponga la presencia de un vigía, preferentemente dentro del autobús, que pueda ver por la ventanilla trasera y alertarlo si hubiera obstáculos, personas u otros vehículos en el camino. Esta persona no debe decirle cómo retroceder con el autobús.

- Pida silencio a los pasajeros.

- Mire permanentemente por todos los espejos y ventanillas traseras.

- Retroceda lenta y cuidadosamente.

- Si no cuenta con un vigía:
  - coloque el freno de estacionamiento;
  - apague el motor y llévese las llaves;
  - diríjase atrás del autobús para evaluar si es seguro retroceder.

- Si debe retroceder en una parada designada, antes de hacerlo, asegúrese de que los alumnos hayan subido, y preste atención en todo momento por si alguno llega tarde.

- Antes de retroceder, asegúrese de que todos los alumnos hayan subido al autobús.

- Si debe retroceder en una parada donde vaya a dejar alumnos, asegúrese de que hayan descendido antes de emprender la marcha atrás.

10.7.4 – Desplazamiento lateral de cola

Un autobús escolar puede experimentar desplazamientos laterales de cola de hasta 3 pies (1 metro). Para estar al tanto de este movimiento, especialmente al partir luego de recoger o dejar alumnos en sus paradas, debe mirar por los espejos antes de realizar cualquier maniobra de giro y mientras lo hace.

Ponga a prueba sus conocimientos

1. Defina "zona de peligro". ¿Qué distancia cubre la zona de peligro alrededor del autobús?

2. ¿Qué debería poder ver usted si los espejos exteriores planos, los espejos exteriores convexos y los espejos de visión transversal están correctamente orientados? Especifique en cada uno de los casos.

3. Si está recogiendo alumnos a lo largo del recorrido, ¿cuándo debe activar las luces intermitentes ámbar de advertencia?

4. Si está dejando alumnos a lo largo del recorrido, ¿adónde deben ir después de haber salido del autobús?

5. Luego de dejar alumnos en la escuela, ¿por qué debe inspeccionar el autobús?

6. ¿En qué posición deben estar los alumnos frente al autobús antes de cruzar la calle?

7. ¿En qué circunstancias debe evacuar el autobús?

8. ¿A qué distancia de la vía más cercana debe detenerse en un cruce de vías de ferrocarril?

9. ¿Qué es un "cruce pasivo"? ¿Por qué debe usted tomar medidas adicionales de seguridad en este tipo de cruces?

10. ¿Cómo debe utilizar los frenos si el vehículo está equipado con sistema antibloqueo de frenos (ABS)?

Si no puede responder a estas preguntas, relea esta sección.

SECCIÓN 11
INSPECCION PREPARATORIA DEL VEHÍCULO COMERCIAL ANTES DE TOMAR EL VIAJE DE DESTREZA

Contenido de la sección

- **Prueba de inspección antes del viaje para obtener la licencia de conductor comercial (LCC)**
- **Inspección del motor y de la cabina (para todos los vehículos)**
- **Inspección del exterior (para todos los vehículos)**
- **Sólo para autobuses escolares**
- **Para remolque**
- **Para autobuses de larga distancia o de línea urbana**

11.1 - Prueba de inspección antes del viaje para obtener la licencia de conductor comercial (LCC)

En la parte de la inspección antes del viaje de la prueba de destreza, usted debe demostrar que el vehículo es seguro para circular. Hará una inspección alrededor del vehículo y señalará o tocará cada elemento y le explicará al examinador qué está revisando y por qué lo hace. NO será necesario que revise debajo de la cubierta o del vehículo. En el momento de la prueba, el examinador le indicará las áreas del vehículo que debe inspeccionar.

11.1.1 - Inspección antes del viaje para licencia de conductor comercial Clase A

Si solicita una licencia de conductor comercial Clase A, debe presentarse para realizar la prueba con un vehículo combinado de clase A y deberá efectuar una inspección antes del viaje. La prueba incluye la puesta en marcha del motor, la inspección del interior de la cabina y la inspección de todo el vehículo o de la parte que el examinador le indique.

11.1.2 - Inspección antes del viaje para licencia de conductor comercial Clase B

Si solicita una licencia de conductor comercial Clase B, deberá presentarse con un vehículo de clase B para realizar una inspección antes del viaje, la cual incluye la puesta en marcha del motor, la inspección del interior de la cabina y la inspección de todo el vehículo o de la parte que el examinador le indique. También deberá inspeccionar las características especiales de su vehículo (por ejemplo, si se trata de un autobús escolar o de línea urbana).

11.2   Inspección del motor y de la cabina (para todos los vehículos)

Estudie las siguientes partes según el tipo de vehículo que usted utilizará para la prueba de destreza, a fin de obtener la licencia de conductor comercial. Debe identificar cada parte y explicar al examinador qué está buscando o inspeccionando.

11.2.1 Compartimiento del motor (con el motor apagado)

Fugas y mangueras

- Preste atención a la presencia de charcos en el suelo.
- Revise si hay líquidos goteando sobre o debajo del motor y la transmisión.
- Inspeccione el estado de las mangueras y fíjese si tienen fugas.

Nivel de aceite

- Indique dónde se encuentra la varilla para medir el aceite.
- Verifique que el nivel esté dentro de los límites seguros para el funcionamiento, es decir, que esté por encima de la marca que indica que se debe agregar líquido.

Nivel del refrigerante

- Inspeccione el depósito a través del visor o,
- si el motor no está caliente, quite la tapa del radiador y revise el nivel visible de líquido refrigerante.

Líquido de dirección asistida

- Indique dónde se encuentra la varilla para medir el líquido de dirección asistida.
- Compruebe que el nivel sea el adecuado y esté por encima de la marca que indica que se debe agregar líquido.

Bandas del compartimiento del motor

- Verifique la tensión de las siguientes bandas o correas (pueden tener un juego de hasta ¾ de pulgada o 1.90 centímetros en el centro de la banda). También controle si tienen grietas o están desgastadas.

  ➢ Banda de la dirección asistida
  ➢ Banda de la bomba de agua
  ➢ Banda del alternador
  ➢ Banda del compresor de aire

Importante: Si alguno de los componentes antes mencionados no funciona con banda:

- indique al examinador cuáles son los componentes que no funcionan con banda;
- asegúrese de que esos componentes funcionen correctamente, no tengan daños ni fugas y estén firmemente montados.

Embrague y palanca de cambios (Arranque seguro)

- Presione el embrague.
- Ponga la palanca de cambios en punto muerto (*neutral*) o en estacionar (*park*) si la caja es automática.
- Ponga en marcha el motor y suelte lentamente el embrague.

11.2.2 - Inspección de la cabina y puesta en marcha del motor

Medidor de presión de aceite

- Asegúrese de que el medidor de presión de aceite funcione.
- Verifique que el medidor muestre que la presión de aceite está aumentando o que está en su nivel normal y que la luz de advertencia se apaga.
- Si el vehículo está equipado con medidor de temperatura de aceite, ésta debe comenzar a subir gradualmente hasta indicar el nivel normal.

Medidor de temperatura

- Asegúrese de que el medidor de temperatura funcione.
- La temperatura debe comenzar a elevarse hasta alcanzar el nivel normal o hasta que la luz de temperatura se apague.

Medidor de aire

- Asegúrese de que el medidor de aire funcione.
- Aumente la presión de aire del corte del gobernador hasta lograr unos 120 a 140 psi.

Amperímetro y voltímetro

- Verifique que los medidores muestren que el alternador o el generador se están cargando y que la luz de advertencia se apague.

Espejos y parabrisas

- Los espejos deben estar limpios y correctamente orientados desde el interior.
- El parabrisas debe estar limpio y sin etiquetas adhesivas ilegales ni elementos que obstruyan la visibilidad o dañen el vidrio.

Equipo de emergencia

- Verifique si lleva fusibles eléctricos de repuesto.
- Verifique si lleva tres triángulos reflectantes rojos, seis espoletas o tres bengalas.
- Verifique si el extinguidor de incendio cuenta con la clasificación y carga correctas.

Importante: Si el vehículo no está equipado con fusibles eléctricos, debe mencionárselo al examinador.

Juego del volante

- *Dirección convencional:* gire el volante hacia ambos lados para verificar si tiene demasiado juego. El juego no debe exceder los 10 grados o unas dos pulgadas (5 cm) en un volante de 20 pulgadas (51 cm).
- *Dirección asistida:* con el motor en marcha, gire el volante hacia ambos lados para verificar si tiene demasiado juego. El juego no debe exceder los 10 grados o unas dos pulgadas (5 cm) en un volante de 20 pulgadas (51 cm) hasta que la rueda delantera izquierda comience a moverse.

Limpiadores y lavadores del parabrisas

- Revise si las varillas y gomas del limpiaparabrisas están aseguradas, no tienen daños y funcionan correctamente.
- Si el vehículo está equipado con lavaparabrisas, éstos deben funcionar correctamente.

Condición de las luces/Reflectores/Cinta reflectora (Partes laterales y trasera)

- Compruebe que los indicadores del tablero funcionen cuando estén encendidas las luces correspondientes:

  ➤ Luz de giro a la izquierda
  ➤ Luz de giro a la derecha
  ➤ Luces intermitentes de emergencia
  ➤ Luces altas
  ➤ Indicador del Sistema antibloqueo de frenos (ABS)

- Compruebe que todas las luces y equipo reflector exteriores se encuentren limpios y que funcionen. Para comprobar las luces y reflectores debe; averiguar los siguientes;

  ➤ Luces de espacio libre (rojas en la parte posterior del vehículo y ámbar en los demás lugares)
  ➤ Faros delanteros (luces altas y bajas)
  ➤ Faros traseros
  ➤ Luces de reversa
  ➤ Luces de giro
  ➤ Luces intermitentes cuádruples

> Luces de freno
> Reflectores rojos para la parte trasera y ámbar en los demás lugares
> Condición de la cinta reflectora

Importante: La verificación del funcionamiento de las luces de freno, las luces de giro y las luces intermitentes cuádruples se debe hacer por separado.

Claxon (pito)

- Revise si el claxon de aire o eléctrico funcionan.

Calefacción y desempañador

- Revise si la calefacción y el desempañador funcionan.

Inspección del freno de estacionamiento

- Con el freno de estacionamiento puesto (en vehículos de combinación, los frenos del remolque deben quedar sueltos), compruebe que el freno de estacionamiento pueda sostener el vehículo al tratar de poner marcha hacia adelante con el freno de estacionamiento puesto.
- Con el freno de estacionamiento suelto y el del remolque puesto (solamente en vehículos de combinación), compruebe que el freno de estacionamiento del remolque sostenga el vehículo al tratar de poner marcha hacia adelante con el freno de estacionamiento del remolque puesto.

Inspección del freno hidráulico

- Bombee tres veces el pedal de freno y luego manténgalo presionado por cinco segundos. El pedal de freno no debe moverse (ceder) durante los cinco segundos.
- Si el vehículo está equipado con sistema de reserva de freno hidráulico (respaldo), con la llave desconectada, presione el pedal de freno y escuche si el motor eléctrico del sistema de reserva funciona.
- Compruebe si el zumbador o la luz de advertencia están apagados.

Inspección de frenos de aire (sólo para vehículos equipados con frenos de aire)

- Si no revisa correctamente los tres elementos de la verificación de los frenos de aire, automáticamente se dará por no aprobada la prueba de inspección vehicular. Existe una variedad de dispositivos de seguridad de los frenos de aire. Sin embargo, este procedimiento está diseñado para verificar el correcto funcionamiento de cualquier dispositivo de seguridad si la presión de aire desciende por debajo del nivel normal. Por razones de seguridad, en las áreas donde haya pendientes deberá utilizar cuñas para inmovilizar las ruedas durante la inspección de los frenos de aire. Los procedimientos adecuados para inspeccionar el sistema de frenos de aire son los siguientes:

> *Chequeo estacionario.* Apague el motor, si fuera necesario bloquee las ruedas con cuñas, suelte la válvula de protección del tractor y el freno de estacionamiento (presionándolo), pise totalmente el pedal de freno y manténgalo presionado durante un minuto. Examine el medidor de aire para comprobar si la presión de aire desciende más de tres libras en un minuto (en vehículos sencillos) o cuatro libras en un minuto (en vehículos de combinación).
> *Verifique el dispositivo de advertencia de baja presión de aire.* Active la fuente de energía eléctrica y comience a eliminar la presión de aire pisando y soltando rápidamente el pedal de freno. Los dispositivos de advertencia de baja presión de aire (zumbador, luz, banderín) se deben activar antes de que la presión descienda a menos de 60 psi.
> *Verifique la válvula de protección y la activación de los frenos de resorte.* Continúe eliminando la presión de aire. Cuando la presión llegue a 40 psi en un vehículo de combinación de tractor con remolque, la válvula de protección del tractor y la válvula del freno de estacionamiento se deben cerrar (saltar). En otros tipos de vehículos de combinación y en vehículos sencillos, la válvula del freno de estacionamiento se debe cerrar (saltar).

> *Verifique el compresor de aire y el punto de corte regulado:* incremente la presión de aire hasta el punto de corte regulado (100 a 125 psi).

Freno de servicio

- Deberá comprobar la aplicación de los frenos de servicio de aire o hidráulicos. Este procedimiento se hace para determinar si los frenos están funcionando correctamente y que el vehículo no tire hacia los lados.

- Marche hacia adelante a 5 mph (8 km/h), ponga el freno de servicio y pare. Compruebe que el vehículo no tire hacia los lados y que se detenga cuando ponga el freno.

Cinturón de seguridad

- Verifique que el cinturón de seguridad esté firmemente montado, que ajuste y se trabe correctamente y que no esté roto ni desgastado.

11.3 – Inspección del exterior (para todos los vehículos)

11.3.1 - Dirección

Caja de dirección y mangueras

- Verifique que la caja de dirección esté firmemente montada y que no tenga fugas. Verifique si faltan tuercas, pernos o chavetas.
- Revise si hay fugas de líquido de la dirección asistida o daños en las mangueras del sistema.

Varillaje de la dirección

- Verifique que las varillas, brazos y barras de conexión de la caja de dirección con el volante no estén desgastadas ni agrietadas.
- Revise que las juntas y los encastres no estén desgastados ni flojos y que no falten tuercas, pernos ni chavetas.

11.3.2 - Suspensión

Sistemas neumáticos, de muelles o de torsión

- Verifique si hay láminas faltantes, desplazadas, agrietadas o rotas.
- Verifique si hay muelles en espiral rotos o deformados.
- Si un vehículo está equipado con barras de torsión, brazos de torsión u otros tipos de componentes de suspensión, revise que estén firmemente montados y que no tengan daños.
- Inspeccione la suspensión neumática para detectar posibles daños o fugas.

Soportes
- Verifique si hay soportes de muelles agrietados o rotos; cojinetes faltantes o dañados; y pernos, pernos en U u otras piezas de soporte de los ejes rotas, flojas faltantes. (Los soportes se deben inspeccionar en todos los puntos en donde están sujetos al chasis y a los ejes del vehículo).

Amortiguadores

- Compruebe que los amortiguadores sean seguros y que no tengan fugas.

Importante: Es posible que deba realizar la misma inspección de los componentes de la suspensión en cada eje (incluso los de la unidad motriz y el remolque, si corresponde).

11.3.3 - Frenos

Reguladores y varillas de empuje

- Revise si hay piezas rotas, flojas o faltantes.
- En el caso de reguladores manuales, la varilla de empuje del freno no se debe mover más de una pulgada (2.5 cm) con el freno suelto cuando se la jala manualmente.

Recámaras del freno

- Verifique que las recámaras del freno no tengan fugas, que no estén agrietadas ni abolladas y que estén firmemente montadas.

Ductos/mangueras de frenos

- Revise que las mangueras, ductos o acoples no estén agrietados, desgastados o con fugas.

Freno de tambor

- Verifique si tiene grietas, abolladuras u orificios y si hay pernos flojos o faltantes.
- Verifique que no haya contaminantes como mugre aceite o grasa.
- Los revestimientos de los frenos (donde se los pueda ver) no deben estar desgastados al punto que representen un peligro.

Revestimientos de los frenos

- En algunos tambores de frenos hay orificios que permiten ver los revestimientos de los frenos desde afuera. En este tipo de tambor, revise si hay una cantidad visible de revestimiento del freno.

Importante: Es posible que deba realizar la misma inspección de los componentes de los frenos en cada eje (incluso los de la unidad motriz y el remolque, si corresponde).

11.3.4 - Ruedas

Aros

- Revise si los aros están dañados o doblados. Los aros no se deben reparar con soldaduras.

Llantas

- En cada llanta se deben inspeccionar los siguientes elementos:

  > *Profundidad del dibujo:* revise que las llantas tengan la profundidad de dibujo mínima (4/32 en las llantas del eje de dirección y 2/32 en las demás).
  > *Condición de las llantas:* revise que el dibujo esté desgastado en forma pareja y examine las llantas para detectar cortes u otros daños en el dibujo o en las paredes externas. También asegúrese de que no haya tapas y vástagos de las válvulas faltantes, rotos ni dañados.
  > *Inflado de las llantas:* use un medidor de presión de aire para comprobar si las llantas están correctamente infladas. Aviso: no notará si las llantas están correctamente infladas con solo patearlas.

Importante: No es suficiente golpear con el pie las llantas para saber si están correctamente infladas.

Juntas de aceite del cubo y juntas de los ejes

- Compruebe que no haya fugas en las juntas de aceite del cubo ni en las juntas de los ejes y, si la rueda tiene un visor, verifique que el nivel de aceite sea suficiente.

Tuercas de las ruedas

- Verifique que estén todas las tuercas de las ruedas, que no estén agrietadas ni deformadas y que no haya rastros de óxido o roscas brillantes que indiquen que están flojas.
- Asegúrese de que los orificios de los pernos no estén agrietados ni deformados.

Separadores o espaciadores

- Si cuenta con separadores, revise que no estén doblados, dañados ni oxidados por dentro.
- Los separadores deben estar centrados en forma pareja para que las llantas y las ruedas duales tengan la misma separación.

Importante: Es posible que deba realizar la misma inspección de las ruedas en cada eje (incluidos los de la unidad motriz y el remolque, si corresponde).

11.3.5 - Puertas y espejos laterales del vehículo

- Compruebe que las puertas no estén dañadas y que se abran y cierren correctamente desde afuera.
- Las bisagras deben estar bien aseguradas con las uniones intactas.
- Verifique que los espejos y los soportes de los espejos no estén dañados y que estén firmemente montados, sin accesorios sueltos.

Tanque de combustible

- Revise que los tanques estén asegurados con las tapas ajustadas y que los ductos no tengan fugas.

Batería y caja de la batería

- Donde sea que esté ubicada, revise que la batería esté bien asegurada, que las conexiones estén ajustadas y que las tapas de las celdas estén colocadas en su lugar.
- Las conexiones no deben mostrar signos de corrosión excesiva.
- La caja de la batería y la cubierta o puerta deben estar bien aseguradas.

Eje motor

- Verifique que el eje motor no esté doblado ni agrietado.
- Los acoples deben estar bien asegurados y libres de elementos extraños.

Sistema de escape

- Verifique el sistema para detectar daños y signos de fugas como óxido u hollín.
- El sistema debe estar firmemente conectado y montado.

Estructura

- Verifique si hay grietas, soldaduras rotas, orificios u otros daños en las piezas longitudinales y transversales, en la caja o en el piso de la estructura.

11.3.6 - Parte trasera del vehículo

Guardabarros

- Si los tiene, verifique que los guardabarros no estén dañados y que estén firmemente montados.

Puertas, amarres y elevadores

- Compruebe que las puertas y bisagras no estén dañadas y que abran, cierren y traben correctamente desde afuera, si cuentan con cerraduras exteriores.
- Los amarres, las cuerdas y las cadenas también deben estar bien aseguradas.
- Si cuenta con un elevador de carga, revise si tiene fugas o piezas dañadas o faltantes y explique de qué manera se debe inspeccionar para saber si funciona correctamente.
- El elevador debe estar completamente retraído y correctamente trabado.

11.3.7 - Tractor y acople

Ductos de aire y eléctricos

- Escuche para detectar fugas de aire. Revise que los ductos de aire y eléctricos no estén cortados, pelados, pegados ni desgastados (el trenzado de acero no debe estar a la vista).
- Asegúrese de que los ductos de aire y eléctricos no estén enredados, apretados ni en contacto con otras piezas del tractor.

Pasarelas de servicio

- Revise que las pasarelas sean sólidas y que estén despejadas y firmemente sujetas con pernos a la estructura del tractor.

Tornillos de montaje

- Verifique si hay tornillos, tuercas, abrazaderas o soportes de montaje flojos o faltantes. Tanto la quinta rueda como el montaje corredizo deben estar firmemente fijados.
- En otros tipos de acoples (por ejemplo, con enganche de bola o con gancho de seguridad, etc.) inspeccione todos los componentes de acople y soportes de montaje para detectar piezas faltantes o rotas.

Palanca de desenganche del acople

- Verifique que la palanca de desenganche del acople se encuentre en su lugar y asegurada.

Horquillas de bloqueo

- Examine el espacio intermedio de la quinta rueda para comprobar si las horquillas de bloqueo están totalmente cerradas alrededor del pivote.
- En otros tipos de acoples (por ejemplo, con enganche de bola o con gancho de seguridad, etc.) inspeccione el mecanismo de cierre para detectar piezas faltantes o rotas, y asegurarse de que están bien cerrados. Si hay cables o cadenas de seguridad, deben estar aseguradas y sin deformaciones ni con demasiado juego.

Plato corredizo de la quinta rueda

- Verifique que la lubricación sea adecuada y que el plato corredizo de la quinta rueda se encuentre montado y bien asegurado a la plataforma, y que todos los tornillos y las espigas de cierre se encuentren asegurados y que no falte ninguno.

Plataforma (quinta rueda)

- Revise si hay grietas o roturas en la estructura de la plataforma que soporta el plato corredizo de la quinta rueda.

Brazo de desconexión (quinta rueda)

- Si lo tiene, asegúrese de que el brazo de desconexión esté en la posición de enganche y que el pasador de seguridad esté en su lugar.

Pivote, plataforma, espacio intermedio

- Revise que el pivote no esté doblado.
- Asegúrese de que la parte visible de la plataforma no esté doblada, agrietada ni rota.
- Verifique que el remolque esté bien asentado sobre el plato corredizo de la quinta rueda sin que haya espacio intermedio.

Espigas de cierre (quinta rueda)

- Si las tiene, verifique si hay espigas faltantes o flojas en el mecanismo corredizo de la quinta rueda corrediza. Si se activa por aire, verifique si hay fugas.
- Asegúrese de que las espigas de cierre estén completamente trabadas.
- Verifique que la quinta rueda esté correctamente ubicada para que la estructura del tractor no golpee contra el tren de aterrizaje al girar.

Gancho deslizante
- Compruebe que el gancho deslizante esté asegurado y que no falten tornillos ni tuercas ni que estén sueltos, y que la chaveta se encuentre en su lugar.

Lengüeta o barra levadiza
- Verifique que la lengüeta o barra levadiza no esté torcida ni doblada y revise que no haya soldaduras rotas ni grietas de tensión.
- Compruebe que la lengüeta o barra levadiza no esté demasiado desgastada.

Área de almacenamiento de la lengüeta
- Compruebe que el área de almacenamiento esté sólida y se encuentre sujetada a la lengüeta.
- Verifique que la carga en el área de almacenamiento (por ejemplo, cadenas, amarres, etc.) esté bien asegurada.

11.4 - Sólo para autobuses escolares

Equipo de emergencia

- Además de verificar si lleva fusibles eléctricos de repuesto (si los tiene), tres triángulos rojos reflectantes y un extinguidor de incendio con clasificación y carga correctas, los conductores de autobuses escolares también deben cerciorarse de llevar el botiquín de primeros auxilios de nueve elementos.

Indicadores de iluminación

- Aparte de revisar los indicadores de iluminación detallados en la sección 10.2 de este manual, los conductores de autobuses escolares también deben inspeccionar los siguientes indicadores de iluminación en el tablero interno.

  - ➢ Indicador de luces intermitentes ámbar, si lo tiene
  - ➢ Indicador de luces intermitentes rojas, si lo tiene
  - ➢ Indicador de luces estroboscópicas, si lo tiene

Luces y reflectores

- Además de revisar los dispositivos reflectantes y de iluminación detallados en la sección 10.2 de este manual, los conductores de autobuses escolares también deben inspeccionar las siguientes luces y reflectores externos:
  - ➢ Luz estroboscópica, si la tiene
  - ➢ Luz del brazo de indicación de detención, si la tiene
  - ➢ Luces intermitentes ámbar, si las tiene
  - ➢ Luces intermitentes rojas, si las tiene

Espejos para observar a los alumnos

- Además de verificar los espejos externos, los conductores de autobuses escolares también deben revisar los espejos externos e internos para observar a los alumnos:

  - Asegúrese de que tengan la orientación adecuada.
  - Compruebe que los espejos del interior y del exterior, y los soportes de los espejos no estén dañados y que estén firmemente montados, sin accesorios sueltos.
  - Compruebe que los espejos no estén sucios y le obstruyan la visibilidad.

Brazo de indicación de detención

- Si cuenta con un brazo de indicación de detención, revise si está firmemente fijado a la estructura del vehículo y si tiene accesorios flojos o daños.

Ingreso de pasajeros y elevadores para sillas de ruedas

- Revise que la puerta de acceso no esté dañada, que se deslice suavemente y se cierre de manera segura desde el interior.
- Los pasamanos deben estar asegurados y las luces de los escalones, si las tiene, deben funcionar.
- Los peldaños de acceso deben estar despejados y el revestimiento no debe estar suelto ni excesivamente gastado.
- Si cuenta con un elevador para silla de ruedas, revise si tiene fugas o piezas dañadas o faltantes, y explique de qué manera se debe inspeccionar para saber si funciona correctamente. El elevador debe estar completamente retraído y correctamente trabado.

Salida de emergencia

- Asegúrese de que ninguna salida de emergencia esté dañada y de que todas funcionen correctamente y cierren de manera segura desde el interior.
- Revise si todos los dispositivos de advertencia de las salidas de emergencia funcionan.

Asientos

- Verifique que no haya estructuras de asientos rotas y que estén firmemente fijadas al piso.
- Verifique que los cojines de los asientos estén fijados a la estructura del asiento.

11.5 – Para remolque

11.5.1 - Frente del remolque

Conexiones eléctricas y de aire

- Verifique que las conexiones de aire del remolque sean herméticas y estén en buenas condiciones.
- Asegúrese de que los protectores estén correctamente trabados, sin daños ni fugas de aire.
- Asegúrese de que el enchufe eléctrico del remolque esté instalado y trabado correctamente.

Tablón delantero

- Si su vehículo cuenta con un tablón delantero, revise que esté bien asegurado, que no esté dañado y que sea lo suficientemente fuerte como para contener la carga.
- Si tiene una lona regular o impermeable, asegúrese de que esté colocada y amarrada de manera segura.
- En remolques cerrados, inspeccione el área frontal para detectar signos de daños tales como grietas, abultamientos u orificios.

11.5.2 - Parte lateral del remolque

Tren de aterrizaje

- Compruebe que el tren de aterrizaje esté completamente levantado y que no le falten piezas, que la manivela esté asegurada y que la estructura del soporte no esté dañada.
- Si tiene mecanismo motorizado, revise que no haya fugas de aire ni hidráulicas.

Puertas, amarres y elevadores

- Si tiene ese equipo, revise que las puertas no estén dañadas y que se abran, cierren y traben correctamente desde el exterior.
- Verifique si los amarres, cuerdas y cadenas están bien asegurados.
- Si cuenta con un elevador de carga, revise si tiene fugas o piezas dañadas o faltantes y explique de qué manera se debe inspeccionar para saber si funciona correctamente.
- El elevador debe estar completamente retraído y correctamente trabado.

Estructura

- Verifique si hay grietas, soldaduras rotas, orificios u otros daños en la estructura, los travesaños, la caja y el piso.

Espigas de cierre y brazo de desconexión en tándem

- Si su equipo cuenta con estos elementos, asegúrese de que las espigas de cierre estén trabadas correctamente y que el brazo de desconexión esté asegurado.

11.5.3. - Resto del remolque

Resto del remolque

- Consulte la sección 11.2 de este manual donde encontrará los procedimientos de inspección detallados para los siguientes componentes:

  - Ruedas
  - Sistemas de suspensión
  - Frenos
  - Puertas, amarres y elevadores
  - Guardabarros

11.6 - Para autobuses de larga distancia o de línea urbana

11.6.1 - Elementos relacionados con los pasajeros

Ingreso de pasajeros y elevadores para sillas de ruedas

- Revise que las puertas de acceso se deslicen suavemente y se cierren de manera segura desde el interior.
- Compruebe que los pasamanos estén asegurados y, si las tiene, que las luces de los escalones funcionen.
- Verifique que los peldaños de acceso estén despejados y que el revestimiento no esté suelto ni excesivamente gastado.
- Si cuenta con un elevador para sillas de ruedas, revise si tiene fugas o piezas dañadas o faltantes y explique de qué manera se debe inspeccionar para saber si funciona correctamente.
- El elevador debe estar completamente retraído y correctamente trabado.

Salidas de emergencia

- Asegúrese de que ninguna salida de emergencia esté dañada y de que todas funcionen correctamente y cierren de manera segura desde el interior.
- Revise si todos los dispositivos de advertencia de las salidas de emergencia funcionan.

Asientos para pasajeros

- Verifique que no haya estructuras de asientos rotas y que estén firmemente fijadas al piso.
- Verifique que los cojines de los asientos estén fijados a la estructura del asiento.
-

11.6.2 - Ingreso y salida

Puertas y espejos

- Revise que las puertas de acceso y salida no estén dañadas y que se puedan hacer funcionar con facilidad desde el exterior. Las bisagras deben estar bien aseguradas con las uniones intactas.
- Verifique que los espejos para visualizar la salida de los pasajeros, los espejos externos y los soportes de los espejos no tengan daños y estén firmemente montados, sin accesorios sueltos.

11.6.3 - Inspección del exterior de un autobús de larga distancia o de línea urbana

Nivelación y fugas de aire

- Compruebe que el vehículo esté en un lugar nivelado (tanto el frente como la parte trasera) y, si está equipado con suspensión neumática, verifique si tiene fugas de aire audibles.

Tanques de combustible

- Revise que los tanques de combustible estén asegurados y que no haya fugas en el tanque ni en los ductos.

Compartimientos para equipaje

- Revise que las puertas del compartimiento para equipaje y de todos los otros compartimientos exteriores que tenga el vehículo no estén dañadas, y que funcionen y se traben correctamente.

Batería y caja de la batería

- Donde sea que esté ubicada, revise que la batería esté bien asegurada, que las conexiones estén ajustadas y que las tapas de las celdas estén colocadas en su lugar.
- Las conexiones no deben mostrar signos de corrosión excesiva.
- Revise que la caja de la batería y la cubierta o puerta no tengan daños y estén bien aseguradas.

11.6.4. -Resto del autobús de larga distancia o de línea urbana

Resto del vehículo

- Consulte la sección 11.2 y 11.3 de este manual para ver una descripción detallada de los procedimientos de inspección del resto del vehículo.

11.7 – Lista de recordatorio de inspección de vehículo CDL

<u>**Vehículos de cuerpos combinados**</u>

Parte delantera del vehículo, luces/faroles, compartimiento del motor y componentes de la dirección

<u>**Camión o autobús**</u>

Parte delantera del vehículo, luces/faroles, compartimiento del motor y componentes de la dirección

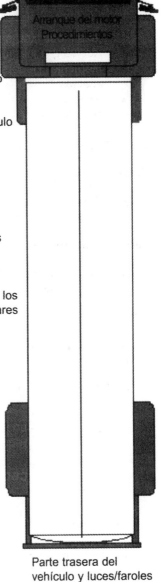

Eje de dirección
- Suspensión
- Frenos
- Neumáticos

Puerta del lado del conductor
Zona del depósito de combustible

Debajo del vehículo
- Árbol motriz
- Silenciador
- Bastidor

Eje motriz
- Suspensión
- Frenos
- Neumáticos

Mecanismos de acoplamiento
- Camión
- Remolque

Parte trasera del camión/tractor y luces/faroles

Componentes del remolque
- Parte delantera, parte lateral, luces y faroles
- Bastidor
- Eje de ruedas
- Espigas de eje

Eje(s) del remolque
- Suspensión
- Frenos
- Neumáticos

Parte trasera del remolque y luces/faroles

Eje de dirección
- Suspensión
- Frenos
- Neumáticos

Puerta del lado del conductor
Zona del depósito de combustible

Debajo del vehículo
- Árbol motriz
- Silenciador
- Bastidor

Elementos relacionados con los pasajeros (Solo autobuses)

Elementos relacionados con los autobuses escolares (Solo autobuses escolares)

Parte lateral del vehículo y luces/faroles

Eje motriz
- Suspensión
- Frenos
- Neumáticos

Parte trasera del vehículo y luces/faroles

SECCIÓN 12
PRUEBA DE DESTREZA PARA EL CONTROL BÁSICO DEL VEHÍCULO

Contenido de la sección

- **Puntaje de la prueba de destreza**
- **Ejercicios requeridos para la prueba de destreza**

Se evaluará su destreza básica para el control del vehículo por medio de uno o más de los siguientes ejercicios, que realizará en la calle o en algún otro lugar durante la prueba de carretera.

- Retroceder en línea recta
- Retroceder hacia la derecha
- Retroceder hacia la izquierda
- Estacionar en paralelo (del lado del conductor)
- Estacionar en paralelo (lado convencional)
- Ingresar a un callejón para carga y descarga

Estos ejercicios se pueden ver en las figuras 12-1 a 12-6.

12.1 Puntaje de la prueba de destreza

- Cruzar los límites (invadir)
- Paradas
- Observaciones desde el exterior del vehículo (Miradas)
- Posición que se le haya indicado

Cruzar los límites (invadir): Durante el ejercicio, el examinador registrará la cantidad de veces que usted toque o sobrepase una línea divisoria con cualquier parte del vehículo, y contará cada invasión como un error.

Paradas: Cuando el conductor detiene el vehículo y cambia de dirección para obtener una mejor posición, esto se califica como una "parada". Detener el vehículo sin cambiar de dirección no califica como una parada. No se le descontará puntaje por las primeras paradas. Sin embargo, si realiza un número excesivo de paradas, se le contarán como errores.

Observaciones desde el exterior del vehículo (Miradas): Se le podría permitir detener el vehículo de manera segura y bajarse para verificar la posición externa del vehículo (mirada). Al hacerlo, debe colocar el vehículo en neutro y poner el freno de estacionamiento. Luego, al bajarse del vehículo, debe hacerlo con cuidado mirando en la dirección del vehículo y manteniendo tres puntos de contacto con el vehículo en todo momento (cuando descienda de un autobús, sosténgase firmemente del pasamanos en todo momento). Si no asegura el vehículo o se baja sin poner cuidado, podría reprobar automáticamente la prueba de destrezas básicas para el control del vehículo.

La cantidad máxima de veces que puede mirar para revisar la posición del vehículo es dos (2) con la excepción del Ejercicio de retroceder en línea recta, que le permite una sola mirada. Se cuentan como "miradas" cada vez que abra la puerta, cambie de posición de estar sentado y en control físico del vehículo, o en el caso de un autobús, cuando camine hacia la parte trasera del autobús para poder ver mejor.

<u>Posición que se le haya indicado</u>: Es importante que finalice cada ejercicio exactamente como se lo indique el examinador. Si no maniobra el vehículo para dejarlo en la posición que le haya indicado, se le quitará puntaje y podría reprobar la prueba de destrezas básicas.

12.2   Ejercicios requeridos para la prueba de destreza

12.2.1 - Retroceder en línea recta

- Se le puede pedir que haga retroceder el vehículo en línea recta en una calle o entre dos hileras de conos, sin tocar ni cruzar los límites marcados para el ejercicio. *Ver la figura 12.1.*

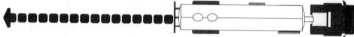

Figura 12.1

12.2.2 - Retroceder hacia la derecha

Se le puede pedir que retroceda hacia un espacio que se encuentra a la derecha de su vehículo. Deberá echar marcha adelante y luego retroceder sin golpear los conos que demarcan los límites a los lados y detrás del vehículo, y posicionarlo por completo en ese lugar. *Ver la figura 12.2.*

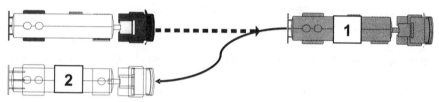

Figura 12.2

12.2.3 - Retroceder hacia la izquierda

Se le puede pedir que retroceda hacia un espacio que se encuentra a la izquierda de su vehículo. Deberá echar marcha adelante y luego retroceder sin golpear los conos que demarcan los límites a los lados y detrás del vehículo, y posicionarlo por completo en ese lugar. *Ver la figura 12,3.*

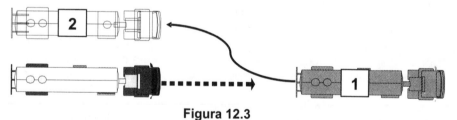

Figura 12.3

12.2.4 - Estacionar en paralelo (del lado del conductor)

Se le puede pedir que estacione el vehículo paralelo a otro objeto a su izquierda. Deberá manejar hasta pasar el lugar donde estacionará y luego retroceder y llevar la parte trasera del vehículo tan cerca como sea posible de la parte posterior del lugar de estacionamiento, sin cruzar los límites laterales o posteriores demarcados por conos. El vehículo completo debe quedar estacionado en el espacio indicado. *Ver la figura 12.4.*

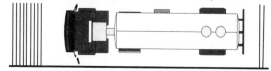

Figura 12.4

12.2.5 - Estacionar en paralelo (lado convencional)

Se le puede pedir que estacione en un lugar paralelo al vehículo, a su derecha. Deberá manejar hasta pasar el lugar donde estacionará y luego retroceder y llevar la parte trasera del vehículo tan cerca como sea posible de la parte posterior del lugar de estacionamiento, sin cruzar los límites laterales o posteriores demarcados por conos. El vehículo completo debe quedar estacionado en el espacio indicado. *Ver la figura 12.5.*

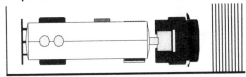

Figura 12.5

12.2.6 - Ingresar a un callejón para carga y descarga

Se le puede pedir que retroceda el vehículo para ingresar a un callejón, mirando por los espejos laterales. Deberá llevar la parte trasera del vehículo tan cerca como sea posible de la parte posterior del callejón, sin sobrepasar los límites demarcados con una línea o hilera de conos. El vehículo completo debe quedar dentro del espacio indicado y también debe quedar derecho dentro del callejón. *Ver la figura 12.6.*

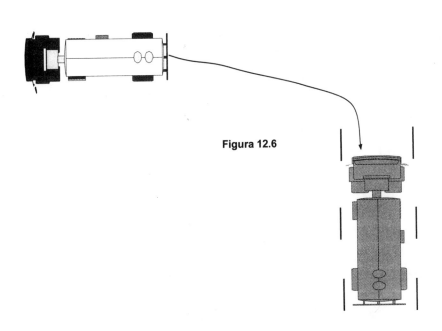

Figura 12.6

SECCIÓN 13
PRUEBA DE MANEJO EN CARRETERA

Esta sección le informa cómo será evaluado

Deberá manejar por una ruta de prueba que presenta diversas situaciones de tráfico. Durante toda la prueba deberá manejar de manera segura y responsable.

El examinador le asignará un puntaje no sólo por cada maniobra en particular sino también por su desempeño general durante el manejo. Deberá seguir las instrucciones del examinador, quien le dará tiempo suficiente para ejecutarlas y no le pedirá que realice maniobras riesgosas.

Si hay alguna situación de tráfico determinada que no está incluida en la ruta de prueba, el examinador le podrá solicitar que simule un caso específico y le explique qué haría si se encontrara en esa situación.

13.1 - Maniobras específicas durante el manejo

13.1.1. - Virajes

Cuando se le pida que doble:

* observe en todas las direcciones para verificar si vienen vehículos;
* utilice las señales de giro e ingrese de manera segura al carril correspondiente para virar.

A medida que se acerque a la curva:

* use las señales de giro para advertir a los demás que va a doblar;
* reduzca gradualmente la velocidad, cambie de marcha según sea necesario para conservar la potencia del motor y no avance de manera insegura usando la inercia del vehículo. Avanzar con la inercia del vehículo es inseguro cuando el motor no tiene ninguna marcha puesta (ya sea que el embrague esté presionado o la palanca de cambios esté en punto muerto o *"neutral"*) por una distancia mayor que la longitud del vehículo.

Si debe detenerse antes de doblar:

* hágalo lentamente, sin patinar;
* deténgase por completo detrás de la línea de detención, el cruce de peatones o la señal de alto;
* si se detiene detrás de otro vehículo, hágalo a una distancia desde donde pueda ver las llantas traseras de dicho vehículo (espacio de seguridad);
* evite que su vehículo se desplace;
* mantenga las ruedas delanteras enderezadas.

Cuando esté listo para doblar:

* observe en todas las direcciones para verificar si vienen vehículos;
* mantenga ambas manos sobre el volante mientras dobla;
* no cambie de marcha mientras dobla;

- siempre mire por los espejos para asegurarse de que el vehículo no choca con algo que esté en el lado interno de la curva;
- el vehículo no debe circular hacia el tráfico que viene de frente;
- debe completar la vuelta en el carril correspondiente.

Después de doblar:

- asegúrese de que la señal de giro se haya apagado;
- acelere a la velocidad del tráfico y use la señal de giro y ubíquese en el carril derecho cuando sea seguro hacerlo (salvo que ya esté en ese carril).
- mire por los espejos y fíjese en el tráfico

13.1.2 - Intersecciones

A medida que se acerque a una intersección:

- mire atentamente en todas las direcciones para verificar si vienen otros vehículos;
- reduzca la velocidad lentamente;
- frene gradualmente y, si es necesario, cambie de marcha;
- si es necesario, deténgase por completo (sin utilizar la inercia del vehículo) detrás de las señales y carteles de alto, cruces de peatones o líneas de detención, y mantenga un espacio de seguridad entre su vehículo y el que está adelante;
- el vehículo no debe desplazarse hacia atrás ni hacia delante.

Cuando cruce la intersección:

- mire atentamente en todas las direcciones para verificar si vienen otros vehículos;
- reduzca la velocidad y ceda el paso a peatones y vehículos que estén cruzando la intersección;
- no cambie de carril ni de marcha mientras cruza;
- mantenga las manos en el volante.

Después de cruzar:
- continúe mirando por los espejos y observando atentamente al tráfico;
- acelere gradualmente y cambie de marcha según sea necesario.

13.1.3 – Camino recto en zona urbana o rural

En esta parte de la prueba se le pedirá que preste atención al tráfico como lo hace normalmente y que mantenga una distancia segura con el vehículo que va adelante. Debe mantener su vehículo en el centro del carril correcto (el primero de la derecha) y circular a la velocidad del tráfico pero sin exceder el límite de velocidad permitido.

13.1.4 - Cambios de carril en zona urbana o rural

En la sección de la prueba sobre carreteras urbanas o rurales con varios carriles, se le pedirá que cambie al carril de la izquierda y luego, que vuelva al de la derecha. Primero debe fijarse en el tráfico y luego hacer las señales adecuadas para cambiar lentamente de carril cuando sea seguro hacerlo.

13.1.5 - Autopistas

Antes de ingresar en una autopista:

- fíjese en el tráfico;
- use las señales apropiadas;
- ingrese lentamente al carril correspondiente.

Cuando esté en la autopista:

- mantenga la posición del vehículo en el carril correspondiente, a una distancia segura con los vehículos que lo rodean y a una velocidad constante;
- mire constantemente y con atención en todas las direcciones para verificar si vienen vehículos.

Cuando se le solicite cambiar de carril:

- fíjese en el tráfico todas las veces que sean necesarias;
- use las señales apropiadas;
- cambie de carril lentamente cuando sea seguro hacerlo.

Al salir de la autopista:

- fíjese en el tráfico todas las veces que sean necesarias;
- use las señales apropiadas;
- desacelere gradualmente en el carril de salida;
- cuando se encuentre en la rampa de salida debe continuar desacelerando mientras se mantiene en su carril y dejar una distancia adecuada entre su vehículo y los demás.

13.1.6 - Detenerse y salir

Para esta maniobra se le pedirá que maneje hacia el costado de la carretera y se detenga como si fuera a bajarse para revisar algo en el vehículo. El examinador también puede pedirle que realice esta maniobra en una pendiente. Debe observar con atención en todas direcciones para verificar si vienen vehículos y dirigirse al carril de la derecha o al arcén de la carretera.

Al prepararse para detenerse:

- fíjese en el tráfico;
- ponga la señal de giro a la derecha;
- desacelere gradualmente, frene en forma pareja y cambie de marcha según sea necesario;
- Detenga el vehículo completamente; hágalo sin utilizar la inercia del vehículo.

Cuando se haya detenido:

- el vehículo debe estar paralelo al bordillo o arcén de la carretera y en un lugar seguro fuera de la circulación del tráfico;
- el vehículo no debe estar obstaculizando entradas para automóviles, hidrantes de incendios, intersecciones, señales, etc., a menos que el examinador le haya indicado que se dirija a esos lugares;
- apague la señal de giro;

- encienda las luces intermitentes de emergencia;
- ponga el freno de estacionamiento;
- ponga la palanca de cambios en punto muerto o en estacionar;
- suelte los pedales de freno y embrague.

Cuando se le indique continuar:

- mire atentamente en todas las direcciones y utilice los espejos para verificar si vienen otros vehículos;
- apague las luces intermitentes cuádruples;
- ponga la señal de giro a la izquierda;
- cuando el tráfico lo permita, suelte el freno de estacionamiento y avance en línea recta;
- no gire el volante antes de que el vehículo se mueva;
- observe en todas direcciones, especialmente hacia la izquierda, para ver si vienen vehículos;
- maniobre y acelere gradualmente para ingresar al carril correspondiente cuando sea seguro hacerlo;
- apague la señal de giro a la izquierda cuando el vehículo esté nuevamente incorporado al tráfico.

13.1.7 - Curvas

- Cuando se acerque a una curva:
- mire atentamente en todas las direcciones para verificar si vienen otros vehículos;
- antes de ingresar a la curva, reduzca la velocidad para que no sea necesario frenar más todavía ni cambiar de marcha durante la curva;
- mantenga el vehículo en el carril;
- mire continuamente y en todas las direcciones para verificar si vienen vehículos.

13.1.8 - Cruces de ferrocarril

Antes de llegar al cruce, los conductores comerciales deben:

- desacelerar, frenar gradualmente y cambiar de marcha según sea necesario;
- mirar y escuchar si viene el tren;
- observar en todas las direcciones para verificar si vienen vehículos.

No se detenga, cambie de marcha, pase a otro vehículo ni cambie de carril mientras alguna parte de su vehículo esté en el cruce.

Si está conduciendo un autobús, sea escolar o no, o un vehículo con rótulos de materiales peligrosos, debe estar preparado para seguir los siguientes procedimientos en cada cruce de ferrocarril (a menos que el cruce esté exento):

- Al aproximarse al cruce de ferrocarril, encienda las luces intermitentes cuádruples.
- Detenga el vehículo a una distancia de entre 50 y no menos de 15 pies (entre 15 y no menos de 4.60 metros) de la vía más próxima.
- Escuche y mire en ambas direcciones de las vías para ver si se aproxima un tren y observe las señales que indican que está por pasar un tren. Si conduce un autobús, también se le puede solicitar que abra la ventanilla y la puerta antes de cruzar las vías.
- Mantenga las manos sobre el volante mientras cruza las vías.

- No se detenga, cambie de marcha ni de carril mientras alguna parte de su vehículo esté en el cruce.
- Apague las luces intermitentes cuádruples recién después de cruzar las vías.

No todas las rutas de la prueba de manejo en carretera incluirán un cruce de ferrocarril pero se le puede pedir que explique y muestre al examinador los procedimientos correctos para pasar cruces de ferrocarril en un lugar simulado.

13.1.9 – Señales, puentes y pasos a desnivel

Después de pasar por debajo de un paso a desnivel, se le puede pedir que le indique al examinador cuáles eran la altura o espacio libre indicados. Después de cruzar un puente, se le puede solicitar que le indique al examinador cuál era el límite de peso señalizado. Si la ruta de prueba no tiene un puente ni un paso a desnivel, se le puede solicitar que explique alguna otra señal de tráfico. Cuando se lo soliciten, debe estar preparado para identificar y explicarle al examinador cualquier señal de tráfico que aparezca en la ruta.

13.1.10 – Descenso de alumnos (Autobús escolar)

Si solicita una certificación para Autobús escolar, deberá demostrar el ascenso y descenso de alumnos. Consulte la Sección 10 de este manual donde se encuentra el procedimiento para el ascenso y descenso de alumnos escolares.

13.2 - Desempeño y comportamiento general mientras maneja

Durante la prueba de manejo:

- use el cinturón de seguridad;
- obedezca todas las señales, carteles y leyes de tráfico;
- complete la prueba sin accidentes ni infracciones.

Se le otorgará un puntaje en base a su desempeño general durante el manejo en las siguientes categorías:

13.2.1 - Uso del embrague (para transmisión manual)

- Siempre use el embrague para realizar cambios de marcha.
- Se recomienda embragar dos veces cuando se cambia de marcha. No arrastre ni acelere al máximo el motor.
- No use el embrague para regular la velocidad. No avance utilizando la inercia del vehículo con el embrague presionado ni lo suelte de golpe.

13.2.2 - Uso de las marchas (para transmisión manual)

- Ponga las marchas correctamente sin forzar la transmisión.
- Seleccione la marcha correspondiente para las revoluciones del motor.
- No cambie de marchas al doblar ni en las intersecciones.

13.2.3 - Uso de los frenos

- No conduzca con los frenos presionados ni bombee el pedal de freno.
- No frene bruscamente, sino ejerciendo una presión gradual y constante.

13.2.4 - Uso del carril

- No se suba al bordillo, a la acera ni cruce las marcas del carril con el vehículo.
- Deténgase detrás de las líneas de detención, las sendas peatonales y las señales de alto.
- Al doblar en una carretera de varios carriles, complete el giro en el carril correspondiente (el vehículo debe finalizar el giro a la izquierda en el carril que está justo a la derecha de la línea del centro de la carretera).
- Complete el giro a la derecha en el primer carril de la derecha (al lado de la acera).
- Ubíquese en el carril de la derecha o manténgase en él, a menos que esté bloqueado.
-

13.2.5 – Maniobras de dirección

- No maniobre en exceso ni tampoco menos de los suficiente
- Mantenga ambas manos sobre el volante a menos que esté cambiando de marcha. Una vez haya terminado de hacer el cambio, coloque otra vez ambas manos sobre el volante.

13.2.6 – Verificación del tráfico con regularidad

- Verifique el tráfico con regularidad
- Mire por los espejos con regularidad
- Mire por los espejos y fíjese en el tráfico antes de entrar, cuando estas dentro, y después de los cruces
- Observe y fíjese en el tráfico en áreas donde haya mucho tráfico y donde se espere que haya peatones.

13.2.7 – Uso de las luces de giro

- Use las luces de giro de la manera correcta
- Active las luces de giro cuando sea necesario
- Active las luces de giro en el momento adecuado
- Cancele las luces de giro al terminar un giro o después de cambiar de carril.